CAFÉ
COM OS
ESTOICOS

A filosofia de Zenão, Sêneca,
Epiteto e Marco Aurélio

CAFÉ
COM OS
ESTOICOS

Camelot
EDITORA

ENCONTRE MAIS
LIVROS COMO ESTE

Copyright desta obra © IBC - Instituto Brasileiro De Cultura, 2023

Reservados todos os direitos desta produção, pela lei 9.610 de 19.2.1998.

2ª Impressão 2025

Presidente: Paulo Roberto Houch
MTB 0083982/SP

Coordenação Editorial: Priscilla Sipans
Coordenação de Arte: Rubens Martim (capa)
Produção Editorial: Murilo Oliveira de Castro Coelho (Org.)
Tradução: Murilo Oliveira de Castro Coelho
Revisão: MC Coelho – Produção Editorial
Apoio de Revisão: Leonan Mariano

Vendas: Tel.: (11) 3393-7727 (comercial2@editoraonline.com.br)

Foi feito o depósito legal.
Impresso na China

Dados Internacionais de Catalogação na Publicação (CIP)
de acordo com ISBD

C181c Camelot Editora

Café Com os Estoicos - Murilo Coelho / Camelot Editora. – Barueri: Camelot Editora, 2023.
256 p. ; 15,1cm x 23cm.

ISBN: 978-65-85168-88-5

1. Literatura. 2. Crítica literária. I. Título.

2023-3129   CDD 809
                                               CDU 82.09

Elaborado por Vagner Rodolfo da Silva - CRB-8/9410

IBC — Instituto Brasileiro de Cultura LTDA
CNPJ 04.207.648/0001-94
Avenida Juruá, 762 — Alphaville Industrial
CEP. 06455-010 — Barueri/SP
www.editoraonline.com.br

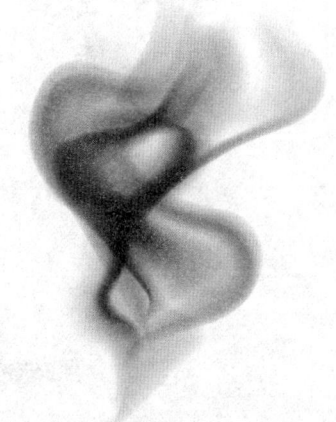

SUMÁRIO

INTRODUÇÃO 7

ZENÃO, O ESTOICO 37

O PENSAMENTO DE SÊNECA: MESTRE
DO ESTOICISMO 51

UMA SELEÇÃO DOS DISCURSOS DE EPITETO 158

O PENSAMENTO DE MARCO AURÉLIO, IMPERADOR
DE ROMA 207

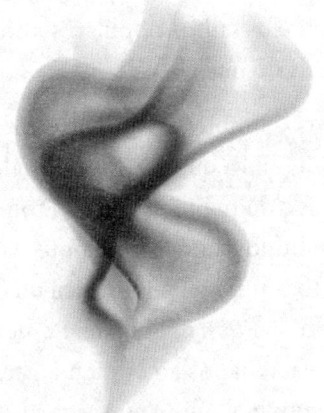

INTRODUÇÃO[1]
AUTOCONTROLE SEGUNDO O ESTOICISMO[2]

I

A LEI PSICOLÓGICA DA APERCEPÇÃO[3]

O caminho mais curto para entender o princípio estoico é por meio da doutrina psicológica da apercepção. De acordo com essa doutrina, agora universalmente aceita, a mente não é um armário vazio no qual são despejadas impressões prontas de coisas externas. A mente é um processo ativo, e o significado e o valor de qualquer sensação apresentada de fora é determinado pela reação das ideias e objetivos dominantes dentro dela. Essa doutrina revolucionou tanto a Psicologia quanto a Pedagogia e, quando corretamente introduzida na vida pessoal, revela-se ainda

---

1 Título original: *The five great philosophies of life*. Autor: William De Witt Hyde.
2 Título original: *Stoic self-control by law*. Segundo capítulo (p. 66-106) da obra de William De Witt Hyde, presidente do Bowdoin College, no Maine (USA), originalmente publicado em 1904 por The Macmillan Company, London (UK).
3 Filosofia: percepção acompanhada de consciência; Psicologia: aquisição do saber pela apreensão das qualidades de um objeto relativamente a conhecimentos já internalizados (APERCEPÇÃO. **Aulete digital.** Disponível em: https://www.aulete.com.br/apercep%C3%A7%C3%A3o. Acesso em: 19 set. 2023).

mais revolucionária. O estoicismo trabalha essa doutrina com todo o seu valor. A Ciência cristã e os cultos populares afins da atualidade talvez a estejam aplicando mais do que ela vale.

Traduzida em termos simples e cotidianos, essa doutrina, em sua aplicação à vida pessoal, significa que o valor de qualquer fato externo, posse ou experiência depende da maneira como o tomamos. Veja as riquezas, por exemplo. Ações e títulos, imóveis e hipotecas, dinheiro e contas bancárias, por si só, não tornam uma pessoa rica ou pobre. Eles podem enriquecer ou empobrecer sua personalidade. Somente quando são levados à mente, pensados, relacionados ao esquema geral de conduta, tornados a base de seus propósitos e planos é que se tornam um fator na vida pessoal. Obviamente, a mesma quantia de dinheiro, cem mil dólares, pode ser incorporada à vida pessoal de várias maneiras. Uma pessoa se torna orgulhosa com isso. Outra se torna preguiçosa. Outra fica com o coração duro. Outra se torna avarenta e desejosa por mais. Outra fica com o desejo de especular. Outra fica cheia de ansiedade para não perder esse dinheiro. Todas essas pessoas são obviamente empobrecidas pela suposta riqueza que possuem. Para as esposas e filhos de homens ricos, cuja riqueza vem sem o esforço extenuante e o contato humano próximo envolvidos em sua obtenção, ela geralmente causa seu empobrecimento pessoal de uma ou mais dessas maneiras fatais. A riqueza em uma mente indolente, autoindulgente, vaidosa, presunçosa, ostentosa e antipática assume a característica dessas qualidades odiosas e se torna uma maldição para seu possuidor, simplesmente porque ele ou ela já está amaldiçoado com essas más propensões, e a riqueza simplesmente adiciona combustível às chamas pré-existentes, embora possam ser ainda latentes.

Por outro lado, um ser humano se torna grato pela riqueza que conseguiu acumular. Outro se torna mais compreensivo. Outro se torna generoso. Outro é incentivado a participar do serviço público mais amplo que seus recursos independentes possibilitam. Outro é elevado a um senso de responsabilidade pelo seu uso correto. Em geral, homens e mulheres que ganham seu dinheiro honestamente são afetados de uma ou mais dessas maneiras benéficas, e sua riqueza se torna um enriquecimento de sua personalidade.

Agora, é impossível que esses cem mil dólares entrem na mente de qualquer ser humano e se tornem um estado mental, sem que estejam misturados com um ou outro desses acompanhamentos mentais, emocionais e volitivos. O estado mental, em outras palavras, é um composto do qual o fato externo, nesse caso os cem mil dólares, é o ingrediente menos importante. É um fator tão sem importância que os estoicos o consideravam indiferente. O tom e o temperamento como aceitamos nossas riquezas, os fins a que as dedicamos, o espírito que as mantemos, a maneira como as gastamos, são tão mais importantes do que o simples fato de as ter que, em comparação, o fato em si parece indiferente. Como todas as afirmações fortes, essa é, sem dúvida, um exagero. Você não pode ter o mesmo estado mental sem riquezas que pode ter com elas. O fato externo é um fator, embora relativamente pequeno, no estado mental composto. As virtudes de uma pessoa rica não são exatamente as mesmas que as virtudes de uma pobre. No entanto, o paradoxo estoico está muito mais próximo da verdade do que a afirmação do ser humano comum de que as coisas externas são o todo, ou mesmo a parte mais importante de nossos estados mentais.

O mesmo se aplica à saúde e à doença. A saúde muitas vezes torna a pessoa descuidada, insensível e negligente em relação ao dever, ao passo que a doença muitas vezes a torna consciente, atenciosa, fiel e, portanto, mais útil e eficiente do que seu irmão saudável. A popularidade muitas vezes nos enche de orgulho, ao passo que a perseguição, ao humilhar, prepara o coração para uma bênção mais verdadeira. Portanto, se um fato externo é bom ou mau, depende de como o consideramos, o que fazemos dele, o estado da mente, do coração e da vontade em que ele entra como fator. O estoicismo é fundamentalmente essa doutrina psicológica da percepção, transportada e aplicada no campo da vida pessoal – a doutrina segundo a qual nenhuma coisa externa pode nos afetar para o bem ou para o mal, até que a tenhamos incorporado à textura de nossa vida mental, pintada com a cor de nosso humor e temperamento dominantes e carimbada com a aprovação de nossa vontade. Assim, tudo, exceto um pequeno resíduo, é totalmente mental, nosso produto, a expressão do que somos e desejamos ser. A única diferença entre o estoicismo e a Ciência cristã nesse ponto é que o estoicismo reconhece o elemento material, embora o faça apenas para minimizá-lo e declará-lo indiferente. A Ciência cristã nega que exista qualquer fato físico, ou mesmo a matéria-prima da qual se possa fazer um fato. Tudo é meramente mental, diz o cientista cristão consistente com a dor de dente. Não há matéria para doer. O estoico, mais fiel aos fatos e com espírito não menos, mas mais heroico, declara: "Existe matéria, mas não importa se existe". A dor de dente pode ser tomada como um estímulo para maior fortaleza e equanimidade do que o indivíduo cujos dentes estão sãos teve a oportunidade de exemplificar na prática, e assim o estado mental total (dor de dente suportada com fortaleza) pode ser positivamente bom.

Essa doutrina de que as coisas externas nunca constituem, por si só, um estado mental, que elas são, consequentemente, indiferentes, que a contribuição mais importante é feita pela própria mente, que essa contribuição da mente é o que dá o tom e determina o valor do estado mental total, e que essa contribuição é exclusivamente nossa e pode ser colocada inteiramente sob nosso controle, esse é o primeiro e mais fundamental princípio estoico. Se tivermos compreendido esse princípio, estaremos preparados para ler com inteligência e simpatia os discursos surpreendentes e paradoxais dos principais mestres estoicos.

II

SELEÇÕES DAS ESCRITURAS ESTOICAS

Primeiro, vamos ouvir Epiteto, o escravo, o estoico da casa de campo, como ele tem sido chamado:

> Tudo tem duas alças: uma pela qual pode ser carregado, outra pela qual não pode. Se o seu irmão agir injustamente, não se agarre ao caso pela alça da injustiça dele, pois por ela não pode ser suportado; mas sim pelo oposto, que ele é seu irmão, que foi criado com você, e assim você se agarrará a ele como deve ser suportado.

A alça é uma figura caseira, mas eficaz, para a massa de associação mental na qual o fato externo de um irmão que age injustamente é introduzido antes que ele realmente entre em nosso estado mental e determine como nos sentiremos e agiremos.

"Se uma pessoa tivesse entregado seu corpo a um transeunte, você certamente ficaria com raiva. E você não sente vergonha de entregar sua mente a qualquer insultador, para ser desconcertado e confundido?". A injúria não se torna um fator determinante em meu estado mental, a menos que eu decida permitir isso. Se eu me sentir humilhado e ofendido por ela, é porque sou fraco e tolo o suficiente para apostar minha avaliação de mim mesmo, e minha consequente felicidade, no que alguém que não me conhece diz a meu respeito, e não no que eu, que me conheço melhor do que qualquer outra pessoa, realmente penso. Certa vez, um garoto da Phillips Andover Academy fez essa distinção com muita habilidade para outro garoto. Houve uma briga livre entre os rapazes que causou muita perturbação, e o diretor Bancroft atribuiu o início da briga a um comentário ofensivo do rapaz em questão. O Dr. Bancroft o acusou de ter iniciado o problema. "Não, senhor", disse o garoto, "não fui eu que comecei. Foi o outro colega que começou". "Bem", disse o diretor Bancroft, "diga-me exatamente o que aconteceu, e eu decidirei quem começou". "Ah", respondeu o rapaz, "eu simplesmente o chamei de 'maldito' idiota, e ele se ofendeu". Ora, se o outro menino fosse um estoico, não teria se ofendido, e o primeiro menino poderia tê-lo chamado de tolo impunemente. Imputar o estoicismo a outras pessoas nessa medida, entretanto, é uma atitude muito perigosa. O estoicismo é uma doutrina que deve ser estritamente aplicada a nós mesmos, mas nunca imputada a outras pessoas, muito menos às pessoas que desejamos maltratar e injuriar.

Epiteto novamente declara sua doutrina de forma mais explícita sobre o tema dos terrores. "Os homens são perturbados não pelas coisas, mas pela visão que têm das coisas. Assim, a morte não é nada terrível, senão teria parecido assim para Sócrates. Mas o terror consiste em nossa noção da morte, de que ela é terrível. Quando, portanto, formos impedidos, perturbados ou afligidos, nunca devemos imputar isso aos outros, mas a nós mesmos; isto é, às nossas opiniões."

Mais uma vez, ele faz uma nítida distinção entre o que está em nosso poder, ou seja, o que pensamos sobre as coisas, e o que não está em nosso poder, ou seja, os fatos externos:

> Há coisas que estão dentro de nosso poder e há coisas que estão além de nosso poder. Dentro de nosso poder estão a opinião, o objetivo, o desejo, a aversão e, em uma palavra, todos os assuntos que são nossos. Além de nosso poder estão o corpo, a propriedade, a reputação, o cargo e, em uma palavra, tudo o que não for propriamente assunto nosso.

Ora, as coisas que estão dentro de nosso poder são, por natureza, livres, irrestritas, desimpedidas, ao passo que as que estão além de nosso poder são fracas, dependentes, restritas, alheias. Lembre-se, então, de que se você atribuir liberdade a coisas que são dependentes por natureza e buscar para si aquilo que é realmente controlado por outros, você será impedido, lamentará, ficará perturbado e encontrará falhas tanto nos deuses quanto nas pessoas. Mas se você tomar para si apenas o que é seu, e ver o que pertence aos outros como realmente é, então ninguém jamais o obrigará, ninguém o restringirá; você não encontrará falhas em ninguém, não acusará ninguém, não fará nada contra sua vontade; ninguém o machucará, você não terá um inimigo, tampouco sofrerá qualquer dano.

Tudo isso é simplesmente a aplicação do princípio de que não precisamos nos preocupar com coisas puramente externas, pois essas coisas pura e simplesmente nunca podem entrar em nossa mente ou nos afetar de uma forma ou de outra. As únicas coisas que entram em nós são as que pensamos sobre elas, os fatos que sentimos sobre eles, as forças que reagimos a eles, e esses pensamentos, sentimentos e reações são assuntos nossos. Mas, se não pensamos serenamente, não nos sentimos tranquilos e não agimos livremente com relação a eles, a culpa não é das coisas externas, mas de nós mesmos.

Em seu discurso sobre tranquilidade, Epiteto nos dá o mesmo conselho:

> Considere, você que está prestes a passar por uma provação, o que deseja preservar e em que deve ser bem-sucedido. Pois se você deseja preservar uma mente em harmonia com a natureza, você está totalmente seguro; tudo vai bem; você não tem problemas em suas mãos. Se você deseja preservar a liberdade que lhe pertence e está satisfeito com isso, por que precisa ficar ansioso? Pois quem é o dono de coisas como essas? Quem as pode tirar? Se você deseja ser uma pessoa de modéstia e fidelidade, quem o impedirá? Se não quiser ser contido ou obrigado, quem o obrigará a desejos contrários aos seus princípios ou a aversões contrárias à sua opinião? O juiz, talvez, profira uma sentença contra você que ele considere formidável; mas, será que ele também pode fazer que você a receba com recuo? Já que, então, o desejo e a aversão estão em seu poder, por que você deve ficar ansioso?

Epiteto nos pede que enfrentemos as dificuldades da mesma forma, quando afirma que:

> As dificuldades são coisas que mostram o que os seres humanos são. No futuro, em caso de qualquer dificuldade, lembre-se de que Deus, como um treinador de ginástica, colocou você contra um antagonista rude. Para que fim? Para que você seja um conquistador olímpico, e isso não pode ser feito sem esforço. Em minha opinião, nenhuma pessoa tem uma dificuldade mais proveitosa em suas mãos do que você, desde que a use como um campeão de atletismo usa seu antagonista.

Epiteto não se esquiva da lógica de seu ensinamento em sua aplicação às tristezas dos outros, embora aqui ela seja temperada por uma concessão à fraqueza dos mortais comuns.

> Quando você vir uma pessoa chorando de tristeza, seja quando um filho vai embora, ou quando ele está morto, ou quando o homem perdeu sua propriedade, tome cuidado para que a aparência não o apresse com isso, como se ele estivesse sofrendo em coisas externas. Mas, imediatamente, faça uma distinção em sua mente e esteja pronto para dizer: "Não é o que aconteceu que aflige esse

homem, pois isso não aflige outro, mas é a opinião sobre essa coisa que aflige o homem. No que diz respeito às palavras, portanto, não deixe de mostrar-lhe simpatia e, mesmo que isso aconteça, lamentar com ele. Mas tome cuidado para não se lamentar internamente também.

Nesse ponto, se não antes, sentimos que o estoicismo está violando os sentimentos mais nobres de nossa natureza e estamos preparados para romper com ele. O estoicismo é muito duro, frio e individualista para nos ensinar nosso dever, ou mesmo para nos deixar livres para agir de acordo com nossas melhores inclinações em relação ao próximo. Podemos ser tão estoicos quanto quisermos em nossos problemas e aflições, mas tomemos cuidado ao transportar suas distinções gélidas para a própria interpretação do sofrimento do próximo.

Extraí a maior parte de minhas ilustrações de Epiteto, porque essa resignação vem com mais graça de um homem pobre e coxo, que foi escravo e que viveu com as necessidades mais básicas da vida, do que do imperador Marco Aurélio e do rico cortesão Sêneca. No entanto, as declarações mais distintas desses homens ensinam a mesma lição. Sêneca a atribui ao seu piloto na famosa oração: "Oh, Netuno, você pode me salvar se quiser; você pode me afundar se quiser; mas aconteça o que acontecer, manterei meu leme firme". Já Marco Aurélio diz:

> Que a parte de sua alma que lidera e governa não seja perturbada pelos movimentos da carne, sejam eles de prazer ou dor; e que não se una a eles, mas que se circunscreva e limite esses efeitos às suas partes. [...] Que não faça diferença para você se está com frio ou calor, se está cumprindo seu dever, se está morrendo ou fazendo outra coisa. Pois é um dos atos da vida – esse ato pelo qual morremos; é suficiente, então, nesse ato também fazer bem o que temos em mãos. [...] As coisas externas não tocam a alma, nem no menor grau. [...] Lembre-se de aplicar este princípio em todas as ocasiões que o levem à aflição: que isso não é um infortúnio, mas suportá-lo nobremente é boa sorte.

CAFÉ COM OS ESTOICOS

O mais recente profeta do estoicismo é Maurice Maeterlinck[4]. Em "Sabedoria e destino", ele diz:

> O evento em si é água pura que flui do jarro do destino, e raramente tem sabor, perfume ou cor. Mas, assim como a alma pode estar onde busca abrigo, o acontecimento se tornará alegre ou triste, terno ou odioso, mortal ou vivo. Para aqueles que estão ao nosso redor, acontecem incessantes e incontáveis aventuras, e cada uma delas, ao que parece, contém um germe de heroísmo; mas a aventura passa, e não há nenhum ato heroico. Mas quando Jesus Cristo encontrou o samaritano, encontrou algumas crianças, uma mulher adúltera, então a humanidade se elevou três vezes seguidas ao nível de Deus. Quase se pode dizer que os homens só têm acesso àquilo que desejam. É verdade que em certos eventos externos nossa influência é das mais fracas, mas temos uma ação todo-poderosa sobre o que esses eventos se tornarão em nós mesmos – em outras palavras, sobre sua parte espiritual. A vida da maioria das pessoas será entristecida ou iluminada por qualquer coisa que possa acontecer a elas; nos seres humanos de quem falo, o que quer que aconteça é iluminado por sua vida interior. Se você foi enganado, o que importa não é o engano, mas o perdão que ele gerou em sua alma, e a altivez, a sabedoria e a plenitude desse perdão – com isso, seus olhos verão mais claramente do que se todas as pessoas tivessem sido fiéis. Mas se, por esse ato de engano, não houver mais simplicidade, fé mais elevada, maior alcance para seu amor, então você foi enganado em vão e pode realmente dizer que nada aconteceu. [...] Lembremo-nos sempre de que nada nos acontece que não seja da natureza de nós mesmos. Não há aventura que não use em nossa alma a forma de nossos pensamentos cotidianos; e os feitos de heroísmo são oferecidos àqueles que, por muitos e longos anos, foram heróis na obscuridade e no silêncio. E quer você suba a montanha ou desça

---

4   Maurice Polydore Marie Bernard Maeterlinck (1862-1949) foi poeta, dramaturgo e ensaísta belga que ganhou o Prêmio Nobel de Literatura em 1911 por suas obras excepcionais do teatro simbolista. Escreveu em francês ao buscar inspiração principalmente nos movimentos literários franceses.

a colina até o vale, quer viaje até o fim do mundo ou simplesmente caminhe ao redor de sua casa, ninguém além de você mesmo encontrará na estrada do destino. Se Judas sair hoje à noite, é para Judas que seus passos tenderão, e não faltará chance para a traição; mas deixe Sócrates abrir sua porta – ele encontrará Sócrates dormindo na soleira diante dele, e haverá ocasião para a sabedoria. Nós nos tornamos aquilo que descobrimos nas tristezas e alegrias que nos acontecem; e os caprichos menos esperados do destino logo se moldam ao nosso pensamento. É em nosso passado que o destino encontra todas as suas armas, suas vestimentas e suas joias. Uma tristeza que sua alma transformou em doçura, em indulgência ou em sorrisos pacientes, é uma tristeza que nunca mais voltará sem ornamento espiritual; e uma falha ou defeito que você encarou de frente não poderá mais o prejudicar. Tudo o que foi transformado dessa maneira pode pertencer a você. Tudo o que foi assim transformado não pode mais pertencer aos poderes hostis. A fatalidade real existe apenas em certos desastres externos – como doenças, acidentes, a morte súbita daqueles que amamos; mas não há fatalidade interior. A sabedoria tem força de vontade suficiente para retificar tudo o que não causa a morte do corpo; às vezes, ela até invade o estreito domínio da fatalidade externa. Mesmo que a ação tenha sido feita, que o infortúnio tenha acontecido, ainda cabe a nós negar a ela a menor influência sobre o que acontecerá em nossa alma. Ela pode atingir o coração que está ansioso pelo bem, mas ainda assim é incapaz de impedir a luz que fluirá para esse coração com base no erro reconhecido, da dor sofrida. Não está em seu poder impedir que a alma transforme cada aflição em pensamentos, sentimentos e tesouros que ela não ousa profanar. Mesmo que seu império nunca seja tão grande sobre todas as coisas externas, ela sempre deve parar quando encontra no limiar um guardião silencioso da vida interior. Pois, assim como o triunfo de ditadores e cônsules só pode ser celebrado em Roma, o verdadeiro triunfo do destino não pode ocorrer em nenhum outro lugar a não ser em nossa alma.

Seria fácil citar uma passagem após a outra em que os grandes mestres do estoicismo trazem as mudanças dessa ideia, de que as coisas externas, sejam elas boas ou más, não podem entrar na cidadela fortificada de minha mente e, portanto, não podem me tocar. Antes que possa me tocar, ela deve primeiro ser incorporada à minha mente. No próprio ato da incorporação, ela passa por uma transformação que, no ser humano perverso, pode transformar as melhores coisas externas em veneno e amargura, ao passo que no sábio, é capaz de converter o pior dos fatos externos em virtude, glória e honra. Originado de uma matéria externa indiferente, o pensamento cria o mundo em que vivemos. Caso não seja um mundo bom, a culpa não é das matérias externas indiferentes – como, para usar a afirmação de Epiteto, "riqueza, saúde, vida, morte, prazer e dor, que se encontram entre as virtudes e os vícios" – mas de nosso pensamento fraco e errôneo.

III
A REVERÊNCIA ESTOICA PELA LEI UNIVERSAL

A primeira metade da doutrina estoica é que damos ao nosso mundo a cor de nossos pensamentos. A segunda metade do estoicismo está preocupada com o que esses nossos pensamentos devem ser. Somente a primeira metade da doutrina nos deixaria em um cinismo fantástico e grosseiro – a doutrina da qual o ensinamento estoico mais amplo e profundo surgiu. O cínico pinta o mundo com as cores vivas de seu capricho indisciplinado e individual. Os apóstolos modernos do princípio estoico essencial tendem a pintar o mundo com as cores rosadas de um otimismo meramente opcional. Eles querem estar bem, felizes, serenos e satisfeitos consigo mesmos; eles acham que estão assim, e o pensamento os torna assim. Se o estoicismo tivesse sido tão superficial quanto isso, tão caprichoso, temperamental e individualista, não teria durado como durou por mais de dois mil anos. O pensamento estoico tinha substância, conteúdo, realidade objetiva, como infelizmente não tem a maioria das fases atuais da filosofia popular. Esse princípio objetivo e universal os estoicos encontraram na lei. Devemos pensar as coisas, não como gostaríamos que fossem, que é o otimismo do lendário avestruz, com a cabeça enterrada na areia, não em algumas frases vagas e gerais que não significam nada, que é o otimismo do misticismo, mas sim nos termos duros e rígidos da lei universal. Tudo o que acontece faz parte de um grande todo. A lei do todo determina a natureza e o valor da parte. Do ponto de vista do todo, cada parte é necessária e, portanto, boa – tudo, exceto, como diz Cleantes[5] em seu hino, "o que os ímpios fazem em sua tolice". Todos os males típicos da vida podem ser colocados sob a fórmula estoica, sob alguma lei benéfica. Todos, isto é, exceto o pecado. Essa forma específica de mal não foi tratada satisfatoriamente até o advento do cristianismo.

Para começar, vejamos os males do acidente. Um idoso escorrega no gelo, cai, quebra um osso e fica, como Epiteto, coxo para o resto da vida. A aplicação específica da lei da gravitação nesse caso tem resultados infelizes para o indivíduo. Mas a lei é boa. Não saberíamos como viver no mundo sem essa lei benéfica. Será que devemos nos queixar e reclamar contra a lei que mantém as estrelas e os planetas em seus cursos, molda as montanhas, oscila as marés, traz a chuva e atrai os rios para o mar, fazendo girar dez mil rodas de moinho da indústria enquanto segue alegremente seu caminho? Se Epiteto podia dizer ao seu cruel mestre sob tortura: "Você vai quebrar minha perna se continuar" e, quando ela quebrou, pôde acrescentar sorrindo: "Eu avisei", não podemos suportar com coragem, e até com grata alegria, as submissões a episódios dolorosos acidentais que um mestre tão benéfico como a grande lei da gravitação, em sua magnífica imparcialidade, pode achar conveniente nos infligir?

Uma corrente de eletricidade, buscando seu caminho do céu para a Terra, encontra em alguma ocasião particular o corpo de um marido amado, um filho querido, um pai honrado de crianças dependentes, o melhor condutor entre o ar e a terra, e mata a pessoa através do corpo por meio do qual ela segue seu curso rápido e fatal. No entanto, essa lei não tem malevolência em seu coração imparcial. Pelo contrário, a po-

---

5 Cleantes de Assos (330 a.C.-230 a.C.) foi um filósofo estoico, discípulo de Zenão que escreveu o Hino a Zeus (PEREIRA, Maria Helena da Rocha. **Hélade**: antologia da cultura grega. Lisboa: Guimarães Editores, 2009).

tência benéfica das leis da eletricidade é tão grande que nossas maiores esperanças de melhorar nossa condição econômica repousam em seus recursos inexplorados.

Um grupo de bactérias, sempre alerta para encontrar matéria que ainda não tenha sido apropriada e mantida no lugar por forças vitais mais fortes do que as delas, encontra seu alimento e local de reprodução em um corpo humano e sujeita nosso amigo ou filho a semanas de febre e, talvez, à morte. No entanto, não podemos chamar de má a grande lei biológica de que cada organismo deve buscar seu alimento em Deus onde quer que o encontre. De fato, se não fosse por esses microrganismos e sua agilidade em capturar e transformar em sua substância viva tudo o que é mórbido e insalubre, a Terra inteira não seria nada além de um vasto cemitério que exalaria o fedor intolerável dos mortos não desintegrados e não enterrados.

O expoente mais intransigente dessa segunda metade da doutrina estoica no mundo moderno é Immanuel Kant. De acordo com ele, todo o valor e a dignidade da vida não dependem da sorte externa, tampouco de bons dotes naturais, mas sim de nossa reação interna, da reverência de nossa vontade pela lei universal. "Nada pode ser concebido no mundo, ou mesmo fora dele, que possa ser chamado de bom sem qualificação, exceto uma boa vontade. A inteligência, a perspicácia, o discernimento e os outros talentos da mente, como quer que sejam chamados, ou a coragem, a resolução e a perseverança, como qualidades de temperamento, são indubitavelmente bons e desejáveis em muitos aspectos, mas esses dons da natureza também podem se tornar extremamente ruins e maléficos se a vontade que deve fazer uso deles e que, portanto, constitui o que é chamado de caráter, não for boa. O mesmo acontece com os dons da fortuna. O poder, a riqueza, a honra, mesmo a saúde, o bem-estar geral ou o contentamento com a própria condição, que é chamado de felicidade, inspiram orgulho e, muitas vezes, presunção, se não houver uma boa vontade para corrigir a influência desses dons sobre a mente.

Para Kant, "tudo na natureza funciona de acordo com leis. Somente os seres racionais têm a faculdade de agir de acordo com a concepção das leis, isto é, de acordo com os princípios, ou seja, têm vontade."

Consequentemente, a única ação boa é aquela que é feita por pura reverência à lei universal. Esse imperativo categórico do dever é expresso da seguinte forma: "Aja como se a máxima de sua ação fosse se tornar, por sua vontade, uma lei universal da natureza". E como todos os outros seres racionais devem se comportar de acordo com o mesmo princípio racional que se aplica a mim, sou obrigado a respeitá-los como a mim mesmo. Por isso, o segundo imperativo prático é: "Aja de modo a tratar a humanidade, seja em sua pessoa ou na de qualquer outro, em todos os casos como um fim, nunca apenas como um meio".

Em Kant, o estoicismo atinge seu clímax. A lei e a vontade são tudo: as posses e até as graças não são nada.

IV
A SOLUÇÃO ESTOICA PARA O PROBLEMA DO MAL

O problema do mal era o grande problema do estoicismo, assim como o problema do prazer era o problema dos epicuristas. Para esse problema, os estoicos dão substancialmente quatro respostas, com as quais já estamos um tanto familiarizados

Primeira: só é mau aquilo que escolhemos considerar como tal. Para citar Marco Aurélio mais uma vez sobre esse ponto fundamental:

> Considere que tudo é opinião, e a opinião está em seu poder. Tire, então, quando quiser, sua opinião e, como um marinheiro que dobrou o promontório,[6] você encontrará calma, tudo estável e uma baía sem ondas. [...] Retire sua opinião, e então a queixa será retirada. Eu fui prejudicado. Retire a queixa. Fui prejudicado, e o prejuízo é eliminado.

---
6   Cabo formado por penhascos ou rochas elevadas (PROMONTÓRIO. **Aulete digital**. Disponível em: https://www.aulete.com.br/promont%C3%B3rio. Acesso em: 20 set. 2023).

Segundo: como a virtude ou integridade é o único bem, nada além da perda dela pode ser um mal verdadeiro. Quando isso está presente, nada de valor real pode estar faltando. Um estoico, então, diz:

> A virtude não sofre vacância no lugar em que habita; ela preenche toda a alma, tira a sensibilidade de qualquer perda e é ela mesma suficiente. [...] Assim como as estrelas escondem suas cabeças reduzidas diante do brilho do Sol, as dores, aflições e injúrias são todas esmagadas e dissipadas pela grandeza da virtude; sempre que ela brilha, tudo desaparece, exceto o que empresta seu esplendor a ela, e todos os tipos de aborrecimentos não têm mais efeito sobre ela do que uma chuva sobre o mar. [...] Não importa o que você suporta, mas como você suporta. [...] Onde um ser humano pode viver, ele pode viver bem. [...] Eu preciso morrer. Devo então morrer lamentando? Preciso ir para o exílio. Alguém me impede de ir com sorrisos, alegria e contentamento? [...] A vida em si não é boa nem má, mas apenas um lugar para o bem e o mal. [...] São o gume e a têmpera da lâmina que fazem uma boa espada, não a riqueza da bainha; e assim não são o dinheiro e as posses que tornam um homem considerável, mas sua virtude. [...] São companheiros divertidos que se orgulham de coisas que não estão em nosso poder. Um homem diz: "Sou melhor do que você, pois possuo muitas terras, e você está morrendo de fome. Outro diz: "Sou de nível consular; outro: Tenho cabelos encaracolados. Mas um cavalo não diz a um cavalo: "Sou superior a você, pois possuo muita forragem e muita cevada, e meus garfos são de ouro, e meus arreios são bordados; mas ele diz: "Sou mais veloz do que você". E todo animal é melhor ou pior pelo próprio mérito ou por sua maldade. Então, não há virtude apenas no homem, e devemos olhar para nossos cabelos, nossas roupas e nossos ancestrais? [...] Que nossas riquezas consistam em não cobiçar nada, e nossa paz em não temer nada.

Terceiro: o que parece mau para o indivíduo é bom para o todo: e como somos membros do todo, é bom para nós. "Será que minha perna precisa ser ferida?", pergunta o estoico. "Desgraçado, você então, por causa de uma perna ruim, acha que o mundo é ruim? Você não a trocaria de bom grado pelo todo? Não sabe quão pequena é a sua parte em comparação com o todo?"

"Se um homem bom tivesse conhecimento prévio do que aconteceria, ele cooperaria com a própria doença, morte e mutilação, pois sabe que essas coisas lhe são atribuídas de acordo com o arranjo universal e que o todo é superior à parte."

Quarto: a provação traz à tona nossas melhores qualidades, é "um material para testar a força da alma" e "eduzir o homem", como diz o dramaturgo Browning. Essa interpretação do mal como um meio de trazer à tona as qualidades morais mais elevadas, embora não seja peculiar ao estoicismo, era muito agradável ao seu sistema e aparece com frequência em seus escritos.

> Assim como devemos entender quando é dito que Esculápio prescreveu a esse homem exercícios com cavalos, ou banhos em água fria, ou andar sem sapatos, também devemos entender quando é dito que a natureza do Universo prescreveu a esse mesmo homem doença, mutilação ou perda de qualquer coisa do gênero. [...] A calamidade é a pedra de toque de uma mente corajosa, que resolve viver e morrer como mestre de si mesma. A adversidade é o melhor para todos nós, pois é a misericórdia de Deus mostrar ao mundo seus erros e que as coisas que eles temem e cobiçam não são boas nem más, sendo o destino comum e promíscuo de homens bons e maus.

V
OS PARADOXOS ESTOICOS

Um bom teste para avaliar a posição dos estoicos é perceber ou não a medida da verdade que seus paradoxos contêm.

O primeiro paradoxo é que não há graus no vício. Nas palavras do estoico, "O homem que está a cem estádios da gigantesca estrela Canopus e o homem que está a apenas um, ambos igualmente não estão em Canopus".

Um dos poucos conselhos morais de que me lembro da classe infantil na escola dominical é o seguinte:

"É um pecado roubar um alfinete: muito mais roubar uma coisa maior."

Apesar de sua requintada expressão lírica, a isso o estoico negaria categoricamente. O roubo de um alfinete e o desfalque de um caixa de banco no valor de cem mil dólares; uma palavra maldosa a um cachorro e uma conduta que parte o coração de uma mulher estão, do ponto de vista estoico, exatamente no mesmo nível, porque o que importa não são as consequências, mas a forma de nossa ação. Não é como fazemos as outras pessoas se sentirem como resultado de nosso ato, mas como nós mesmos pensamos sobre ele, quando nos propomos a fazê-lo, ou depois de feito, que determina sua bondade ou maldade. Se eu roubar um alfinete, violo a lei universal de forma tão clara e absoluta quanto se tivesse roubado cem mil dólares. Não posso olhar com aprovação deliberada para a palavra cruzada dirigida a um cão, como não posso olhar para o coração de uma mulher. Há coisas que não admitem graus. Ou disparamos nossa arma ou não a disparamos. Não podemos disparar parte da carga. Ou queremos um ovo absolutamente bom no café da manhã ou não queremos ovo algum. Um que seja parcialmente bom, ou que esteja na linha entre o bom e o ruim, nós o devolvemos como totalmente ruim. Se houver um pequeno furo redondo em uma vidraça, cortado por uma bala, rejeitamos a vidraça inteira como imperfeita, da mesma forma que se um grande furo irregular tivesse sido feito por um golpe de tijolo. Temos um eco desse paradoxo na declaração de São Tiago (2:10): "Porque qualquer que guardar toda a lei, e tropeçar em um só ponto, será culpado de todos".

Esse paradoxo se torna uma verdade clara e evidente no momento em que admitimos a posição estoica de que não são as coisas externas e seu apelo à nossa sensibilidade, mas nossas atitudes internas em relação à lei universal, os pontos sobre os quais nossa virtude depende. Ou temos a intenção de obedecer à lei universal da natureza ou não; e entre a intenção de obediência e a intenção de desobediência não há meio-termo.

Segundo: o ser humano sábio, o sábio estoico, é absolutamente perfeito, o mestre completo de si mesmo e, por direito, o governante do mundo. Se tudo depende de nosso pensamento, e nosso pensamento está em sintonia com a lei universal, então obviamente somos perfeitos. Além dessa resposta interna completa à lei universal, é impossível para o indivíduo progredir.

Curiosamente, a doutrina religiosa do perfeccionismo, que muitas vezes surge nos círculos metodistas e nos movimentos de santidade que surgiram por intermédio da influência do metodismo, mostra essa mesma raiz na concepção da lei. A definição de pecado de Wesley[7] é "a violação de uma lei conhecida". Se isso é tudo o que existe sobre o pecado, então qualquer um de nós que seja normalmente decente e consciente pode se gabar da perfeição. Você pode contar os perfeccionistas às dezenas de milhares em termos abstratos como esses. Mas se o pecado não for meramente a violação deliberada da lei abstrata; se for a falha em cumprir no mais alto grau as relações pessoais, domésticas, cívicas e sociais infinitamente delicadas nas quais nos encontramos; então, a própria noção de perfeição é absurda, e a profissão dela é pouco menos que uma blasfêmia. Assim como os perfeccionistas religiosos modernos, os estoicos tinham pouca preocupação com os laços concretos, individuais e pessoais que unem homens e mulheres em famílias, sociedades e Estados. A perfeição era uma coisa fácil, porque eles a definiam em termos tão abstratos. Ainda assim, embora não seja, de forma alguma, a totalidade da virtude como as escolas mais profundas a apreenderam, é algo que nos leva a ter nossa motivação interior absolutamente correta, quando medida pelo padrão da lei universal. Isso, pelo menos, os estoicos professavam ter alcançado.

---

7 John Wesley (1703-1791) foi um teólogo cristão britânico, precursor do movimento metodista, ao lado de William Booth (1829-1912), outro pregador metodista britânico, fundador do Exército de Salvação.

Terceiro: o estoico é um cidadão do mundo inteiro. Os laços locais, domésticos e nacionais não o prendem. Mas essa é uma maneira barata de conquistar a universalidade – essa de pular as particularidades das quais o universal é composto. Estar tão interessado nas políticas do Rio de Janeiro ou de Hong Kong quanto nas do bairro de sua cidade não significa muito até que saibamos o quanto você está interessado nas políticas de seu bairro. E, no caso dos estoicos, esse interesse era muito atenuado. Como geralmente acontece, a extensão do interesse para os confins da Terra era comprada ao custo da intensidade defeituosa perto de casa, onde a caridade deveria começar. De fato, os estoicos eram muito falhos em seus padrões de cidadania. Ainda assim, o que a lei da justiça exigia, eles estavam dispostos a oferecer a todos os seres humanos. Assim, embora em uma base muito superficial, os estoicos lançaram a ampla base de uma democracia internacional que não conhece limites de cor, raça ou estágio de desenvolvimento. Apesar de o estoicismo estar muito aquém do calor e da devoção das missões cristãs modernas, o estágio inicial do movimento missionário, no qual as pessoas estavam interessadas não no bem-estar concreto de povos específicos, mas em vastos agregados de "almas", representados em mapas e diagramas, tem uma grande semelhança com o cosmopolitismo estoico. Todos nós já vimos pessoas que dariam e trabalhariam para salvar as almas dos pagãos, mas que jamais pensariam em chamar o vizinho da mesma rua que por acaso estivesse um pouco abaixo do próprio círculo social. A alma de um pagão é um conceito muito abstrato; o vizinho humilde é um caso muito concreto. Os estoicos não são as únicas pessoas que se enganaram com grandes abstrações.

VI

O ASPECTO RELIGIOSO DO ESTOICISMO

Os estoicos tinham uma religião genuína. Os epicureus também tinham seus deuses, mas nunca os levaram muito a sério. Em um mundo composto de átomos acidentalmente agrupados em relações transitórias, dos quais eu sou um dos inúmeros agrupamentos acidentais, não há espaço para uma relação religiosa real. Consequentemente, o epicurista, embora se divertisse com imagens poéticas de deuses que levavam vidas de serenidade imperturbável, despreocupados com os assuntos dos humanos, não tinha consciência de um grande todo espiritual do qual fazia parte, ou de uma Pessoa Infinita com a qual estava pessoalmente relacionado.

Para o estoico, ao contrário, o mundo redondo é parte de um único Universo, que mantém todas as suas partes sob o domínio e a orientação de uma lei universal, determinando cada evento particular. Ao tornar essa lei do Universo a própria lei, o ser humano, individualmente, ao mesmo tempo adora a Providência que controla tudo e alcança a própria liberdade, pois a lei à qual ele se submete é ao mesmo tempo a lei de todo o Universo e a lei de sua natureza como parte desse Universo. "Nós nascemos súditos", exclama o estoico, "mas obedecer a Deus é a perfeita liberdade". "Tudo", diz Marco Aurélio, "se harmoniza comigo, o que é harmonioso para ti, ó Universo. Nada para mim é muito cedo ou muito tarde, o que é oportuno para você."

Uma oração, uma meditação e um hino característicos nos mostrarão, muito melhor do que uma descrição, o que essa religião estoica significava para aqueles que a defendiam devotamente. Epiteto nos dá essa oração do cínico moribundo:

> Estendo minhas mãos a Deus e digo: "Não negligenciei os meios que recebi de ti para ver tua administração do mundo e segui-la. Não te desonrei com meus atos: veja como usei minhas percepções: alguma vez te culpei? Desejei transgredir as relações das coisas?". Desde que eu tenha usado as coisas que são suas, estou satisfeito; pegue-as de volta e coloque-as onde quiser, pois todas as coisas eram suas – você as deu a mim. Não é suficiente partir nesse estado de espírito, e que vida é melhor e mais digna do que a de um homem que está nesse estado de espírito, e que fim é mais feliz?

Ele também nos oferece esta meditação sobre as inevitáveis perdas da vida, por meio da qual ele se consola com o pensamento de que tudo o que tem é um empréstimo de Deus, que essas aparentes perdas apenas devolvem ao seu legítimo proprietário, que as emprestou por um tempo.

Nunca diga a respeito de nada: "Eu o perdi; mas diga: "Eu o devolvi". Seu filho está morto? Ele foi restaurado. Sua esposa está morta? Ela foi restaurada. Seus bens lhe foram tirados? Ela também não foi restaurada? "Mas aquele que me tirou isso é um homem mau". Mas o que isso significa para você, cujas mãos o doador exigiu de volta? Enquanto ele lhe permitir, cuide dela como algo que pertence a outro, como os viajantes fazem com sua pousada."

A expressão mais grandiosa da religião estoica, entretanto, encontra-se no hino de Cleantes. Em outros lugares, é muito evidente a disposição de descer para usar a ajuda de Deus na manutenção do temperamento estoico, com pouca adoração extrovertida pela grandeza e glória que estão no próprio Deus. Mas nesse grande hino temos reverência genuína, devoção, adoração, louvor, autoentrega – em suma, aquela confissão da glória do infinito pela fraqueza consciente do finito em que consiste o coração da verdadeira religião em toda parte. Em nenhum outro lugar fora das escrituras hebraicas e cristãs a adoração se manifestou em tons mais exaltados e fervorosos. O hino é dirigido a Zeus, assim como os estoicos usavam livremente os nomes dos deuses populares para expressar os próprios significados mais profundos.

HINO A ZEUS

"É lícito a todos os mortais dirigir-se a ti. Pois somos tua descendência e somente nós, dentre as criaturas vivas, possuímos uma voz que é a imagem da razão. Portanto, eu sempre te cantarei e celebrarei teu poder. Todo esse Universo que rola ao redor da Terra te obedece e segue de bom grado o teu comando. Tal ministro tu tens em tuas mãos invencíveis, o raio de dois gumes, flamejante e vívido. Ó rei, altíssimo, nada é feito sem ti, nem no céu, nem na Terra, nem no mar, exceto o que os ímpios fazem em sua insensatez. Tu originas a ordem da desordem, e o que é inútil se torna precioso aos teus olhos, porque tu juntaste o bem e o mal em um só, e estabeleceste uma lei que existe para sempre. Mas os ímpios fogem de tua lei, infelizes, e embora desejem possuir o que é bom, ainda assim não veem nem ouvem a lei universal de Deus. Se eles a seguissem com entendimento, poderiam ter uma vida boa. Mas eles se desviam, cada um segundo os próprios desígnios – alguns lutando em vão pela reputação, outros se desviando excessivamente para o ganho, outros para a vida desregrada e a devassidão. Não, mas, ó Zeus, doador de todas as coisas, que habitas nas nuvens escuras e dominas o trovão, livra os seres humanos da insensatez. Espalha-a de suas almas e faze que obtenham sabedoria, pois com a sabedoria governas corretamente todas as coisas, para que, sendo honrados, possamos retribuir-te com honra, cantando sem cessar as tuas obras, como nos convém fazer. Não há coisa maior do que isso, seja para os humanos mortais ou para os deuses, cantar corretamente a lei universal."

A literatura moderna do tipo mais nobre tem muitas notas estoicas, e devemos ser capazes de reconhecê-las tanto em sua roupagem moderna quanto na antiga. A melhor e mais breve expressão do credo estoico encontra-se em *Linhas para R. T. H. B.*[8], de Henley:

Da noite que me cobre,

Negra como a fossa de polo a polo,

Agradeço a quaisquer deuses que possam existir

Pela minha alma inconquistável.

Sob os golpes do acaso, minha cabeça está ensanguentada, mas não foi abatida.

---

8 O poema foi escrito em 1875, mas só foi publicado pela primeira vez em 1888, no "Livro de versos", do escritor britânico William Ernest Henley (1849-1903), o quarto de uma série de poemas intitulada "Vida e morte" (*Ecos*). Originalmente, o poema não tinha título, e as primeiras impressões continham apenas a dedicatória "Para R. T. H. B." – uma referência a Robert Thomas Hamilton Bruce (1846-1899), um bem-sucedido comerciante de farinha e padeiro escocês que também era um patrono literário. O conhecido título "Invictus" (latim para "inconquistado") foi acrescentado por Arthur Quiller-Couch quando ele incluiu o poema no *The Oxford Book Of English Verse* (1900). (INVICTUS. **Poems About Life**. Disponível em: https://kensanes.com/short%20poems/invictus.html. Acesso em: 20 set. 2023)

Além deste lugar de ira e lágrimas

Só existe o horror da sombra,

E, no entanto, a ameaça dos anos

Encontra, e me encontrará sem medo.

Não importa quão estreito seja o portão,

Quão carregado de punições seja o pergaminho,

Eu sou o mestre do meu destino:

Eu sou o capitão da minha alma.

O principal tipo moderno de estoicismo, entretanto, é Matthew Arnold[9]. Seu grande remédio para os males dos quais a vida está tão cheia é declarado nas linhas finais de "A juventude do homem":

> Enquanto as madeixas ainda estão castanhas em sua cabeça, enquanto a alma ainda olha através de seus olhos, enquanto o coração ainda derrama o sangue de manto em sua bochecha, afunde, ó juventude, em sua alma, anseie pela grandeza da natureza, reúna o bem nas profundezas de si mesmo!

VII
O VALOR PERMANENTE DO ESTOICISMO

Se agora conhecemos os dois princípios fundamentais do estoicismo, a indiferença das circunstâncias externas em comparação com a reação de nosso pensamento sobre elas, e a santificação de nosso pensamento pela entrega à lei universal; e se aprendemos a reconhecer essas notas estoicas tanto na prosa quanto na poesia antigas e modernas, estamos prontos para discriminar entre o que há de bom nele, que desejamos valorizar, e as deficiências desse sistema, que é bom evitarmos.

---

[9] Matthew Arnold (1822-1888) foi um poeta e crítico britânico, crítico literário e de costumes.

Todos nós podemos reduzir enormemente nossos problemas e dissabores se aplicarmos a eles as duas fórmulas estoicas. Em relação às coisas materiais, pelo menos em relação aos eventos impessoais, todos nós podemos, com proveito, vestir a armadura estoica ou, para usar a figura da tartaruga, que é a mais expressiva da atitude estoica, todos nós podemos colocar a carne macia e sensível de nossos sentimentos dentro da casca dura dos pensamentos resolutos. Há uma maneira de encarar nossa pobreza, nossas feições simples, nossa falta de brilho mental, nossa condição social humilde, nossa impopularidade, nossas doenças físicas, que, em vez de nos tornar miseráveis, nos tornará modestos, contentes, alegres e serenos. Os erros que cometemos, as palavras tolas que dizemos, os investimentos infelizes em que nos envolvemos, os fracassos que experimentamos, tudo isso pode ser transformado pela fórmula estoica em estímulo para um esforço maior e estímulo para ações mais sábias nos dias que virão. Simplesmente mudar a ênfase do fato externo morto, fora de nosso controle, para a opção viva que sempre se apresenta dentro de nós, sabendo que a circunstância que pode nos tornar infelizes simplesmente não existe, a menos que exista por nosso consentimento dentro de nossas mentes, é uma lição pela qual vale a pena passar uma hora com os estoicos para aprender de uma vez por todas.

E o outro aspecto da doutrina deles, seu lado quase religioso, embora não seja de modo algum a última palavra sobre religião, é uma valiosa primeira lição sobre a realidade da religião. Saber que a lei universal está em toda parte e que sua vontade pode ser cumprida em qualquer circunstância; medir as pequenas perturbações de nossas vidas pelas vastas órbitas das forças naturais que se movem de acordo com a lei benéfica e imutável; quando saímos de uma reunião política empolgante ou do barulho da bolsa de valores, olhar para as estrelas calmas e os céus tranquilos e ouvi-los nos dizer: "Tão quente, meu homenzinho" constitui uma elevação de nossas vidas individuais pela contemplação reverente do Universo e de suas leis inabaláveis, algo que todos nós podemos aprender com proveito com os antigos mestres estoicos. Os negócios, os afazeres domésticos, o ensino escolar, a vida profissional, a política, a sociedade, todos seriam mais nobres e dignos se pudéssemos trazer a eles, de vez em quando, um toque dessa força e calma estoicas.

Críticas, queixas, acusações, escândalos maliciosos, impopularidade e todos os golpes de censura são impotentes para matar ou mesmo ferir o espírito do estoico. Se essas críticas são verdadeiras, elas são bem-vindas como auxiliares na descoberta de falhas que devem ser enfrentadas com franqueza e superadas com empenho. Se forem falsas, infundadas, atribuídas à irritação ou ciúme do crítico e não a qualquer falha do estoico, então ele sente apenas desprezo pelas críticas e pena do pobre crítico mal orientado. O verdadeiro estoico pode ser o marido sereno de uma esposa megera e repreensiva; o representante complacente de eleitores insatisfeitos e enfurecidos; manter uma equanimidade imperturbável quando cortado por seus conhecidos aristocráticos e excluído dos círculos sociais mais seletos, pois ele carrega o único padrão válido de medida social sob o próprio chapéu e não precisa da adoração de sua esposa, dos aplausos de seus eleitores, dos cartões e convites, dos acenos e sorrisos de quatrocentas pessoas para assegurar-lhe sua dignidade e valor. Se ele é um autor, não o incomoda o fato de seus livros não serem vendidos, lidos ou cortados. Se muita gente pudesse apreciá-lo, ele teria de ser um deles, e então não haveria utilidade em sua tentativa de os instruir. Seu livro é o que a lei universal lhe deu para dizer e decretou que deveria ser. E se houver muitos ou poucos a quem a lei universal revelou a mesma verdade e concedeu o poder de apreciá-la, é preocupação da lei universal, não dele próprio, o autor individual. Novamente, se ele estiver com a saúde debilitada, cansado, exausto, se cada golpe de trabalho tiver de ser feito com agonia e dor, isso também é decretado para ele pelas leis justas que ele ou seus ancestrais violaram cegamente, e ele aceitará até esse ditame da lei universal como justo e bom, porque ele não permitirá que essas dores e sofrimentos incidentais insignificantes diminuam sequer uma vírgula da produção de sua mão ou cérebro.

Quando a desilusão e o desapontamento o atingirem; quando as coisas pelas quais sua juventude suspirou finalmente ficarem fora de seu alcance; quando ele ver claramente que só lhe restam mais alguns anos, e que esses anos devem ser compostos da mesma rodada monótona de detalhes monótonos, deveres que perderam o encanto da novidade, funções que há muito tempo foram relegadas à inconsciência do hábito, dissabores que foram suportados mil vezes, prazeres insignificantes que há muito perderam seu entusiasmo, mesmo assim o estoico diz que isso também faz parte do programa universal e deve ser aceito com resignação. Se a natureza tem pouco a lhe dar com o que se preocupar, ainda assim ele pode devolver a ela o tributo de uma vontade obediente e uma mente satisfeita, pois, se ele pode esperar pouco do mundo, também pode contribuir com algo para ele. Assim, até o fim, ele sustenta o seguinte:

> Um temperamento igual de corações heroicos,
>
> Enfraquecidos pelo tempo e pelo destino, mas fortes na vontade
>
> De se esforçar, buscar, encontrar e não ceder.

Quando houver um trabalho árduo a ser feito em que não haja prazer, honra ou emolumento; quando houver males a serem repreendidos, que trarão a ira e a vingança dos poderes constituídos sobre aquele que expõe o erro; quando houver parentes pobres a serem sustentados, insultos a serem suportados e injustiças a serem suportadas, é bom que todos nós conheçamos essa fórmula estoica e fortaleçamos nossas almas atrás de suas paredes impenetráveis. Considerar não o que nos acontece, mas como reagimos a isso; medir o bem em termos não de prazer sensual, mas de atitude mental; saber que, se somos a favor da lei universal, não importa quantas coisas possam estar contra nós; ter a certeza de que não pode haver circunstância ou condição em que essa lei não possa ser cumprida por nós e, portanto, nenhuma situação em que não possamos ser mais do que mestres, por meio da obediência implícita à grande lei que governa tudo, esse é o consolo severo do estoicismo. E há poucos de nós tão bem situados em todos os aspectos que não tenhamos momentos em que essa convicção seja uma defesa e um refúgio para nossas almas. Tentaremos ir além e acima do estoicismo em capítulos posteriores. Mas abaixo do estoicismo não se pode permitir que a vida caia, se quiser escapar dos terríveis infernos da depressão, do desespero e da melancolia. Assim como agradecemos a Epicuro, ao longo dos séculos, por ter nos ensinado a valorizar a saúde e as coisas boas da vida, reverenciemos os sábios estoicos, que nos ensinaram o segredo dessa virtude resistente que suporta com coragem os males inevitáveis da vida.

VIII

OS DEFEITOS DO ESTOICISMO

A simples exposição de sua doutrina deve ter deixado claro para todos o motivo de não podermos confiar no estoicismo como nosso guia final para a vida. Ao chamar a atenção para suas limitações, estarei apenas dizendo ao leitor o que ele tem dito a si mesmo durante todo o capítulo. Pode ser bom o suficiente tratar as coisas como indiferentes e transformá-las em combinações mentais que melhor atendam aos nossos interesses racionais. Entretanto, tratar as pessoas dessa maneira, torná-las meros peões no jogo que a razão joga, é insensível, monstruoso. Os afetos são tão essenciais ao ser humano quanto sua razão. É um substituto pobre para os laços calorosos, doces e ternos que unem marido e mulher, pai e filho, amigo e amigo – esse congelamento de pessoas por meio de sua relação comum com a lei universal. Suponho que seja por isso que, em toda a história do estoicismo, embora as universitárias geralmente tenham um período de flerte com a melancolia estoica de Matthew Arnold, nenhuma mulher jamais foi conhecida como uma estoica consistente e firme. De fato, uma mulher estoica é uma contradição em termos. Pode-se também falar de um *iceberg* quente, de um granito macio ou de um vinagre doce. O estoicismo é algo que as pessoas, solteiras ou mal casadas, têm o monopólio absoluto.

Mais uma vez, se sua desconsideração das particularidades e dos indivíduos é fria e dura, sua tentativa de substituição por uma universalidade abstrata e vaga é um pouco absurda. Às vezes, o humor mais leve da caricatura é o que melhor revela as fraquezas que estão ocultas em sistemas graves quando levados muito a sério. O Sr. W. S. Gilbert[10] colocou o traço de absurdo que há nas doutrinas estoicas de forma tão convincente que suas linhas podem servir ao propósito de ilustrar a fraqueza inerente da posição do estoicismo melhor do que uma crítica mais formal. Elas são dirigidas.

---

10 William Schwenck Gilbert (1836-1911) foi um dramaturgo, poeta e ilustrador do Reino Unido, mais conhecido por sua colaboração com o compositor Arthur Sullivan, que produziu quatorze óperas cômicas.

AO GLOBO TERRESTRE

Continue a rolar, sua bola, continue;

Através dos reinos sem caminho do espaço

Continue a rolar.

E se eu estiver em uma situação lamentável?

E se eu não puder pagar minhas contas?

E se eu sofrer de dor de dente?

E se eu engolir inúmeras pílulas?

Não se preocupe!

Continue a rolar.

Continue a rolar, sua bola, continue rolando;

Através de mares de ar escuro

Continue a rolar.

É verdade que não tenho camisas para vestir;

É verdade que minhas contas de açougueiro estão vencidas;

É verdade que minhas perspectivas parecem azuis

Mas não deixe que isso o perturbe

Não se preocupe!

Continue a rolar. (Ela continua.)

A incompletude da posição estoica é precisamente essa tendência de desprezar e ignorar as condições externas das quais a vida é feita. Seu Deus é o destino. Em vez de uma vontade viva e amorosa, que se manifesta na luta contra as condições atuais, o estoicismo vê apenas uma lei impessoal, rígida, fixa, fatal, inalterável, imbatível, incontrolável. A única liberdade do ser humano está na rendição incondicional ao que foi decretado há muito tempo. O estoicismo não sabe nada sobre a cooperação feliz e original com seus desígnios benéficos, ajudando, assim, a tornar o mundo mais feliz e melhor do que poderia ter sido se a vontade universal não tivesse encontrado e escolhido apenas esse "eu", individual, para trabalhar livremente por sua melhoria. Sua satisfação está apostada em uma lei morta a ser obedecida, não em uma vontade viva a ser amada. Seu ideal é uma identidade monótona de agentes cumpridores da lei que diferem uns dos outros principalmente nos nomes pelos quais podem ser designados. Não há lugar para o desenvolvimento de uma individualidade rica e variada em cada um por meio de uma devoção intensa e apaixonada a outros indivíduos tão diferentes quanto a idade, o gênero, o treinamento e o temperamento são capazes de os tornar. Antes de encontrarmos a orientação perfeita para a vida, devemos olhar para além do estoico e do epicurista, para Platão, para Aristóteles e, acima de tudo, para Jesus.

ZENÃO, O ESTOICO[11]

No número anterior, fizemos um breve esboço das opiniões de Epicuro. Neste, trataremos do fundador de uma seita rival – os estoicos. Entre os discípulos e alunos das escolas estoicas, havia muitos nomes ilustres, e não menos digno é o nome que estamos lidando agora.

Zenão nasceu em Cítio, uma pequena cidade marítima na Ilha de Chipre. Como esse lugar foi originalmente povoado por uma colônia de fenícios, Zenão é às vezes chamado de fenício, mas no período em que ele prosperou, era habitado principalmente por gregos. A data de seu nascimento é incerta, mas deve ter sido por volta do ano 362 a.C. Seu pai era comerciante, e Zenão parece ter se dedicado, no início de sua vida, a atividades mercantis. Recebeu uma educação muito liberal de seu pai, que, segundo consta, percebeu em seu filho uma forte inclinação para os estudos filosóficos e comprou para Zenão os escritos dos filósofos socráticos, que foram estudados com avidez e que, sem dúvida, exerceram uma influência considerável sobre seus pensamentos futuros. Quando tinha cerca de trinta anos de idade, ele fez uma viagem comercial de Cítio a Atenas, com uma carga muito valiosa de púrpura fenícia, mas infelizmente naufragou na costa da Grécia e toda a sua carga foi destruída. Supõe-se que essa grave perda, que deve ter reduzido consideravelmente seus recursos, influenciou Zenão e o induziu a adotar os princípios dos cínicos, filosofia cujo princípio mais vivenciado era o desprezo pelas riquezas. Dizem-nos que em sua primeira chegada a Atenas ele entrou na loja de um livreiro e pegou, por acidente, um volume dos *Comentários de Xenofonte*.[12] Depois de ler algumas páginas, Zenão ficou tão encantado

---

11 Trecho extraído da obra intitulada "Os mais célebres pensadores livres antigos e modernos" (Título original: *Ancient and modern celebrated freethinkers*), coautoria de Anthony Collins e John Watts, publicado pela J. P. Mendum, Boston (EUA), 1877.
12 O cidadão ateniense Xenofonte expôs a maneira como os espartanos interagiam no interior de sua pólis. Em uma época em que mitos e lendas compunham o arcabouço histórico, Xenofonte atuou como um historiador consciente de eventos reais ao estruturar suas narrativas na investigação do passado, desvinculando-se de formas antigas de preservação da história por meio de mitos, tornando-se escritor desde o ponto em que Tucídides deixou sua obra inacabada, muito embora tenha reproduzido o estilo de seu antecessor (CERDAS, Emerson. **A história segundo**

com a obra que pediu ao livreiro que lhe indicasse onde poderia encontrar homens como o autor? Crates, o filósofo cínico, passava naquele momento, e o livreiro disse: "Siga aquele homem!". Ele assim o fez e, depois de ouvir vários de seus discursos, ficou tão satisfeito com as doutrinas dos cínicos que se tornou um discípulo. Ele não permaneceu por muito tempo ligado à escola cínica, uma vez que suas maneiras peculiares eram muito grosseiras para ele, e sua mente enérgica e inquiridora era muito limitada por aquela indiferença a toda investigação científica que era uma de suas principais características. Portanto, ele buscou instrução em outro lugar, e Estilpo, de Megara, tornou-se seu professor, de quem adquiriu a arte da disputa, na qual mais tarde se tornou tão proficiente. Os cínicos ficaram descontentes com o fato de ele ter seguido outra filosofia, e nos é dito que Crates tentou arrastá-lo à força para fora da escola do filósofo Estilpo, ao que Zenão disse: "Você pode tomar meu corpo, mas Estilpo se apoderou de minha mente". A doutrina megárica[13] era, entretanto, insuficiente. Zenão estava disposto a aprender tudo o que Estilpo poderia ensinar, mas tendo aprendido tudo, seu apetite inquieto e insaciável por conhecimento exigia mais, e depois de assistir por vários anos às palestras de Estilpo, ele passou para os expositores de Platão, Xenócrates e Polemo. Esse último filósofo parece ter percebido o objetivo de Zenão ao frequentar as várias escolas – ou seja, coletar materiais de vários lugares para um novo sistema próprio. Quando chegou à escola, Polemo disse: "Não sou estranho, Zenão, às suas artes fenícias. Percebo que seu objetivo é entrar sorrateiramente em meu jardim e roubar meus frutos". Após vinte anos de estudo, tendo dominado os princípios das várias escolas, Zenão decidiu se tornar o fundador de uma seita. De acordo com essa determinação, ele abriu uma escola em um pórtico público, chamado de Pórtico Pintado, por causa dos quadros de Polignoto e de outros pintores eminentes, com os quais era adornado. Esse pórtico tornou-se famoso em Atenas e foi chamado (Stoa) – o Pórtico. Foi des-

---

Xenofonte: historiografia e usos do passado. Tese, 301 f. (Doutorado em Estudos Literários). Orientador: Maria Celeste Conslin Dezotti. Faculdade de Ciências e Letras da Universidade Estadual Paulista "Júlio de Mesquita Filho", 2016).
13   A escola dos megáricos foi fundada por Euclides de Mégara (435-365 a.C.), e produziu uma lógica própria que rivalizou com a dos aristotélicos.

sa Stoa que a escola recebeu seu nome, sendo os alunos chamados de estoicos. Zenão tinha um raciocínio sutil e extremamente popular. Ele ensinava um sistema estrito de moral e exibia uma imagem agradável de disciplina moral da própria vida. Como homem, seu caráter parece merecedor do mais alto respeito. Tornou-se extremamente respeitado e reverenciado em Atenas pela probidade e severidade de sua vida e de seus modos, bem como pela coerência com sua doutrina. Possuía uma parcela tão grande da estima pública que os atenienses lhe concederam uma coroa de ouro e, por causa de sua integridade aprovada, depositaram as chaves da cidadela em suas mãos. Antígono II Gônatas, rei da Macedônia, assistia constantemente às suas palestras enquanto estava em Atenas e, quando esse monarca retornou, convidou Zenão para sua corte. Durante a vida do filósofo, os atenienses ergueram uma estátua de bronze como sinal da estima que tinham por ele.

Zenão viveu até a idade extrema de noventa e oito anos, quando, ao sair da escola, um dia caiu e quebrou o dedo. A consciência de sua enfermidade o afligiu tanto que ele exclamou: "Por que sou importunado assim? Terra, eu obedeço à tua convocação!". E, indo imediatamente para casa, colocou seus assuntos em ordem e se estrangulou. Na aparência, Zenão era alto e esguio, sua testa era franzida pelo pensamento, e isso, junto à sua longa e atenta dedicação ao estudo, dava um tom de severidade ao seu aspecto. Embora fosse de constituição frágil, preservava a saúde por meio de sua grande abstinência, sua dieta consistia em figos, pão e mel. Era simples e modesto em suas roupas e hábitos e muito frugal em todas as suas despesas, demonstrando o mesmo respeito pelos pobres e pelos ricos e conversando tão livremente com o escravo quanto com o rei. De espírito independente, interrompeu toda a comunicação com seu amigo Democharis, porque ele havia se oferecido para obter do rei da Macedônia uma gratificação para Zenão. Seu sistema parece ter sido pouco mais do que uma coleção de suas várias lições, daquilo que estava mais de acordo com seu hábito peculiar de pensamento, e uma tentativa de reconciliar e combinar em um sistema os vários elementos de diferentes teorias. Tomando de tantas escolas várias porções de suas doutrinas, ele parece ter provocado o antagonismo de muitos de seus contemporâneos, e vários filósofos de grande erudição e habilidade empregaram sua eloquência para diminuir a crescente influência da nova escola. Perto do fim de sua vida, ele encontrou um poderoso antagonista na pessoa de Epicuro, e os epicureus e os estoicos se tratam desde então como seitas rivais. A escola de Zenão parece ter sido, de modo geral, um local para os pobres, e era uma piada comum entre seus adversários que a pobreza era o encanto pelo qual ele era devedor de seus alunos. A lista de seus discípulos, no entanto, contém os nomes de alguns homens muito ricos e poderosos, que podem ter considerado a teoria estoica um poderoso contra-agente à crescente efeminação da época. Após a morte de Zenão, os atenienses, a pedido de Antígono, ergueram um monumento em sua memória, na cidade de Lárnaca.

Pelos detalhes que foram relatados a respeito de Zenão, não será difícil perceber que tipo de influência suas circunstâncias e caráter devem ter tido sobre seu sistema filosófico. Se suas doutrinas forem diligentemente comparadas com a história de sua vida, parecerá que, tendo frequentado muitos preceptores eminentes e estando intimamente familiarizado com suas opiniões, ele compilou, com base em seus vários princípios, um sistema heterogêneo, com o crédito do qual ele assumiu para si o título de fundador de uma nova seita. As artes dialéticas que Zenão aprendeu na escola de Diodoro Crono ele não deixou de aplicar para apoiar seu sistema e comunicar a seus seguidores. Quanto à doutrina moral da seita cínica, à qual Zenão aderiu estritamente até o fim, não há dúvida de que ele a transferiu, quase sem nenhuma variação, para sua escola. Em termos morais, a principal diferença entre os cínicos e os estoicos era que os primeiros desdenhavam o cultivo da natureza, ao passo que os últimos tentavam se elevar acima dela. No que diz respeito à física, Zenão recebeu sua doutrina por meio da escola platônica, como pode ser verificado plenamente em uma comparação cuidadosa de seus respectivos sistemas. A filosofia estoica, sendo, dessa forma, de origem heterogênea, necessariamente participou dos vários sistemas dos quais foi composta. As discussões ociosas, os raciocínios jejunos e os sofismas imponentes, que tão justamente expuseram as escolas dos filósofos dialéticos ao ridículo, encontraram seu caminho para o Pórtico, onde muito tempo foi desperdiçado e muito engenho jogado fora, em questões sem importância. Cícero censura os estoicos por encorajarem em suas escolas um tipo estéril de disputa, e por se ocuparem em determinar questões triviais, nas quais os debatedores não podem ter nenhum interesse, e que, ao final, não os deixam nem mais sábios nem melhores. E que essa censura não é, como alguns defensores modernos do estoicismo têm sustentado, uma mera calúnia, mas baseada em fatos, aparece suficientemente por meio do que é dito pelos antigos, particularmente pelo médico e filósofo grego Sexto Empírico, a respeito da lógica dos estoicos. Sêneca, que era ele próprio um estoico, reconhece isso com sinceridade. Talvez seja surpreendente que os filósofos, que demonstravam tanta seriedade e sabedoria, tenham se prestado a ocupações tão insignificantes. Mas é preciso considerar que, nessa época, o gosto por disputas sutis prevalecia na Grécia de tal forma que a excelência nas artes do raciocínio e da sofística era um caminho seguro para a fama. Os estoicos, com quem a vaidade era inquestionavelmente uma paixão dominante, eram ambiciosos para esse tipo de reputação. Daí o fato de se engajarem com tanta veemência em disputas verbais e de contribuírem amplamente para a confusão, em vez de para o aprimoramento da ciência, ao substituírem termos vagos e mal definidos por concepções precisas. A parte moral da filosofia estoica, da mesma forma, compartilhava dos defeitos de sua origem. Pode-se objetar contra os estoicos, assim como contra os cínicos, que eles assumiram uma severidade artificial de maneiras e um tom de virtude acima da condição de um ser humano. Sua doutrina de sabedoria moral era uma exibição ostensiva de palavras, na qual pouca consideração era dada à natureza e à razão. Ela professava elevar a natureza humana a um grau de perfeição antes desconhecido, mas seu efeito real era meramente divertir os ouvidos e cativar a fantasia com ficções que nunca poderiam ser realizadas. As extravagâncias e os absurdos da filosofia estoica também podem ser atribuídos, em certa medida, às veementes disputas que subsistiam entre Zenão e os acadêmicos, de um lado, e entre ele e Epicuro, de outro. Essas disputas não apenas deram origem a muitos dos dogmas do estoicismo, mas também levaram Zenão e seus seguidores, no calor da controvérsia, a defender seus argumentos com certo extremismo, bem como a se expressar com muito mais confiança do que provavelmente teriam feito de outra forma. Essa é, talvez, a verdadeira razão pela qual tantas noções extravagantes são atribuídas aos estoicos, particularmente no que diz respeito à moral. Ao passo que Epicuro ensinava seus seguidores a buscar a felicidade na tranquilidade, Zenão imaginava sua sabedoria não apenas livre de toda sensação de prazer, mas também sem todas as paixões e emoções, e capaz de ser feliz em meio à tortura. Para evitar a posição assumida pelos epicuristas, ele recorreu a uma instituição moral que, de fato, ostentava a fachada sublime da sabedoria, mas que se elevava muito acima da condição e dos poderes da natureza humana. A disposição natural de Zenão e seu modo de vida tiveram, além disso, uma influência considerável na fixação do caráter peculiar de sua filosofia. De natureza severa e sombria, e inclinado à reserva e à melancolia, ele cedo cultivou esse hábito submetendo-se à austera e rígida disciplina dos cínicos. As qualidades que ele considerava meritórias em si mesmo e que conciliavam a admiração da humanidade eram naturalmente transferidas para seu personagem imaginário de um homem sábio ou perfeito.

De modo a formar um julgamento preciso a respeito da doutrina dos estoicos, além de uma atenção cuidadosa aos detalhes já enumerados, será necessário se precaver com o máximo de cautela contra dois erros nos quais vários escritores caíram. Deve-se tomar muito cuidado, em primeiro lugar, para não julgar a doutrina dos estoicos com base em palavras e sentimentos, separados do sistema geral, mas considerá-los como estão, relacionados a toda a série de premissas e conclusões. O segundo cuidado é não confundir as doutrinas genuínas de Zenão e de outros antigos pais dessa seita com as glosas dos estoicos posteriores. Entre as muitas provas dessa mudança que poderiam ser deduzidas, selecionaremos uma, que é a mais digna de nota, pois tem ocasionado muitas disputas entre os eruditos. A doutrina a que nos referimos é aquela relativa ao destino. Essa doutrina, de acordo com Zenão e o filósofo grego Crisipo[14] de Solos, implica uma série eterna e imutável de causas e efeitos, na qual todos os eventos estão incluídos e à qual a própria divindade está sujeita. Já os estoicos posteriores, mudando o termo destino para providência de Deus, discorreram com grande plausibilidade sobre esse assunto, mas na realidade ainda mantiveram a antiga doutrina do destino universal. Tomando como base esse exemplo, pode-se formar um juízo sobre a necessidade de usar alguma cautela, ao apelar para os escritos de Sêneca,

---

14 Crísipo de Solos (280 a.C.-208 a.C.) foi um filósofo grego que se tornou um dos maiores expoentes do estoicismo.

Antonino e Epiteto, como autoridades, para determinar quais eram as doutrinas originais dos filósofos estoicos.

No que diz respeito à filosofia em geral, a doutrina dos estoicos era que a sabedoria consiste no conhecimento das coisas divinas e humanas; que a filosofia é um exercício da mente que produz sabedoria; que nesse exercício consiste a natureza da virtude; e, consequentemente, que virtude é um termo de significado extenso, compreendendo o emprego correto da mente no raciocínio, no estudo da natureza e na moral. A sabedoria dos estoicos é progressiva, através de vários estágios; ou perfeita, quando toda a fraqueza é subjugada e todo o erro corrigido, sem a possibilidade de recaída na loucura ou no vício, ou de ser novamente escravizado por qualquer paixão ou afligido por qualquer calamidade. Assim como Sócrates e os cínicos, Zenão representava a virtude como a única sabedoria verdadeira. Contudo, estando disposto a estender as buscas de seu sábio às regiões da especulação e da ciência, ele deu, segundo sua maneira usual, um novo significado a um termo antigo e compreendeu o exercício do entendimento na busca da verdade, bem como o governo dos apetites e das paixões, sob o termo geral "virtude". A grande importância do exercício conjunto das faculdades intelectuais e ativas da mente é assim belamente afirmada pelo imperativo filosófico: "Que cada um se esforce para pensar e agir de tal forma que suas faculdades contemplativas e ativas possam, ao mesmo tempo, estar caminhando para a perfeição. Suas concepções claras e seu conhecimento certo produzirão, então, dentro dele uma confiança total em si mesmo, não percebida talvez pelos outros, embora não afetadamente oculta, o que dará simplicidade e dignidade ao seu caráter; pois ele será sempre capaz de julgar, em relação aos vários objetos que se apresentam diante dele, qual é a sua natureza real, que lugar ocupam no universo, quanto tempo são, por natureza, adequados para durar, de que materiais são compostos, por quem podem ser possuídos e quem é capaz de concedê-los ou os tirar". A soma das definições e regras dadas pelos estoicos com relação à lógica é a seguinte: "A lógica é retórica ou dialética". A lógica retórica é a arte de raciocinar e discorrer sobre os assuntos que exigem um tipo difuso de declamação. Já a dialética é a arte da argumentação fechada na forma de disputa ou diálogo. A primeira assemelha-se a uma mão aberta, ao passo que a segunda, a uma mão fechada. A retórica é de três tipos: deliberativa, judicial e demonstrativa. A arte dialética é o instrumento do conhecimento, pois permite que o ser humano distinga a verdade do erro e a certeza da mera probabilidade. Essa arte considera as coisas expressas por palavras e as próprias palavras. As coisas externas são percebidas por uma certa impressão, feita em algumas partes do cérebro ou na faculdade percipiente, que pode ser chamada de imagem, uma vez que é impressa na mente, como a imagem de um selo na cera.

Essa imagem é comumente acompanhada de uma crença na realidade da coisa percebida, mas não necessariamente, uma vez que ela não acompanha todas as imagens, apenas aquelas que não são acompanhadas de nenhuma evidência de engano. Quando somente a imagem é percebida por si mesma, a coisa é apreensível. Já quando é reconhecida e aprovada como a imagem de alguma coisa real a impressão é chamada de apreensão, porque o objeto é apreendido pela mente como um corpo é agarrado pela mão. Essa apreensão, se suportar o exame da razão, é conhecimento. Porém, se não for examinada é mera opinião. Se não suportar esse exame é uma apreensão errônea. Os sentidos, corrigidos pela razão, dão um relatório fiel, não por proporcionar uma apreensão perfeita de toda a natureza das coisas, mas sim por não deixar espaço para dúvidas sobre sua realidade. A natureza nos forneceu essas apreensões como os elementos do conhecimento por meio dos quais outras concepções são levantadas na mente e um caminho é aberto para as investigações da razão. Algumas imagens são sensíveis, ou recebidas imediatamente pelos sentidos, ao passo que outras são racionais, percebidas apenas na mente. Essas últimas são chamadas de noções ou ideias. Algumas imagens são prováveis, com as quais a mente concorda sem hesitação. Já outras são improváveis, com as quais ela não concorda prontamente, ao passo que outras são duvidosas, com as quais não se percebe inteiramente se são verdadeiras ou falsas. As imagens verdadeiras são aquelas que surgem de coisas realmente existentes e concordam com elas. As imagens falsas, ou fantasmas, são imediatamente derivadas de nenhum objeto real. As imagens são apreendidas por percepção imediata, por meio dos sentidos, como quando vemos uma pessoa. Consequentemente, por semelhança, como quando, por meio de um retrato apreendemos o original. Por composição, como quando, ao compor um cavalo e um ser humano, adquirimos a imagem de um centauro. Por aumento, como na imagem de um ciclope, ou por diminuição, como na de um porquinho. O julgamento é empregado tanto para determinar coisas particulares quanto para proposições gerais. No julgamento das coisas fazemos uso de algum de nossos sentidos, como um critério comum ou medida de apreensão, pelo qual julgamos se uma coisa é ou não é, ou se ela existe ou não com certas propriedades, ou aplicamos à coisa a respeito da qual um julgamento deve ser formado, alguma medida artificial, como uma balança, uma regra etc. Ou recorremos a outras medidas peculiares para determinar coisas não perceptíveis pelos sentidos. No julgamento de proposições gerais, usamos nossas preconcepções ou princípios universais como critérios ou medidas de julgamento. As primeiras impressões dos sentidos produzem na mente uma emoção involuntária, mas uma pessoa sábia depois as examina deliberadamente a fim de saber se são verdadeiras ou falsas, e concorda com elas ou as rejeita, conforme a evidência que se oferece a seu entendimento pareça suficiente ou insuficiente. Esse assentimento ou aprovação será, de fato, tão necessariamente dado ou negado de acordo com o estado final das provas que são comprovadas, como o prato de uma balança afunda ou sobe, de acordo com os pesos que são colocados sobre ela. Mas enquanto os vulgares dão crédito imediato aos relatos dos sentidos, as pessoas sábias suspendem seu assentimento até que tenham examinado deliberadamente a natureza das coisas e estimado cuidadosamente o peso da evidência. A mente do ser humano é originalmente como uma folha em branco, totalmente sem caracteres, mas capaz de receber qualquer um. As impressões que são feitas nela, por meio dos sentidos, permanecem na memória, depois que os objetos que as ocasionaram são removidos. Uma sucessão dessas impressões contínuas, feitas por objetos semelhantes, produz experiência, e daí surgem noções, opiniões e conhecimentos permanentes. Mesmo os princípios universais são originalmente formados pela experiência por meio de imagens sensíveis. Todos os humanos concordam em suas noções ou preconceitos comuns. As disputas surgem apenas com relação à aplicação desses conceitos a casos particulares.

Passemos a analisar a doutrina estoica sobre a natureza. De acordo com Zenão e seus seguidores, existia desde a eternidade um caos escuro e confuso, no qual estavam contidos os primeiros princípios de todos os seres futuros. Esse caos, sendo finalmente organizado e emergindo em formas variáveis, tornou-se o mundo, tal como existe agora. O mundo, ou natureza, é aquele todo que compreende todas as coisas e do qual todas as coisas são partes e membros. O Universo, embora seja um todo, contém dois princípios, distintos dos elementos, um passivo e outro ativo. O princípio passivo é a matéria pura, sem qualidades, ao passo que o princípio ativo é a razão, ou Deus. Essa é a doutrina fundamental dos estoicos a respeito da natureza. O sistema estoico ensina que tanto o princípio ativo quanto o passivo da natureza são corpóreos, pois tudo o que age ou sofre deve ser assim. A causa eficiente, ou Deus, é o éter puro, ou fogo, que habita a superfície externa dos céus, onde tudo o que é divino está situado. Essa substância etérea, de fogo divino, compreende todos os princípios vitais pelos quais os seres individuais são necessariamente produzidos, e contém as formas das coisas que, das regiões mais elevadas do Universo, são difundidas por todas as outras partes da natureza. Sêneca, de fato, chama Deus de razão incorpórea, mas com esse termo ele só pode querer distinguir a substância etérea divina dos corpos grosseiros, pois, de acordo com os estoicos, tudo o que tem uma existência substancial é corpóreo; nada é incorpóreo, exceto aquele vácuo infinito que circunda o Universo. Até a mente e a voz são corpóreas e, da mesma forma, a divindade. A matéria, ou o princípio passivo, no sistema estoico, é destituída de todas as qualidades, mas pronta para receber qualquer forma, inativa e sem movimento, a menos que seja movida por alguma causa externa. O princípio contrário, ou o fogo etéreo operante, sendo ativo e capaz de produzir todas as coisas por meio da matéria, com habilidade consumada, de acordo com as formas que contém, embora em sua natureza corpórea, considerado em oposição à matéria grosseira e lenta, ou aos elementos, é dito ser imaterial e espiritual. Por falta de atenção cuidadosa à distinção anterior alguns escritores foram tão impelidos pelas ousadas inovações dos estoicos no uso de termos, a ponto de inferir, embasados nas denominações que eles às vezes aplicam à divindade, que eles a concebiam como sendo estrita e propriamente incorpórea. A verdade parece ser que, assim como eles às vezes falavam da alma do ser humano, uma porção da divindade, como um corpo extremamente raro e sutil, e às vezes como um espírito quente ou ardente, assim eles falavam da divindade como corpórea, considerada distinta do vácuo incorpóreo, ou espaço infinito; mas como espiritual, considerada em oposição à matéria grosseira e inativa. Eles ensinavam, de fato, que Deus é subvida, incorruptível e eterna, possuidor de inteligência, bom e perfeito, a causa eficiente de todas as qualidades ou formas peculiares das coisas, e o constante preservador e governador do mundo, descrevendo a divindade sob muitas imagens nobres e na linguagem mais elevada. O hino de Cleantes[15], em particular, é justamente admirado pela grandeza de seus sentimentos e pela sublimidade de sua dicção. Mas se, ao ler essas descrições, nós apressadamente associarmos a elas as concepções modernas da divindade, e negligenciarmos a recorrência aos princípios principais da seita, nós seremos levados a interpretações errôneas fundamentais da verdadeira doutrina do estoicismo, pois, de acordo com essa seita, Deus e a matéria são igualmente originários e eternos, e Deus é o primeiro do Universo em nenhum outro sentido que não o de ter sido a causa eficiente necessária pela qual o movimento e a forma foram impressos na matéria.

As noções que os estoicos tinham de Deus aparecem suficientemente por intermédio da opinião única de sua natureza finita, uma opinião que se seguiu necessariamente da noção de que ele é apenas uma parte de um Universo esférico e, portanto, finito. Sobre a doutrina da providência divina, que era um dos principais pontos sobre os quais os estoicos disputavam com os epicuristas, muito foi escrito, com grande força e elegância, por Sêneca, Epiteto e outros estoicos posteriores. Mas não devemos julgar a doutrina genuína e original dessa seita pelos discursos de escritores que provavelmente corromperam sua linguagem sobre esse assunto ao visitar a escola cristã. A única maneira de formar um julgamento preciso de suas opiniões a

---

15 Cleantes de Assos (330 a.C.-230 a.C.) foi um filósofo estoico, discípulo de Zenão que escreveu o Hino a Zeus (PEREIRA, Maria Helena da Rocha. **Hélade**: antologia da cultura grega. Lisboa: Guimarães Editores, 2009).

respeito da Providência é comparar sua linguagem popular sobre esse assunto com seu sistema geral, e explicar o primeiro de forma consistente com os princípios fundamentais do segundo.

Se isso for feito de forma justa, parecerá que a ação da divindade é, de acordo com os estoicos, nada mais do que o movimento ativo de um éter celestial, ou fogo, dotado de inteligência, que inicialmente deu forma à massa informe de matéria bruta e, estando sempre essencialmente unido ao mundo visível pela mesma ação necessária, preserva sua ordem e harmonia.

A ideia estoica de Providência não é a de um ser totalmente independente da matéria, que dirige e governa livremente todas as coisas, mas a de uma cadeia necessária de causas e efeitos, decorrente da ação de um poder que é, ele próprio, uma parte da existência que regula e que, da mesma forma que essa existência, está sujeito à imutável lei da necessidade. A providência, no credo estoico, é apenas outro nome para a necessidade absoluta, ou destino, ao qual Deus e a matéria, ou o Universo, que consiste em ambos, estão imutavelmente sujeitos. Os estoicos chamavam o princípio racional, eficiente e ativo da natureza por vários nomes: natureza, destino, Júpiter, Deus.

"O que é a natureza", diz Sêneca, "senão Deus; a razão divina, inerente a todo o Universo e a todas as suas partes? Ou você pode chamá-lo, se quiser, de autor de todas as coisas".

Ele continua: "Quaisquer designações que impliquem poder e energia celestiais podem ser justamente aplicadas a Deus; seus nomes podem ser tão numerosos quanto seus ofícios". O termo "natureza" no sistema estoico é distinguido de Deus, denota não um agente separado, mas sim aquela ordem de coisas que é necessariamente produzida por sua regência perpétua. Uma vez que o princípio ativo da natureza está compreendido no mundo, e com a matéria forma um todo, segue-se necessariamente que Deus penetra, permeia e anima a matéria e as coisas que são formadas por ela, ou, em outras palavras, que ele é a alma do Universo.

O Universo é, de acordo com Zenão e seus seguidores, "um ser sensível e animado". Esse não era um princípio novo, mas, de certa forma, a doutrina de toda a Antiguidade. Pitágoras, Heráclito e, depois deles, Zenão, por intermédio do princípio de que não há existência real que não seja corpórea, conceberam a natureza como um todo, consistindo de um éter sutil e de matéria grosseira, sendo o primeiro o princípio ativo, e o último o princípio passivo, tão essencialmente unidos quanto a alma e o corpo do ser humano, ou seja, eles supunham que Deus, com relação à natureza, não era um princípio coexistente, mas um princípio informador.

Com relação ao segundo princípio do Universo, a matéria, ao passo que com relação ao mundo visível, a doutrina dos estoicos é, resumidamente, a seguinte: a matéria é a primeira essência de todas as coisas, desprovida de qualidades, mas capaz de recebê-las. Considerada universalmente, ela é um todo eterno, que não aumenta nem diminui. Considerada com relação às suas partes, ela é capaz de aumentar ou diminuir, de colidir e separar, e está perpetuamente mudando. Os corpos estão continuamente tendendo à dissolução. Já a matéria permanece sempre a mesma. A matéria não é infinita, mas finita, sendo circunscrita pelos limites do mundo, mas suas partes são infinitamente divisíveis. O mundo é esférico em sua forma e é cercado por um vácuo infinito. A ação da natureza divina sobre a matéria produziu primeiro o elemento umidade e, depois, os outros elementos, fogo, ar e terra, dos quais todos os corpos são compostos. O ar e o fogo têm leveza essencial, ou tendem para a superfície externa do mundo. Por sua vez, a terra e a água têm gravidade essencial, ou tendem para o centro. Todos os elementos são capazes de conversão recíproca: o ar se transforma em fogo ou em água; a terra em ar e água; mas há uma diferença essencial entre os elementos, uma vez que o fogo e o ar têm dentro de si um princípio de movimento, ao passo que a água e a terra são meramente passivas. O mundo, incluindo toda a natureza, Deus e a matéria, subsistiu desde a eternidade e subsistirá para sempre, mas a atual estrutura regular da natureza teve um começo e terá um fim. As partes tendem a se dissolver, mas o todo permanece imutavelmente o mesmo. O mundo está sujeito à destruição por causa da prevalência da umidade ou da secura. A primeira produz uma inundação universal. A segunda, uma conflagração universal. Esses fenômenos se sucedem na natureza tão regularmente quanto o inverno e o verão. Quando ocorre a inundação universal, toda a superfície do planeta é coberta de água e toda a vida animal é destruída. Depois disso, a natureza é renovada e subsiste como antes, até que o elemento fogo, prevalecendo por sua vez, seca toda a umidade, converte cada substância em sua natureza e, finalmente, por meio de uma conflagração universal reduz o mundo ao seu estado primitivo. Nesse período, todas as formas materiais são perdidas em uma massa caótica: toda a natureza animada é reunida à divindade, e a natureza existe novamente em sua forma original, como um todo, consistindo de Deus e matéria. Desse estado caótico, entretanto, ela emerge novamente, pela energia do princípio eficiente, e os deuses, os seres humanos e todas as formas da natureza regulada são renovados e dissolvidos e renovados em sucessão infinita.

O texto integral foi compilado de Ritter, Enfield e Lewes, como um exemplo de uma das primeiras fases do livre pensamento. O livre pensamento, como então expresso, tinha muitas falhas e defeitos, mas tem melhorado a cada dia, estendendo e ampliando seu círculo de expressão, e esperamos que continue a ser dessa maneira.

O PENSAMENTO DE SÊNECA: MESTRE DO ESTOICISMO[16]

AO LEITOR

Há muito tempo venho pensando [diz Sir Roger L'Estrange] em passar Sêneca para o inglês, mas a questão era se seria uma tradução ou um resumo. Uma tradução, percebo, não deve ser, e por várias razões. Em primeiro lugar, é algo que já foi feito por minha mão, e com mais de sessenta anos de existência, embora com tão pouco crédito, talvez, para o autor, quanto satisfação para o leitor. Em segundo lugar, há muita coisa nele que é totalmente estranha ao meu negócio, por exemplo, seus tratados filosóficos sobre meteoros, terremotos, o original dos rios, várias disputas frívolas entre os epicureus e os estoicos, entre outros. Isso, para não falar de suas frequentes repetições de textos e de suas frequentes repetições da mesma coisa em outras palavras (nas quais ele se desculpa muito bem, dizendo: "Que ele apenas inculca repetidamente os mesmos conselhos àqueles que cometem repetidamente as mesmas falhas"). Em terceiro lugar, sua excelência consiste mais em uma rapsódia de sugestões e noções divinas e extraordinárias do que em qualquer método regulado de discurso, de modo que tomá-lo como ele se expressa, e assim continuar com ele, seria totalmente inconsistente com a ordem e a brevidade que proponho, uma vez que meu principal objetivo é apenas digerir e comentar suas morais, de tal forma que qualquer pessoa possa saber onde as encontrar. Eu me mantive tão próximo dessa proposta que reduzi toda a sua ética dispersa a seus devidos títulos, sem nenhum acréscimo de minha parte, a não ser por absoluta necessidade de juntá-las. Outra pessoa em meu lugar talvez lhe apresentasse vinte desculpas por

---

16 SENECA, Lucius Annaeus. **Moral de uma vida feliz, benefícios, ira e clemência de Sêneca**. Tradução e composição de notas: Murilo Oliveira de Castro Coelho. (Título original: *Seneca's morals of a happy life, benefits, anger and clemency* –Tradução: Sir Roger L'Estrange. Chicago (EUA), Belford, Clarke & CO., 1882).

sua falta de habilidade e de endereço ao abordar esse assunto, mas essas são tolices formais e pedantes, como se qualquer pessoa que primeiro fosse demasiadamente vaidoso em seu coração, depois se tornasse assim também na imprensa. Este resumo, tal como é, é extremamente bem-vindo, e lamento que não seja melhor, tanto para o seu bem quanto para o meu, pois se fosse escrito de acordo com o espírito do original, seria um dos presentes mais valiosos que qualquer ser humano já concedeu ao público, e isso, também, mesmo no julgamento de ambas as partes, tanto cristãs quanto pagãs, tudo em seu devido lugar.

Além de minha escolha do autor e do assunto, juntamente à maneira de tratá-la, também tive alguma consideração, nesta publicação, com o momento em que ele ocorreu, e com a preferência por esse tópico de benefícios acima de todos os outros, para a base de meu primeiro ensaio. Estamos caindo em uma era de vã filosofia (como o santo apóstolo a chama) e tão desesperadamente invadidos por céticos e cretinos, que não há quase nada tão certo ou tão sagrado que não esteja exposto a questionamentos e desprezo, de modo que, entre o hipócrita e o ateu, os próprios fundamentos da religião e dos bons costumes são abalados, e as duas tábuas do *Decálogo* são despedaçadas, uma contra a outra. As leis do governo são submetidas às fantasias dos vulgares, a autoridade pública é submetida às paixões e opiniões particulares do povo, e os movimentos sobrenaturais da graça são confundidos com os ditames comuns da natureza. Nesse estado de corrupção, quem é tão adequado quanto um bom e honesto cristão pagão para ser um moderador entre os cristãos pagãos?

Passando agora do escopo geral de toda a obra para o argumento específico da primeira parte dela, abordei os temas benefícios, gratidão e ingratidão, para começar, como um aviso do restante, e uma palestra expressamente calculada para a ingratidão destes tempos. Sem dúvida, os mais imundos e os mais execráveis de todos os outros, desde a própria apostasia dos anjos. Não, se eu me atrevesse a supor uma possibilidade de misericórdia para esses espíritos condenados, e que eles pudessem ser favorecidos novamente, minha caridade esperaria até melhor para eles do que encontramos em alguns de nossos revoltados, e que eles se comportariam de tal maneira que não incorreriam em uma segunda perda. E para levar a semelhança ainda mais longe, ambos concordam em uma maldade implacável contra seus companheiros que mantêm seus postos. Mas, infelizmente, o que a ingratidão poderia fazer sem a hipocrisia, sua companheira inseparável e, na verdade, o demônio mais ousado e mais negro dos dois? O próprio Lúcifer nunca teve a coragem de erguer os olhos para o céu e falar com o altíssimo no ritmo familiar de nossos pretensos patriotas e zelotes e, ao mesmo tempo, torná-lo cúmplice de uma trapaça. Não é à toa que o Espírito Santo denunciou tantas desgraças e redobrou tantas advertências contra os hipócritas, indicando claramente, de uma só vez, como eles são uma armadilha perigosa para a humanidade, e não menos odiosa para o próprio Deus. Isso é suficientemente denotado na força daquela expressão terrível: "E a tua parte não será com os hipócritas". Você encontrará nas sagradas escrituras (como observei) que Deus concedeu a graça do arrependimento a perseguidores, idólatras, assassinos, adúlteros, mas estou enganado se a Bíblia inteira lhe oferece algum exemplo de um hipócrita convertido.

Descendo agora da própria verdade para nossa experiência, não vimos, mesmo em nossos dias, um príncipe muito piedoso (e quase irrepreensível) ser levado ao cadafalso por seus súditos? A constituição mais gloriosa sobre a face da Terra, tanto eclesiástica quanto civil, despedaçada e dissolvida? O povo mais feliz sob o Sol foi escravizado? Nossos templos profanados, e uma licença dada a todos os tipos de heresia e ultraje? E por quem, a não ser por uma raça de hipócritas, que não tinham nada na boca durante todo esse tempo, a não ser a pureza do evangelho, a honra do rei e a liberdade do povo, auxiliados por documentos difamatórios, que foram lançados contra o próprio rei pelas laterais de seus ministros mais fiéis? Esse projeto foi tão bem-sucedido contra um governo, que agora está novamente em andamento contra outro; e por alguns dos próprios atores daquela tragédia, e também após um perdão muito gracioso, quando a Providência colocou seus pescoços e suas fortunas aos pés de Sua Majestade. É maravilhoso que calúnias e difamadores, a mais infame das práticas e dos humanos, os métodos e instrumentos de maldade mais desumanos e sorrateiros, a própria ruína da sociedade humana e a praga de todos os governos, é maravilhoso (eu digo) que esses mecanismos e engenheiros encontrem crédito suficiente no mundo para se engajarem em um partido. Mas seria ainda mais maravilhoso se o mesmo truque passasse duas vezes pelas mesmas pessoas, na mesma época e pelos mesmos impostores. Essa reflexão me desviou um pouco do meu caminho, mas acabou me trazendo de volta ao meu texto, pois há no fundo dele a mais alta oposição imaginável de ingratidão e obrigação.

O leitor poderá, de certa forma, julgar por essa amostra o que ele deve esperar, isto é, quanto à forma de meu projeto e à simplicidade do estilo e da vestimenta, pois isso ainda será o mesmo, apenas acompanhado de uma variedade de assuntos. Quer isso agrade ao mundo ou não, o cuidado é meu, e, ainda assim, eu gostaria que fosse tão agradável para os outros ao lerem, como tem sido para mim na especulação. Ao lado do próprio evangelho, eu o vejo como o remédio mais soberano contra as misérias da natureza humana, uma vez que sempre o encontrei assim, em todas as injúrias e aflições de uma vida infeliz. O senhor pode ler mais sobre ele, se quiser, no Apêndice, que anexei a este Prefácio, a respeito da autoridade de seus escritos e das circunstâncias de sua vida, conforme extraí de Justo Lípsio[17].

ESCRITOS DE SÊNECA

Parece que nosso autor tinha três inimigos declarados entre os antigos. Em primeiro lugar, Calígula, que chamou seus escritos de areia sem cal, em alusão ao início de sua fantasia e à incoerência de suas sentenças. Mas Sêneca nunca foi pior pela censura de uma pessoa que propôs até a supressão do próprio Homero e a expulsão de Virgílio e Lívio de todas as bibliotecas públicas. O próximo foi Fábio, que o censurou por ser muito ousado com a eloquência de épocas passadas, e por falhar nesse ponto, bem como por ser muito pitoresco e finório em suas expressões, o que

---

17 O humanista e erudito clássico Justus Lipsius (Justo Lípsio) (1547-1606), descrito por seu admirado correspondente Michel de Montaigne como um dos homens mais eruditos de sua época (*Ensaios* II.12), foi o pai fundador do neoestoicismo, um componente fundamental do pensamento europeu no final dos séculos XVI e XVII (JUSTUS LIPSIUS. **Stanford Encyclopedia of Philosophy**. Disponível em: https://plato.stanford.edu/entries/justus-lipsius/. Acesso em: 20 set. 2023).

Tácito imputou, em parte, à liberdade de sua inclinação ao humor da época. Ele também foi acusado por Fábio de não ser um filósofo profundo. Apesar de tudo isso, ele admitiu que Sêneca era um homem muito estudioso e erudito, de grande inteligência e invenção, e bem lido em todos os tipos de literatura, um severo reprovador do vício, divinamente eloquente e que vale a pena ler, se fosse apenas por sua moral. Isso, acrescentando que, se seu discernimento fosse compatível com sua inteligência, teria sido muito mais para sua reputação, mas ele escrevia o que viesse à mente, de modo que eu aconselharia o leitor (diz ele) a distinguir o que ele mesmo não distinguiu, pois há muitas coisas em Sêneca não apenas para serem aprovadas, mas também admiradas. Foi uma grande pena que aquele que podia fazer o que quisesse nem sempre fizesse a melhor escolha. Seu terceiro adversário é Agellius, que o criticou por seu estilo e uma espécie de tilintar em suas sentenças, mas o elogiou por sua piedade e bons conselhos. Por outro lado, Columela o chamou de homem de excelente inteligência e erudição. Plínio, o príncipe da erudição. Tácito lhe deu o caráter de um homem sábio e um tutor adequado para um príncipe. Dio relatou que ele foi o maior homem de sua época.

Não precisaremos fazer nenhum relato específico sobre as peças que ainda existem, bem como sobre as que se perderam, não podemos ir além de iluminá-las com base em outros autores, pois as consideramos muito citadas para sua honra. Podemos razoavelmente considerá-las a maior parte de suas obras. O fato de ele ter escrito vários poemas em seu banimento pode ser deduzido em parte dele mesmo, mas mais expressamente de Tácito, que diz "que ele foi censurado por se dedicar à poesia, depois de ver que Nero tinha prazer nela, com o objetivo de obter favores". São Jerônimo refere-se a um discurso de Sêneca sobre o matrimônio. Lactâncio[18] faz menção à sua história e aos seus livros de moralidades. Santo Agostinho cita algumas de suas passagens em um livro de confissões. Encontramos algumas referências a seus livros de exortações. Fábio faz menção a seus *Diálogos*, e ele mesmo fala de um tratado de sua

---

18   Lucio Célio Firmiano Lactâncio (240 d.C.-320 d.C.) foi um autor entre os primeiros cristãos que se tornou um conselheiro do primeiro imperador romano cristão, Constantino I.

autoria sobre terremotos, que escreveu em sua juventude, mas a opinião de uma correspondência epistolar que ele teve com São Paulo não parece ter muito valor.

Alguns poucos fragmentos, no entanto, dos seus livros que faltam, ainda estão preservados nos escritos de outros autores eminentes, o suficiente para mostrar ao mundo quão grande tesouro eles perderam pela excelência do pouco que sobrou.

Sêneca, diz Lactâncio, que foi o mais perspicaz de todos os estoicos, quão grande veneração ele tinha pelo Todo-Poderoso! Por exemplo, discursando sobre uma morte violenta: "Você não entende?", diz ele, "a majestade e a autoridade de seu juiz; ele é o governador supremo do céu e da Terra, e o Deus de todos os seus deuses; e é dele que dependem todos os poderes que adoramos como divindades". Além disso, em suas exortações, Sêneca afirma que "Esse Deus, quando lançou os alicerces do Universo e iniciou a maior e melhor obra da natureza, na ordenação do governo do mundo, embora ele próprio fosse tudo em tudo, substituiu outros ministros subordinados, como servos de seus comandos".

E quantas outras coisas esse pagão fala de Deus como se fosse um de nós!

O que Sêneca, questiona Lactâncio novamente, viu em suas exortações? "Nós", diz ele, "temos nossa dependência em outro lugar, e devemos olhar para esse poder, ao qual somos devedores por tudo o que podemos pretender que seja bom".

Ademais, Sêneca diz muito bem sobre moral: "Eles adoram as imagens de Deus, ajoelham-se diante delas e as adoram, quase nunca se afastam delas, seja oferecendo-lhes oferendas ou sacrifícios, e ainda assim, depois de toda essa reverência à imagem, eles não têm nenhuma consideração pelo trabalhador que a fez".

Lactâncio novamente. "Uma invectiva", diz Sêneca em suas exortações, "é a obra-prima da maioria de nossos filósofos; e se eles caem no assunto da avareza, luxúria ou ambição eles se lançam em tal excesso de amargura como se a raiva fosse uma marca de sua profissão. Eles me fazem pensar em pequenos potes em uma loja de boticários, que têm remédios por fora e veneno por dentro."

Lactâncio diz ainda: "Aquele que quiser saber todas as coisas, que leia Sêneca; o mais vivo descritor dos vícios e das maneiras públicas, e o mais inteligente relator deles."

Como Sêneca diz nos livros de Filosofia Moral, "ele é o homem corajoso, cujo esplendor e autoridade é a menor parte de sua grandeza, que pode olhar a morte de frente sem problemas ou surpresa; que, se seu corpo fosse quebrado na roda, ou chumbo derretido fosse derramado em sua garganta, estaria menos preocupado com a dor em si do que com a dignidade de a suportar".

"Que nenhum homem", diz Lactâncio, "considere a si mesmo mais seguro em sua maldade por falta de uma testemunha, pois Deus é onisciente e para ele nada pode ser um segredo". É uma frase admirável aquela que Sêneca conclui suas exortações: "Deus", diz ele, "é um grande (não sei o quê), um poder incompreensível; é para ele que vivemos e para ele que devemos nos aprovar. De que nos adianta nossa consciência estar escondida dos homens, se nossa alma está aberta a Deus?". O que um cristão poderia ter dito de mais adequado ao propósito nesse caso do que esse divino pagão? E no início da mesma obra, Sêneca diz:

> O que é que nós fazemos? Para que serve ficarmos tramando e nos escondermos? Estamos sob guarda, e não há como escapar de nosso guardião. Um homem pode se separar de outro por viagem, morte, doença, mas não há como nos separar de nós mesmos. É inútil nos escondermos em um canto onde ninguém nos verá. Que loucura ridícula! Se nenhum olho mortal pudesse nos descobrir, aquele que tem consciência daria provas contra si mesmo.

É verdadeira e excelentemente falado de Sêneca, diz Lactâncio, mais uma vez: "Considere", diz ele, "a majestade, a bondade e as veneráveis misericórdias do todo-poderoso; um amigo que está sempre à mão. Que prazer pode ter para ele a matança de criaturas inocentes ou a adoração de sacrifícios sangrentos?". E continua: "Purifiquemos nossa mente e levemos uma vida virtuosa e honesta. Seu prazer não está na magnificência de templos feitos de pedra, mas na piedade e na devoção de corações consagrados."

No livro que Sêneca escreveu contra superstições, tratando de imagens, diz Santo Austin, ele afirma o seguinte: "Eles representam os deuses sagrados, imortais e invioláveis na matéria mais básica e sem vida ou movimento; nas formas de homens, animais, peixes, alguns de corpos mistos e aquelas figuras que eles chamam de divindades, que, se fossem animadas, assustariam um homem e passariam por monstros". Então, um pouco mais adiante, tratando da Teologia Natural, depois de citar as opiniões dos filósofos, ele supõe uma objeção contra si mesmo: "Alguém talvez me pergunte: você gostaria que eu acreditasse que os céus e a Terra são deuses, e que alguns deles estão acima da Lua e outros abaixo dela? Será que algum dia serei levado à opinião de Platão ou de Estrabão, o peripatético? Um dos quais teria Deus sem um corpo e o outro sem uma mente?". Ao que ele responde: "E você dá mais crédito então aos sonhos de Tito Tácio, Rômulo ou de Túlio Hostílio, que fez que, entre outras divindades, até o medo e a palidez fossem adorados? A mais vil das afeições humanas. Uma sendo o movimento de uma mente assustada, e a outra não tanto a doença quanto a cor de um corpo desordenado. São essas as divindades nas quais vocês preferem depositar sua fé e colocá-las nos céus?".

E falando mais tarde de seus costumes abomináveis, com liberdade ele escreve:

> Um, por zelo, faz-se eunuco, outro lança seus braços; se essa é a maneira de agradar seus deuses, o que um homem deveria fazer se tivesse a intenção de irritá-los? Ou, se essa é a maneira de agradá-los, eles certamente merecem não ser adorados. Que frenesi é esse de imaginar que os deuses podem se deleitar com tais crueldades, que até o pior dos homens teria a consciência de infligir! Os tiranos mais bárbaros e notórios, alguns deles talvez tenham feito isso eles mesmos, ou ordenado que outros fizessem homens em pedaços; mas nunca chegaram a ponto de ordenar que um homem se atormentasse. Ouvimos falar daqueles que sofreram

castração para gratificar a luxúria de seus senhores imperiosos, mas nunca de um homem que tenha sido forçado a agir sobre si mesmo. Eles se matam em seus templos, e suas orações são oferecidas com sangue. Quem quer que observe o que eles fazem e o que sofrem, verá que isso é tão impróprio para um homem honesto, tão indigno de um homem livre e tão inconsistente com a ação de um homem sensato, que ele deve concluir que todos eles são loucos, se não fosse o fato de haver tantos deles; pois apenas seu número é sua justificativa e sua proteção.

Quando ele reflete, diz Santo Agostinho, sobre aquelas passagens que ele mesmo viu no Capitólio, ele as censura com liberdade e resolução, ninguém acreditará que tais coisas seriam feitas a não ser por zombaria ou frenesi. Que lamentação há nos sacrifícios egípcios pela perda de Osíris? Que alegria ao encontrá-lo novamente? Com o que ele se diverte, pois, na verdade, tudo é uma ficção, e, ainda assim, as pessoas que não perderam nem encontraram nada devem expressar suas tristezas e suas alegrias no mais alto grau. "Mas há apenas um certo tempo", diz ele, "para essa aberração, e uma vez por ano as pessoas podem ficar loucas".

"Entrei no Capitólio", diz Sêneca, "onde as várias divindades tinham seus vários servos e assistentes, seus lictores[19], seus aparadores, e todos em postura e ação, como se estivessem executando seus ofícios; alguns para segurar o vidro, outros para pentear o cabelo de Juno e Minerva; um para dizer a Júpiter que horas são; algumas moças sentadas olhando para a imagem e imaginando que Júpiter tem uma gentileza para com elas". Todas essas coisas, diz Sêneca, algum tempo depois, "um homem sábio observará mais por causa da lei do que por causa dos deuses; e toda essa multidão de divindades, que a superstição de muitas eras reuniu, nós devemos adorar de tal maneira que consideramos a adoração mais uma questão de costume do que de consciência". Santo Agostinho obser-

---

[19] Oficial que na Roma antiga levava uma machadinha junto a um feixe de varas e cuja incumbência, além de prender e punir criminosos, era ir adiante dos supremos magistrados quando apareciam em público, para abrir-lhes caminho e cuidar para que lhes fosse prestado o devido respeito (LICTOR. **Michaelis**. Disponível em: https://michaelis.uol.com.br/palavra/QwKNP/lictor/. Acesso em: 20 set. 2023).

va que esse ilustre senador adorava o que reprovava, agia de acordo com o que não gostava e adorava o que condenava.

A VIDA E A MORTE DE SÊNECA

Tem sido um costume antigo registrar as ações e os escritos de homens eminentes, com todas as suas circunstâncias, e é apenas um direito que devemos à memória de nosso famoso autor. Sêneca era espanhol de nascimento, de Córdoba (uma colônia romana de grande fama na Antiguidade). Era da família de Anaeus, da ordem dos cavaleiros. Seu pai, Lucius Anaeus Sêneca, distinguia-se do filho pelo nome de orador. O nome de sua mãe era Helvia, uma mulher de excelentes qualidades. Seu pai veio para Roma na época de Augusto, e sua esposa e filhos logo o seguiram, sendo que nosso Sêneca ainda era criança. Havia três irmãos entre eles, e nunca uma irmã. Marcus Annaeus Novatus, Lucius Annaeus Sêneca e Lucius Annaeus Mela. O primeiro deles trocou seu nome para Junius Gallio, que o adotou, e foi a ele que dedicou seu tratado sobre a angústia, a quem também chama de Novatus. Também dedicou seu discurso sobre uma vida feliz a seu irmão Gallio. O irmão mais novo (Anaeus Mela) era o pai de Lucano. Sêneca tinha cerca de vinte anos de idade no quinto ano de Tibério, quando os judeus foram expulsos de Roma. Seu pai o treinou para a Retórica, mas seu gênio o levou mais para a Filosofia, e ele aplicou sua inteligência à moralidade e à virtude. Ele era um grande ouvinte dos homens célebres daquela época, como Átalo, Sotion, Papirius, Fabiano[20] (de quem ele faz menção com frequência), e também era um grande admirador de Demétrio, o cínico, de quem conversava na corte, tanto em casa quanto no exterior, pois viajavam juntos com frequência. Seu pai não estava nada satisfeito com seu humor filosófico, mas o forçou a estudar Direito e por algum tempo ele praticou a advocacia. Depois disso, precisou colocá-lo em um emprego público, e

---

20 Fabiano foi professor de Sêneca quando jovem, tendo sido um retórico e filósofo muito ativo nos tempos de Tibério e Calígula.

ele chegou primeiro a ser questor[21], depois pretor[22], e alguns dizem que ele foi escolhido cônsul, mas isso é duvidoso.

Sêneca, descobrindo que havia sido maltratado na corte e que o favor de Nero começava a esfriar, dirigiu-se direta e resolutamente a Nero, oferecendo-se para reembolsar tudo o que havia obtido, mas o imperador não aceitou. No entanto, a partir de então ele mudou seu curso de vida, recebeu poucas visitas, evitou companhia, saiu pouco para o exterior, fingindo ficar em casa, seja por indisposição, seja por ocupar seu tempo com os estudos. Como tutor e governador de Nero, tudo corria bem desde que esse imperador seguisse seus conselhos. Seus dois principais favoritos eram Burro[23] e Sêneca, ambos excelentes em seus costumes. Burro, no cuidado com os assuntos militares e na severidade da disciplina, ao passo que Sêneca, por seus preceitos e bons conselhos em matéria de eloquência, bem como a gentileza de uma mente honesta, ajudavam-se mutuamente, naquela idade escorregadia do príncipe (diz Tácito), para convidá-lo, por meio da permissão de prazeres lícitos, ao amor pela virtude. Sêneca teve duas esposas. O nome da primeira não é mencionado, e sua segunda foi Paulina, de quem ele frequentemente fala com grande paixão. Com a primeira, teve seu filho Marcus.

No primeiro ano de Cláudio, ele foi banido para a Córsega, quando Júlia, a filha de Germânico, foi acusada por Messalina[24] de adultério e

---

21 Um dos títulos mais importantes de toda a história de Roma, servindo no cargo de tesoureiro e porta-voz dos imperadores.
22 Era um magistrado que tratava das questões jurídicas. Esses cargos eram divididos em pretor urbano, responsável pela justiça na cidade, e o pretor peregrino, que tratava da justiça no meio rural e entre os estrangeiros.
23 Sexto Afrânio Burro (Sextus Afranius Burrus, c. 5-62 d.C.) foi um militar romano, de origem gaulesa, escolhido juntamente ao filósofo Sêneca como encarregado da instrução do jovem Nero.
24 Messalina foi a terceira esposa de Cláudio, o imperador que estendeu o domínio romano no norte da África e fez da Grã-Bretanha uma província [...] Apesar de Messalina vir de uma das mais prestigiadas e ricas famílias nobres da época e seu marido fazer parte da família imperial, nada indicava que ela se tornaria imperatriz. Cláudio era doente, coxo, gago, pouco atraente, mal-educado e grosseiro, o que o tornava mais um embaraço para sua família do que um pretendente ao trono.
Por muito tempo se dedicou a escrever livros de história e permaneceu fora do poder até que seu sobrinho, o imperador Calígula, o nomeou cônsul e senador (Quem foi Messalina, imperatriz com reputação mais sexual da Roma Antiga. **BBC News Brasil**, 21 jul. 2023. Disponível em: https://www.bbc.com/portuguese/articles/cer88d2xwx3o. Acesso em: 27 set. 2023).

banida também, sendo Sêneca acusado como um dos adúlteros. Depois de oito anos ou mais no exílio, ele foi chamado de volta e voltou a ser tão popular como sempre. Seus bens eram parcialmente patrimoniais, mas a maior parte deles era a generosidade de seu príncipe. Seus jardins, vilas, terras, posses e incríveis somas de dinheiro são consenso entre todos, o que lhe causou inveja. Dio relata que ele possuía 250 mil libras esterlinas a juros somente na Bretanha, o que ele chamou de soma total. A própria corte não conseguiu levá-lo à lisonja e, quanto à sua piedade, submissão e virtude, a prática de toda a sua vida testemunha a seu favor. Sêneca afirmava que:

> Assim que a vela é apagada, minha esposa, que conhece meu costume, fica quieta, sem falar uma palavra, e então eu me lembro de tudo o que disse ou fiz naquele dia, e me levo para o descanso. E por que eu deveria esconder ou reservar qualquer coisa, ou ter qualquer escrúpulo em investigar meus erros, quando posso dizer a mim mesmo: "Não faça mais isso, e por essa vez eu te perdoarei?". E, novamente, o que pode ser mais piedoso e abnegado do que essa passagem, em uma de suas epístolas? Acreditem em mim agora, quando eu lhes digo o que há de mais profundo em minha alma: em todas as dificuldades e cruzes de minha vida, essa é a minha consideração, uma vez que é a vontade de Deus, eu não apenas obedeço, mas concordo com ela; nem a cumpro por necessidade, mas por inclinação.

"Segue-se agora", diz Tácito, "a morte de Sêneca, para grande satisfação de Nero", não tanto por qualquer prova concreta contra ele de que era da conspiração de Piso, mas Nero estava decidido a fazer pela espada o que não poderia fazer por veneno. Pois é relatado que Nero havia corrompido Cleônico (um servo de Sêneca) para dar veneno a seu mestre, o que não foi bem-sucedido. Se o servo descobriu isso para seu mestre, ou se Sêneca, pela própria cautela e ciúme, o havia evitado, pois vivia apenas de uma dieta simples, comendo os frutos da terra, e sua bebida era geralmente a água do rio.

Natalis, ao que parece, foi enviado em uma visita a ele (estando indisposto) com uma queixa de que ele não deixaria Piso vir até ele; e aconselhando-o a continuar com sua amizade e conhecimento como antes. Sêneca respondeu que encontros e conferências frequentes entre eles não poderiam fazer bem a nenhum dos dois, mas que ele tinha grande interesse no bem-estar de Piso. Então, Granius Silvanus (um capitão da guarda) foi enviado para examinar Sêneca sobre o discurso que aconteceu entre ele e Natalis, e para retornar sua resposta. Sêneca, por acaso ou de propósito, chegou naquele dia da Campânia a uma vila de sua propriedade, a quatro milhas da cidade, e para lá o oficial foi na noite seguinte e cercou o local. Ele encontrou Sêneca jantando com sua esposa Paulina e dois de seus amigos, e imediatamente lhe deu um relato de sua missão. Sêneca disse-lhe que era verdade que Natalis estivera com ele em nome de Piso, com uma queixa de que Piso não podia ser admitido para vê-lo, bem como que ele se desculpava por causa de sua falta de saúde e de seu desejo de ficar quieto e em privacidade, afirmando que ele não tinha razão para preferir o bem-estar de outro homem ao seu próprio. O próprio César, disse ele, sabia muito bem que não era um homem de elogios, tendo recebido mais provas de sua liberdade do que de sua lisonja. Essa resposta de Sêneca foi entregue a César na presença da segunda esposa de Nero, Popeia Sabina, e também do comandante da guarda pretoriana Tigelino, os confidentes íntimos desse príncipe bárbaro. Nero perguntou-lhe se ele poderia deduzir alguma coisa de Sêneca como se ele pretendesse se afastar. A resposta do tribuno foi que não o achou nem um pouco comovido com a mensagem, mas que ele continuou com sua história e sequer mudou de semblante por causa do assunto. "Volte então para ele", disse Nero, "e diga-lhe que ele está condenado à morte". Fabius Rusticus conta que o tribuno não voltou pelo mesmo caminho por onde veio, mas foi até Fenius (um capitão com esse nome) e lhe contou as ordens de César, perguntando-lhe se deveria obedecê-las ou não; ele lhe disse que fizesse o que lhe era ordenado. Essa falta de determinação foi fatal para todos eles, pois Silvano, que era um dos conspiradores, agora ajudava a servir e a aumentar os crimes que antes havia planejado vingar. No entanto, ele não achou conveniente aparecer no negócio, mas enviou um centurião a Sêneca[25] para contar-lhe sua desgraça.

Sêneca, sem qualquer surpresa ou desordem, pediu seu testamento, que foi recusado pelo oficial. Então, ele se voltou para seus amigos e disse-lhes que, como não lhe era permitido recompensá-los como mereciam, ele ainda tinha a liberdade de legar-lhes a coisa que ele mais estimava, ou seja, a imagem de sua vida, que lhes daria a reputação de constância e amizade, se eles a imitassem. Exortando-os a uma firmeza de espírito, às vezes por meio de bons conselhos, outras vezes por meio de repreensão, conforme a ocasião exigisse. "Onde está", disse ele, "toda a sua filosofia agora? Todas as suas resoluções premeditadas contra as violências da fortuna? Há alguém tão ignorante da crueldade de Nero que espere, após o assassinato de sua mãe e de seu irmão, que ele jamais pouparia a vida de seu governador e tutor?". Depois de algumas expressões gerais com esse propósito, ele tomou sua esposa nos braços e, depois de fortalecê-la um pouco contra a calamidade atual, implorou e conjurou-a a moderar suas tristezas e a se dedicar às contemplações e aos confortos de uma vida virtuosa, o que seria um consolo justo e amplo para ela pela perda do marido. Paulina, por outro lado, disse a ele que estava determinada a lhe fazer companhia e desejava que o carrasco cumprisse seu dever. "Bem", disse Sêneca, "se depois da doçura da vida, como eu a representei para você, você preferir uma morte honrosa, eu não invejarei seu exemplo". Disse isso consultando, ao mesmo tempo, a fama da pessoa que ele amava e a própria ternura, por medo dos danos que poderiam ocorrer a ela quando ele se fosse. "Nossa resolução", disse ele, "nesse ato generoso, pode ser igual, mas a tua terá maior reputação". Depois disso, as veias de ambos os braços foram abertas ao mesmo tempo. Sêneca não sangrava tão livremente, pois seu ânimo

---

25 Após ter incendiado Roma, Nero condenou seu antigo instrutor ao suicídio forçado (assim como aconteceu com Sócrates). Apesar de tudo o que tinha feito pelo bem público, e de suas meditações sobre como temperar o destino com a Providência, o fim de Sêneca, em 65 d.C., foi ainda mais doloroso, prolongado e trágico do que o de Sócrates (TRINDADE, A. A. C.; TRINDADE, V. F. D. C. Humanidade consagrado no direito das gentes: o legado perene do pensamento estoico. **Rev. Fac. Direito UFMG**, Belo Horizonte, n. 69, p. 69-111, jul./dez. 2016).

estava esgotado pela idade e por uma dieta magra, de modo que foi forçado a cortar as veias das coxas e de outros lugares, de modo a apressar seu despacho. Quando já estava muito exausto e quase afundando em seus tormentos, ele pediu que sua esposa fosse para outro quarto, para que a agonia de um não afetasse a coragem do outro. Sua eloquência continuou até o fim, como se vê pelas excelentes palavras que ele proferiu em sua morte, as quais foram tiradas por escrito de sua boca e publicadas. Não terei a presunção de proferi-las em nenhuma outra. Nesse ínterim, Nero, que não tinha nenhum despeito especial por Paulina, deu ordens para impedir sua morte, com medo de que sua crueldade se tornasse cada vez mais insuportável e odiosa.

Então, os soldados deram toda a liberdade e incentivo aos servos dela para que ligassem seus ferimentos e estancassem o sangue, o que eles fizeram, mas se ela estava ciente disso ou não é uma questão, porque, entre as pessoas comuns, que são aptas a julgar o pior, havia algumas opiniões de que enquanto ela se desesperava pela misericórdia de Nero, ela parecia cortejar a glória de morrer com seu marido como companhia. Contudo, com a probabilidade de um melhor trimestre, ela foi convencida a sobreviver a ele, e assim, por alguns anos, ela sobreviveu a ele, com toda a piedade e respeito à sua memória, embora tão miseravelmente pálida e fraca que todos podiam ler a perda de seu sangue e espírito em seu semblante.

Sêneca, achando que sua morte era lenta e demorada, pediu a Estácio Aneu (seu velho amigo e médico) que lhe desse uma dose de veneno, que ele havia providenciado de antemão, sendo a mesma preparação que era indicada para criminosos condenados a penas capitais em Atenas. O veneno lhe foi trazido e ele o ingeriu, mas de pouco adiantou, porque seu corpo já estava resfriado e não resistiu à força do veneno. Por fim, entrou em um banho quente e, borrifando alguns de seus servos que estavam ao seu lado, disse que isso era uma oblação a Júpiter, o libertador. A fumaça do banho logo o despachou, e seu corpo foi queimado, sem nenhuma solenidade fúnebre, como ele havia ordenado em seu testamento, embora esse testamento tenha sido feito no auge de sua prosperidade e poder. Havia um boato de que Subrius Flavius, em uma consulta particular com os centuriões, havia tomado a seguinte resolução (e que o próprio Sêneca não era alheio a ela), ou seja, que depois que Nero fosse morto com a ajuda de Piso, o próprio Piso deveria ser morto também, e o império entregue a Sêneca, como alguém que bem o merecia, por sua integridade e virtude.

ESCRITOS DE SÊNECA SOBRE BENEFÍCIOS
BENEFÍCIOS EM GERAL

Esse é, talvez, um dos erros mais perniciosos de uma vida precipitada e sem consideração, a ignorância comum do mundo em relação à troca de benefícios. E isso decorre de um erro, em parte na pessoa que queremos obrigar, e em parte na coisa em si. Para começar, no último caso, a saber, "um benefício é uma boa ação, feita com intenção e discernimento", ou seja, com a devida consideração a todas as circunstâncias de o quê, como, por quê, quando, onde, para quem, quanto e assim por diante; ou de outra forma: "trata-se de uma ação voluntária e benevolente que encanta o doador pelo conforto que traz ao receptor". Será difícil definir esse assunto, tanto em termos de método quanto de abrangência. O primeiro, por causa da infinita variedade e complicação dos casos. O segundo, por causa de sua grande extensão, pois toda a atividade (quase) da humanidade em sociedade se enquadra nesse tópico, os deveres de reis e súditos, maridos e esposas, pais e filhos, mestres e servos, nativos e estrangeiros, altos e baixos, ricos e pobres, fortes e fracos, amigos e inimigos. A própria meditação sobre ele gera sangue bom e pensamentos generosos, instruindo-nos em honra, humanidade, amizade, piedade, gratidão, prudência e justiça. Em suma, a arte e a habilidade de conferir benefícios é, de todos os deveres humanos, o mais absolutamente necessário para o bem-estar tanto da natureza razoável quanto de cada indivíduo, como o próprio cimento de todas as comunidades e a bênção dos indivíduos. Aquele que faz o bem a outro ser humano também faz o bem a si mesmo, não apenas na consequência, mas no próprio ato, pois a consciência de fazer o bem é uma ampla recompensa.

Há vários tipos de benefícios em geral, tais como necessários, proveitosos e agradáveis. Há algumas coisas sem as quais não podemos viver, outras sem as quais não devemos viver, e ainda outras sem as quais não viveremos. Em primeiro lugar, aquelas que nos livram de perigos capitais ou de temores de morte, e o favor é avaliado de acordo com o risco, porque quanto maior a extremidade, maior parece ser a obrigação. O segundo é o caso em que podemos de fato viver, mas é melhor morrer, como nas questões de liberdade, modéstia e boa consciência. Em terceiro lugar, seguimos as coisas que o costume, o uso, a afinidade e a familiaridade nos tornaram caras, como maridos, esposas, filhos, amigos etc., que uma pessoa honesta preservará com o máximo de risco. Há um vasto campo de coisas lucrativas, como dinheiro, honra etc., às quais podem ser acrescentadas questões de supérfluo e de prazer. Mas abriremos um caminho para as circunstâncias de um benefício por meio de algumas deliberações prévias e mais gerais sobre a coisa em si.

VÁRIOS TIPOS DE BENEFÍCIOS

Dividiremos os benefícios em absolutos e vulgares. Ao passo que um pertence à boa vida, o outro é apenas uma questão de comércio. Os primeiros são os mais excelentes, porque nunca podem ser anulados. Já todos os benefícios materiais são jogados para frente e para trás e mudam de dono. Há alguns cargos que parecem benefícios, mas são apenas conveniências desejáveis, como riqueza, e esses uma pessoa má pode receber de uma boa, ou um indivíduo bom de um mau. Outros, ainda, que têm a aparência de ferimentos, que são apenas benefícios mal aproveitados, tais como cortar, lancetar, queimar, sob a mão de um cirurgião. Os maiores benefícios de todos são os da boa educação, que recebemos de nossos pais, seja no estado de ignorância ou perversidade, por exemplo, seu cuidado e ternura em nossa infância, ou sua disciplina em nossa infância para nos manter em nossos deveres pelo medo e, se meios justos não forem suficientes, seu procedimento posterior de severidade e punição, sem os quais nunca teríamos chegado ao bem. Há assuntos de grande valor, muitas vezes, que são de pequeno valor, como instruções de um tutor ou remédios de um médico. E há também assuntos pequenos que são de grande consideração para nós, tais como a oferta é pequena, mas a consequência é grande; como um copo de água fria em um momento de necessidade que pode salvar a vida de uma pessoa. Algumas coisas são de grande importância para quem dá, outras para quem recebe. Um indivíduo me dá uma casa, outro me tira de lá quando ela estiver caindo sobre minha cabeça; um me dá uma propriedade; outro me tira do fogo ou me lança uma corda quando estou afundando. Algumas boas ações são feitas a amigos, outras a estranhos; mas essas são as mais nobres que fazemos sem preterição. Há uma obrigação de generosidade e uma obrigação de caridade, esta em caso de necessidade, e aquela em ponto de conveniência. Alguns benefícios são comuns, outros são pessoais, como se um príncipe (por pura graça) concedesse um privilégio a uma cidade, a obrigação recai sobre a comunidade, e somente sobre cada indivíduo como parte do todo. Mas se isso for feito particularmente por minha causa, então eu sou o único devedor. O cuidado com os estrangeiros é um dos deveres da hospitalidade e se manifesta no alívio e na proteção dos aflitos. Há benefícios de bons conselhos, reputação, vida, fortuna, liberdade, saúde, não, e de supérfluos e prazeres. Um indivíduo me dá dinheiro de seu bolso, ao passo que outro me dá matéria de ornamento e curiosidade; um terceiro, consolo. Para não falar de benefícios negativos, pois há quem considere uma obrigação o fato de não causar dano a um corpo; e o considera como se salvasse uma pessoa, quando não o desfaz. Para encerrar tudo em uma palavra: assim como a benevolência é a mais sociável de todas as virtudes, ela é também a de maior extensão, pois não há nenhum ser humano tão grande ou tão pequeno que não seja capaz de dar e receber benefícios.

É A INTENÇÃO, E NÃO A MATÉRIA, QUE GERA O BENEFÍCIO

A boa vontade do benfeitor é a fonte de todos os benefícios, e não o próprio benefício, ou, pelo menos, o selo que o torna valioso e atual. Sei que há pessoas que tomam o assunto pelo benefício e cobram a obrigação por peso e medida. Quando alguma coisa lhes é dada, eles logo a descartam: "Quanto vale tal casa, tal cargo, tal propriedade?", como se esse fosse o benefício, que é apenas o sinal e a marca dele, pois a obrigação repousa na mente, não na matéria, e todas as vantagens que vemos, manuseamos ou mantemos em posse real pela cortesia de outra pessoa são apenas vários modos ou maneiras de explicar ou de colocar a boa vontade em execução. Não é preciso muita sutileza para provar que tanto os benefícios quanto as injúrias recebem seu valor da intenção, quando até os próprios brutos são capazes de decidir essa questão. Pise em um cão por acaso ou faça que ele sofra com o curativo de uma ferida, ele deixa passar uma coisa como se fosse um acidente, mas a outra, à sua maneira, ele reconhece como uma gentileza. Contudo, se você fingir atacá-lo, embora não lhe faça nenhum mal, ele ainda assim fugirá na sua cara, mesmo pelo mal que você não quis fazer a ele.

Deve-se observar, ainda, que todos os benefícios são bons e (como as distribuições da Providência) compostos de sabedoria e bondade, ao passo que a dádiva em si não é boa nem ruim, mas pode ser aplicada indiferentemente, seja a uma ou a outra. O benefício é imortal, o dom é perecível, pois o benefício em si continua quando não temos mais nem o uso nem a matéria dele. Aquele que está morto estava vivo, aquele que perdeu seus olhos, viu, e tudo o que foi feito não pode ser desfeito. Meu amigo (por exemplo) é levado por piratas, eu o resgato e, depois disso, ele cai nas mãos de outros piratas, então sua obrigação para comigo é a mesma como se ele tivesse preservado sua liberdade. Da mesma forma, se eu salvar um homem de qualquer infortúnio, e ele cair em outro, se eu lhe der uma quantia em dinheiro, que depois é levada por ladrões, o caso é o mesmo. A sorte pode nos privar da matéria de um benefício, mas o benefício em si permanece inviolável. Se o benefício residisse na matéria, o que é bom para uma pessoa seria bom para outra, ao passo que muitas vezes a mesma coisa dada a várias pessoas produz efeitos contrários, mesmo a diferença entre a vida e a morte. A cura de um corpo prova ser o veneno de outro corpo. Além disso, o momento em que é dado altera o valor, e uma fatia de pão, em uma pitada, é um presente maior do que uma coroa imperial. O que é mais familiar do que, em uma batalha, atirar em um inimigo e matar um amigo? Ou, em vez de um amigo, salvar um inimigo? Mas, ainda assim, essa decepção, no caso, não afeta em nada a intenção. E se um indivíduo me curar de uma enfermidade com um golpe que pretendia cortar minha cabeça? Ou se, com um golpe malicioso em meu estômago, quebrar uma imposição? Ou se ele salvar minha vida com uma bebida que estava preparada para me envenenar? A providência do fato não elimina de forma alguma a obliquidade da intenção. E a mesma razão é válida até para a própria religião. Não é o incenso ou a oferta que é aceitável a Deus, mas a pureza e a devoção do adorador, uma vez que nem a simples vontade, sem ação, é suficiente, isto é, quando temos os meios de agir, porque, nesse caso, significa tão pouco desejar o bem, sem fazer o bem, quanto fazer o bem sem querer. Deve haver efeito, bem como intenção, para que eu deva um benefício. Mas, querer contra ele, dispensa-o totalmente. Em suma, somente a consciência é o juiz tanto de benefícios quanto de danos.

Não se segue agora que, pelo fato de o benefício repousar na boa vontade, a boa vontade deva ser sempre um benefício, pois, se não for acompanhada de governo e discrição, esses ofícios que chamamos de benefícios não passam de obras da paixão ou do acaso. Muitas vezes, o maior de todos os danos. Um indivíduo me faz bem por engano; outro, por ignorância; um terceiro, à força; mas em nenhum desses casos considero uma obrigação, porque não foram dirigidos a mim, tampouco houve qualquer bondade de intenção. Nós não agradecemos aos mares pelas vantagens que recebemos com a navegação, ou aos rios por nos fornecerem peixes e o fluxo de nossas terras. Também não agradecemos às árvores por seus frutos ou sombras, ou aos ventos por uma boa ventania. Mas, qual é a diferença entre uma criatura razoável que não sabe e uma inanimada que não pode? Um bom cavalo salva a vida de um homem; um bom conjunto de armas, a de outro; e um homem, talvez sem intenção, salva a de um terceiro. Onde está a diferença entre a obrigação de um e de outro? Um homem cai em um rio e o susto o cura da febre; podemos chamar isso de uma espécie de infortúnio de sorte, mas não de remédio. E o mesmo acontece com o bem que recebemos, seja sem intenção, seja ao lado, seja contrário à intenção. É a mente, e não o evento, que distingue um benefício de um dano.

DEVE HAVER JULGAMENTO EM UM BENEFÍCIO, BEM COMO MATÉRIA E INTENÇÃO, ESPECIALMENTE NA ESCOLHA DA PESSOA

Assim como é a vontade que projeta o benefício e a matéria que o transmite, é o julgamento que o aperfeiçoa, o que depende de tantas sutilezas críticas que o menor erro, seja na pessoa ou na matéria, seja na maneira ou na qualidade, seja na quantidade, no tempo ou no lugar, estraga tudo.

A consideração da pessoa é o ponto principal, pois devemos dar por escolha, e não por risco. Minha inclinação me leva a ajudar um indivíduo, e sou obrigado, por dever e justiça, a servir a outro; aqui é caridade, ali é piedade; e em outro lugar, talvez, encorajamento. Há pessoas carentes a quem eu não daria, porque, se eu desse, elas continuariam carentes. A um homem eu mal ofereceria um benefício, mas o pressionaria a outro. Para dizer a verdade, não empregamos mais lucro do que aquele que concedemos, e não é para nossos amigos, nossos conhecidos ou compatriotas, tampouco para uma ou outra condição de seres humanos que devemos restringir nossas generosidades. No entanto, onde quer que haja uma pessoa, há um lugar e uma ocasião para um benefício. Damos a alguns que já são bons; a outros, na esperança de torná-los bons, mas devemos fazer tudo com discrição, pois somos tão responsáveis pelo que damos quanto pelo que recebemos. O extravio de um benefício é pior do que não o receber, pois um é culpa do outro, mas o outro é minha. O erro de quem dá, muitas vezes, desculpa a ingratidão de quem recebe, porque um favor mal colocado é mais uma profusão do que um benefício. É a mais vergonhosa das perdas, uma generosidade sem consideração. Escolherei um homem íntegro, sincero, atencioso, grato, temperante, de boa índole, nem cobiçoso nem sórdido, e quando eu tiver agradecido a esse homem, embora não valha um grama no mundo, terei alcançado meu objetivo. Se dermos apenas para receber, perderemos os objetos mais belos de nossa caridade: os ausentes, os doentes, os cativos e os necessitados. Quando fazemos um favor àqueles que nunca mais poderão nos pagar em espécie, como um estrangeiro em sua última despedida ou uma pessoa necessitada em seu leito de morte, tornamos a Providência nossa devedora e nos regozijamos com a consciência de um benefício infrutífero. Enquanto estivermos afetados pelas paixões, distraídos com esperanças e medos e com nossos prazeres (o mais cruel dos vícios), somos juízes incompetentes para decidir onde colocar nossas recompensas. Mas quando a morte se apresenta e chegamos à nossa última vontade e testamento, deixamos nossas fortunas para os mais dignos. Aquele que não dá nada, mas espera receber, deve morrer sem testamento. É a honestidade da mente de outra pessoa que move a bondade da minha, e eu preferiria obrigar um indivíduo grato a um ingrato, mas isso não me impedirá de fazer o bem também a uma pessoa que é reconhecidamente ingrata, apenas com a seguinte diferença: servirei a um em todas as extremidades com minha vida e fortuna, e ao outro não mais do que a minha conveniência. Mas, o que devo fazer, você dirá, para saber se um indivíduo será grato ou não? Seguirei a probabilidade e esperarei o melhor. Aquele que semeia não tem certeza de colher, tampouco o marinheiro de chegar ao seu porto ou o soldado de ganhar o campo. Aquele que se casa não tem certeza de que sua esposa será honesta ou seus filhos obedientes. Por isso, não devemos semear, navegar, portar armas ou nos casar? Não, se eu soubesse que uma pessoa é incuravelmente ingrata eu ainda seria tão gentil a ponto de colocá-la em seu caminho, ou deixá-la acender uma vela no meu, ou tirar água no meu poço, o que talvez o ajude muito, e ainda assim não será considerado um benefício meu, porque eu o faço descuidadamente, e não por causa dela, mas por minha causa, como um ofício de humanidade, sem qualquer escolha ou bondade.

A QUESTÃO DAS OBRIGAÇÕES, COM SUAS CIRCUNSTÂNCIAS

Depois da escolha da pessoa, segue-se a escolha do assunto, em que se deve levar em conta o tempo, o lugar, a proporção, a qualidade e até os momentos de oportunidade e humor. Uma pessoa valoriza sua paz acima de sua honra, outra sua honra acima de sua segurança, e não são poucas as que (desde que possam salvar seus corpos) nunca se importam com o que acontece com suas almas. Portanto, os bons ofícios dependem muito da construção. Alguns se consideram obrigados, quando não o são, ao passo que outros não acreditam nisso, quando o são, outros ainda aceitam obrigações e injúrias, uma pela outra.

Para nossa melhor orientação, observe-se que "um benefício é um vínculo comum entre quem o dá e quem o recebe, com respeito a ambos". Portanto, deve ser adaptado às regras da discrição, pois todas as coisas têm seus limites e medidas, assim como a liberalidade entre as demais, que não seja nem demais para um nem de menos para o outro, porque o excesso é tão ruim quanto o defeito. Alexandre concedeu uma cidade a um de seus favoritos, que modestamente se desculpou: "Que era muito para ele receber". "Bem, mas", diz Alexandre, "não é demais para mim dar". Um discurso arrogante, certamente, e imprudente, pois o que não era adequado para um receber não poderia ser adequado para o outro dar. No mundo, é considerado grandeza de espírito estar sempre dando e enchendo as pessoas de generosidades; mas uma coisa é saber dar e outra coisa é não saber guardar. Dê-me um coração que seja fácil e aberto, mas não quero buracos nele. Que seja generoso com o julgamento, mas não quero que nada saia dele, não sei como. Quanto mais valeu aquele que recusou a cidade do que o outro que a ofereceu? Algumas pessoas jogam fora seu dinheiro como se estivessem zangados com ele, o que é o erro comum das mentes fracas e das grandes fortunas. Ninguém estima nada que lhe chega por acaso, mas quando é governado pela razão traz crédito tanto para quem dá quanto para quem recebe, ao passo que esses favores são, de certa forma, escandalosos, que fazem um indivíduo se envergonhar de seu patrono.

É uma questão de grande prudência para o benfeitor adequar o benefício à condição do recebedor, que deve ser seu superior, seu inferior ou seu igual. Aquilo que seria a mais alta obrigação imaginável para um, talvez fosse uma grande zombaria e afronta para outro, como um prato de carne quebrada (para o propósito) para um homem rico fosse uma indignidade, o que para um homem pobre é uma caridade. Os benefícios dos príncipes e dos grandes homens são honrarias, cargos, dinheiro, comissões lucrativas, semblante e proteção. O homem pobre não tem nada a oferecer, a não ser boa vontade, bons conselhos, fé, trabalho, o serviço e o risco de sua pessoa, uma maçã precoce, porventura, ou alguma outra curiosidade barata, mas qualquer que seja o presente, ou a quem quer que o ofereçamos, esta regra geral deve ser observada: que sempre visamos ao bem e à satisfação de quem o recebe, e nunca concedemos algo em seu detrimento. Não cabe a um ser humano dizer: "Fui vencido pela importunação", pois quando a febre passa, detestamos a pessoa que foi persuadida a nos destruir. Não vou mais desfazer um homem com sua vontade do que deixar de salvá-lo contra ela. Em alguns casos, é vantajoso conceder e, em outros, negar, de modo que devemos considerar mais a vantagem do que o desejo do requerente. Pois, em uma paixão, podemos implorar sinceramente (e não gostaríamos que nos fosse negado também) exatamente aquilo que, pensando melhor, podemos vir a amaldiçoar, como a ocasião de uma generosidade muito perniciosa. Nunca dê nada que possa se transformar em maldade, infâmia ou vergonha. Considere a necessidade ou a segurança de outra pessoa, mas de modo a não se esquecer da sua, a menos que se trate de uma pessoa muito excelente, e então não se importe muito com o que acontecerá com você. Não se deve dar água a um homem com febre, muito menos colocar uma espada na mão de um louco. Aquele que empresta dinheiro a um homem para levá-lo a um bordel, ou uma arma para sua vingança, torna-se partícipe de seu crime.

 Aquele que quiser dar um presente aceitável, deve escolher algo que seja desejado, procurado e difícil de ser encontrado; aquilo que ele não vê em nenhum outro lugar e que poucos têm; ou, pelo menos, não naquele lugar ou época, algo que possa estar sempre à sua vista e que o faça lembrar de seu benfeitor. Se for duradouro e durável, tanto melhor, como pratos, em vez de dinheiro, estátuas, em vez de roupas, pois servirá como um monitor para lembrar o receptor da obrigação, o que o presenteador não pode fazer tão bem. No entanto, que não seja impróprio, como armas para uma mulher, livros para um palhaço, brinquedos para um filósofo. Não darei a nenhum homem aquilo que ele não pode receber, como se eu jogasse uma bola a um homem sem mãos; mas eu a devolverei, ainda que ele não possa recebê-la, porque meu negócio não é o obrigar, mas sim me libertar, tampouco qualquer coisa que possa censurar um homem por seu vício ou enfermidade, como dados falsos para um trapaceiro ou óculos para um cego. Que também não seja inoportuno, como um vestido de pele no verão ou um guarda-chuva no inverno. O valor do presente aumenta se ele nunca foi dado a ele por outra pessoa nem por mim a qualquer outro, pois o que damos a todos não é bem-vindo a ninguém.

A particularidade faz muito, mas ainda assim a mesma coisa pode receber uma avaliação diferente de várias pessoas, uma vez que há maneiras de marcá-la e recomendá-la de tal forma que se o mesmo bom serviço for feito a vinte pessoas cada uma delas se considerará peculiarmente agradecida, assim como uma prostituta astuta, se tiver mil namorados, persuadirá cada um deles de que o ama mais. Mas esse é mais o artifício da conversa do que a virtude dela.

Os cidadãos de Megara enviam embaixadores a Alexandre, no auge de sua glória, para oferecer-lhe, como um elogio, a liberdade de sua cidade. Quando Alexandre sorriu com a proposta, eles lhe disseram que esse era um presente que nunca haviam dado a não ser a Hércules e a ele próprio. Alexandre, então, tratou-os com bondade e aceitou o presente, não por causa dos presentes, mas porque eles haviam se unido a Hércules, o que não era razoável, pois Hércules não conquistou nada para si mesmo, mas fez questão de defender e proteger os miseráveis, sem qualquer interesse ou projeto particular. Esse jovem intemperante (cuja virtude não era outra coisa senão uma temeridade bem-sucedida) foi treinado desde a juventude no comércio da violência, o inimigo comum da humanidade, tanto de seus amigos quanto de seus inimigos, e que se valorizava por ser terrível para todos os mortais, nunca levando em conta que as criaturas mais estúpidas são tão perigosas e terríveis quanto as mais ferozes, pois o veneno de um sapo ou o dente de uma cobra é tão eficaz quanto a pata de um tigre.

A MANEIRA DE AGRADAR

Não há nenhum benefício tão glorioso em si mesmo, mas ele ainda pode ser extremamente adoçado e melhorado pela maneira de ser conferido. A virtude, eu sei, repousa na intenção, o lucro na aplicação judiciosa do assunto, mas a beleza e o ornamento de uma obrigação estão na maneira como ela é feita. Ela é perfeita quando a dignidade do cargo é acompanhada de todos os encantos e delicadezas da humanidade, da boa índole e da educação, e também com rapidez, porque aquele que afasta uma pessoa de tempos em tempos nunca foi correta em seu coração.

Em primeiro lugar, tudo o que dermos, façamos com franqueza, uma vez que um benfeitor bondoso faz uma pessoa feliz assim que pode, e tanto quanto pode. Um benefício não deve ser concedido em um momento posterior ao planejado originalmente, porque o atraso só é aceitável se for na modéstia de quem o recebe. Se não pudermos prever o pedido, vamos, no entanto, concedê-lo imediatamente, e de modo algum sofrer a repetição dele. É uma coisa tão dolorosa de se dizer "Eu imploro", porque a própria palavra deixa qualquer pessoa sem graça. É uma bondade dupla fazer a coisa e poupar uma pessoa honesta da humilhação de um rubor. É tarde demais para quem pede, pois nada nos custa tão caro quanto aquilo que compramos com nossas orações. É tudo o que damos, até para o próprio céu, e mesmo lá, onde nossas petições são as mais belas, preferimos apresentá-las secretamente a proferi-las por palavras. Esse é o benefício duradouro e aceitável que atende ao receptor na metade do caminho. A regra é que devemos dar, assim como receberíamos, com alegria, rapidamente e sem hesitação, pois não há graça em um benefício que se prende aos dedos. Não, se houver ocasião para atrasos, que não pareçamos deliberar, pois hesitar é o mesmo que negar, e enquanto suspendermos estaremos não querendo. É um humor de tribunal manter as pessoas sobre as tendas, porque seus danos são rápidos e repentinos, mas seus benefícios são lentos. Os grandes ministros adoram atormentar os homens com a assistência, e consideram uma ostentação de seu poder manter seus pretendentes sob controle e ter muitas testemunhas de seu interesse. Um benefício deve se tornar aceitável por todos os meios possíveis, inclusive para que o recebedor, que nunca deve esquecê-lo, possa guardá-lo em sua mente com satisfação. Não deve haver nenhuma mistura de azedume, severidade, desprezo ou repreensão em nossas obrigações. Caso haja alguma ocasião para uma simples admoestação, que ela seja feita em outra ocasião. Somos muito mais aptos a nos lembrarmos das injúrias do que dos benefícios, e é suficiente perdoar uma obrigação que tenha a natureza de uma ofensa.

Há pessoas que estragam um bom trabalho depois que ele é feito, e outras, no próprio instante em que o fazem. Há tantas súplicas e importunações. Se suspeitarmos de um peticionário, ficaremos com uma cara amarga, olharemos para outro lado, fingiremos pressa, companhia, negócios, falaremos de outros assuntos e o afastaremos com atrasos artificiais, sem que suas necessidades sejam tão urgentes. Quando finalmente formos obrigados a fazê-lo, isso vem tão duramente de nós que é mais extorquido do que obtido, e não se trata propriamente de dar uma recompensa, mas sim de deixar de segurar uma pessoa no rebocador, quando outra é forte demais para ela, de modo que isso é fazer uma bondade para mim e outra para si mesmo, uma vez que ela dá para o próprio sossego, depois de ter me atormentado com dificuldades e atrasos. A maneira de dizer ou de fazer qualquer coisa influencia muito o valor da coisa em si. Foi bem dito que aquele que chamou um bom trabalho, feito com aspereza e má vontade, de um pedaço de pão de pedra, é necessário para aquele que está com fome recebê-lo, mas quase sufoca o homem ao descer. Não deve haver orgulho, arrogância de olhares ou palavras exageradas na concessão de benefícios; não deve haver insolência de comportamento, mas modéstia de espírito e um cuidado diligente para aproveitar as ocasiões e evitar as necessidades. Uma pausa, um tom, uma palavra, um olhar ou uma ação indelicada destrói a graça de uma cortesia. Ela corrompe uma generosidade quando é acompanhada de estado, arrogância e exaltação da mente ao ser oferecida. Alguns têm o truque de despistar um pretendente com um argumento espirituoso ou uma história preparada com astúcia, com o intuito de enganar alguém. Como no caso do cínico que pediu um talento a Antígono: "Isso é muito", disse ele, "para um cínico pedir", e quando ele caiu para um centavo, "Isso é muito pouco", disse ele, "para um príncipe dar". Ele poderia ter encontrado uma maneira de resolver essa controvérsia dando a ele um centavo como a um cínico, e um talento, como a um príncipe. O que quer que concedamos, que seja feito com um semblante franco e alegre, porque uma pessoa não deve dar com a mão e negar com a aparência. Quem dá depressa, dá de boa vontade.

Da mesma forma, devemos acompanhar as boas ações com boas palavras, e perguntar: "Por que você está fazendo isso? Por que não me procurou antes? Por que recorreu a outra pessoa? Não me parece bom que você me traga uma recomendação. Então, por favor, não faça mais isso, mas quando tiver oportunidade, procure-me por conta própria".

Eis a recompensa gloriosa, quando o recebedor pode dizer a si mesmo: "Que dia abençoado foi esse para mim! Nunca nada foi feito de forma tão generosa, tão carinhosa e com tanta bondade. O que eu não faria para servir a esse homem? Mil vezes mais de outra forma não poderia ter me dado essa satisfação". Em um caso como esse, mesmo que o benefício nunca seja tão considerável, a maneira de conferi-lo ainda é a parte mais nobre. Quando houver dureza na linguagem, no semblante ou no comportamento, é melhor que o homem não a tenha. Uma negação direta é infinitamente melhor do que uma demora vexatória, assim como uma morte rápida é uma misericórdia, comparada a um tormento prolongado. Mas ser submetido a esperas e intercessões, depois que uma promessa é feita, é uma crueldade intolerável. É incômodo ficar muito tempo esperando por um benefício, mesmo que nunca seja tão grande, e aquele que mantém desnecessariamente uma pessoa em sofrimento perde duas coisas preciosas: tempo e a prova de amizade. A própria sugestão da necessidade de uma pessoa chega muitas vezes tarde demais. "Se eu tivesse dinheiro", disse Sócrates, "compraria uma capa para mim". Aqueles que sabiam que ele queria um deveriam ter evitado a própria insinuação desse desejo. Não é o valor do presente, mas a benevolência da mente, que devemos considerar. "Ele me deu apenas um pouco, mas o fez de forma generosa e franca; foi um pouco de um pouco: ele me deu sem pedir; ele me pressionou; ele observou a oportunidade de fazê-lo e tomou isso como uma obrigação para si mesmo". Por outro lado, muitos benefícios são ótimos na aparência, mas pouco ou nada efetivos, quando chegam de forma dura, lenta ou inesperada. Aquilo que é dado com orgulho e ostentação é mais uma ambição do que uma recompensa.

Alguns favores devem ser concedidos em público, outros em particular. Em público, as recompensas de grandes ações, como honras, encargos ou qualquer outra coisa que dê reputação a uma pessoa neste mundo. As boas coisas que fazemos para uma pessoa em necessidade, aflição ou sob reprovação devem ser conhecidas apenas por aqueles que têm o benefício delas. Tampouco a eles, se pudermos ocultar de forma elegante de onde veio o favor, pois o sigilo, em muitos casos, é a parte principal do benefício. Havia um bom homem que tinha um amigo que era pobre e doente, e tinha vergonha de reconhecer sua condição. Assim, ele colocava uma bolsa de dinheiro em particular debaixo do travesseiro, para que parecesse que ele a encontraria em vez de a receber. "Desde que eu saiba que o dou, não importa que ele saiba de onde vem o que o recebe", imaginava. Muitas pessoas precisam de ajuda e não têm coragem de confessar isso. Se a descoberta pode ofender, que fique escondida, porque aquele que dá para ser visto nunca aliviaria um indivíduo no escuro. Seria muito tedioso discorrer sobre todas as sutilezas que podem ocorrer sobre esse assunto; mas, em duas palavras, ele deve ser um homem sábio, amigável e bem-educado, que se sai perfeitamente bem na arte e no dever de ser prestativo, pois todas as suas ações devem ser ajustadas de acordo com as medidas de civilidade, boa índole e discrição.

A QUESTÃO DISCUTIDA É SE UMA PESSOA PODE OU NÃO DAR OU DEVOLVER UM BENEFÍCIO A SI MESMO

Há muitos casos em que uma pessoa fala de si mesma como se falasse de outra, por exemplo: "Posso me agradecer por isso; estou com raiva de mim mesmo; eu me odeio por isso". Essa maneira de falar levantou uma disputa entre os estoicos, "se um homem pode ou não dar ou devolver um benefício a si mesmo?". Pois, dizem eles, se posso me ferir, posso me obrigar; e aquilo que foi um benefício para outro corpo, por que não o pode ser para mim mesmo? Por que não sou tão errado em ser ingrato comigo mesmo como se fosse com outro corpo? E o caso é o mesmo na lisonja e em vários outros vícios; por outro lado, é um ponto de grande reputação para uma pessoa comandar a si mesma. Platão agradeceu a Sócrates pelo que havia aprendido dele; e por que Sócrates não poderia também agradecer a Platão pelo que ele lhe havia ensinado? O que você quer", diz Platão, "pegue emprestado de você mesmo". E por que não posso também dar a mim mesmo como se estivesse emprestando? Se eu estiver com raiva de mim mesmo, posso agradecer a mim mesmo; e se eu me repreender, posso me elogiar e fazer o bem a mim mesmo, além de me prejudicar. Há a mesma razão dos contrários, pois é comum dizer: "Tal homem fez um dano a si mesmo". Se é um dano, por que não um benefício? Mas eu digo que ninguém pode ser devedor de si mesmo, porque o benefício deve naturalmente preceder o reconhecimento, e um devedor não pode ficar sem um credor mais do que um marido sem uma esposa. Alguém deve dar, para que alguém possa receber; e a passagem de uma coisa de uma mão para a outra nem é dar nem receber. Se uma pessoa for ingrata nesse caso, não há nada perdido, pois aquele que dá a coisa a tem, ao passo que aquele que dá e aquele que recebe são uma e a mesma pessoa. Agora, falando corretamente, não se pode dizer que um indivíduo doe algo a si mesmo, pois ele obedece à sua natureza, que leva cada um a fazer a si mesmo todo o bem que puder. Devo chamá-lo de liberal, que dá a si mesmo; ou de bondoso, que perdoa a si mesmo; ou de piedoso, que se aflige com os próprios infortúnios? Aquilo que era generosidade ou clemência, compaixão para com o outro, para mim mesmo é natureza. Um benefício é algo voluntário, mas fazer o bem a mim mesmo é algo necessário. Já houve alguém elogiado por sair de uma vala ou por se defender de ladrões? E se eu permitisse que um homem pudesse conferir um benefício a si mesmo, ainda assim ele não poderia dever esse benefício, pois ele o devolve no mesmo instante em que o recebe. Nenhuma pessoa dá, deve ou faz uma devolução, a não ser a outra pessoa. Como pode alguém fazer aquilo para o qual duas partes são necessárias em tantos aspectos? Dar e receber devem ir e voltar entre duas pessoas. Se uma der para si mesma, ela pode vender para si mesma; mas vender é alienar uma coisa e transferir o direito dela para outra; agora, fazer de uma pessoa tanto o doador quanto o receptor é unir dois contrários. Esse é um benefício que, quando é dado, pode possivelmente não ser retribuído; mas aquele que dá para si mesmo deve, necessariamente, receber o que dá; além disso, todos os benefícios são dados para o bem do receptor, mas aquilo que uma pessoa faz para si mesma é para o bem do doador.

Essa é uma daquelas sutilezas que, embora dificilmente valha a pena para um indivíduo, ainda assim não é um trabalho absolutamente perdido. Há mais truques e artifícios nela do que solidez. No entanto, há também matéria de diversão, o suficiente, talvez, para passar uma noite de inverno e manter acordada uma pessoa que esteja com a cabeça pesada.

O BENFEITOR NÃO DEVE TER FINS ESCUSOS

Chegamos agora ao principal assunto em questão, isto é, se é ou não uma coisa desejável em si mesma dar e receber benefícios. Há uma seita de filósofos que não considera nada valioso, a não ser o que é lucrativo, e assim torna toda a virtude mercenária. Um erro imaginar que a esperança de ganho ou o medo de perda deve tornar uma pessoa mais ou menos honesta. Como quem diria: "O que vou ganhar com isso, e serei uma pessoa honesta?". Ao passo que, ao contrário, a honestidade é uma virtude em si mesma que deve ser comprada de qualquer maneira. Não cabe a uma pessoa dizer: "Será um encargo, um risco, eu vou ofender". Meu negócio é fazer o que devo fazer, porque todas as outras considerações são estranhas ao ofício. Sempre que meu dever me chamar é minha parte comparecer, sem me preocupar com formas ou dificuldades. Devo ver uma pessoa honesta oprimida no tribunal e não a ajudar por medo de uma facção judicial? Ou não a apoiar na estrada contra ladrões por medo de uma cabeça quebrada? Preferir ficar quieto, o espectador silencioso da fraude e da violência? Os seres humanos somente serão justos, temperantes, generosos, corajosos porque isso traz consigo fama e uma boa consciência? E pela mesma razão, e nenhuma outra (para aplicá-la ao assunto em questão), que um indivíduo também seja generoso. A escola de Epicuro, tenho certeza, nunca engolirá essa doutrina: (aquela tribo efeminada de filósofos preguiçosos e voluptuosos) eles lhe dirão que a virtude é apenas a serva e vassala do prazer. "Não", diz Epicuro, "não sou a favor do prazer sem virtude". Mas, por que, então, pelo prazer, digo eu, antes da virtude? Não que a ênfase da controvérsia esteja apenas na ordem, pois o poder dela, assim como a dignidade, está agora em debate. O ofício da virtude é supervisionar, liderar e governar, mas as partes que você atribuiu a ela são submeter-se, seguir e estar sob comando. Mas isso, você dirá, não é nada para o propósito, desde que ambos os lados estejam de acordo, que não pode haver felicidade sem virtude. "Tire isso", diz Epicuro, "e eu sou tão pouco amigo do prazer quanto você". A questão, em suma, é se a virtude em si é o bem supremo ou a única causa dele. Não é a inversão da ordem que esclarecerá esse ponto (embora seja um erro muito absurdo colocar em primeiro lugar o que deveria ser o último). Não me ofende tanto o fato de o prazer vir antes da virtude, como a própria comparação entre eles, e o fato de trazer os dois opostos, e inimigos declarados, para qualquer tipo de competição.

O objetivo deste discurso é apoiar a causa dos benefícios e provar que é uma coisa mesquinha e desonrosa dar para qualquer outro fim que não seja o de dar. Aquele que dá por ganho, lucro ou qualquer outro fim, destrói a própria intenção da generosidade, porque isso recai apenas sobre aqueles que não precisam, e perverte as inclinações caridosas dos príncipes e dos grandes homens, que não podem razoavelmente propor a si mesmos qualquer fim semelhante. O que o Sol ganha viajando pelo Universo, visitando e consolando todos os 72 quadrantes da Terra? Será que toda a criação foi feita e ordenada para o bem da humanidade, e cada ser humano em particular apenas para o bem de si mesmo? Não há uma hora sequer de nossas vidas em que não desfrutemos das bênçãos da Providência, sem medida e sem intervalo. E que desígnio pode ter sobre nós o Todo-Poderoso, que é pleno, seguro e inviolável em si mesmo? Se ele desse apenas em causa própria, o que seria dos pobres mortais, que não têm nada a lhe retribuir, na melhor das hipóteses, a não ser agradecimentos obedientes? É deixar de lado um benefício para se interessar apenas em conceder onde podemos colocá-lo em vantagem.

Sejamos, então, liberais, seguindo o exemplo de nosso grande Criador, e demos aos outros a mesma consideração que ele nos dá. A resposta de Epicuro será a seguinte: "Deus não dá nenhum benefício, mas vira as costas para o mundo; e, sem nenhuma preocupação conosco, deixa a natureza seguir seu curso; e, quer ele mesmo faça alguma coisa, quer não faça nada, ele não se importa, entretanto, nem com o bem nem com o mal que é feito aqui embaixo". Se não houvesse uma Providência ordenadora e dominadora, como é possível (digo eu, por outro lado) que a universalidade da humanidade tenha concordado tão unanimemente com a loucura de adorar um poder que não pode nos ouvir nem nos ajudar? Algumas bênçãos nos são concedidas gratuitamente; outras nos são concedidas mediante nossas orações; e todos os dias surgem exemplos de grandes e oportunas misericórdias. Nunca houve um ser humano tão insensível a ponto de não sentir, ver e entender uma divindade nos métodos comuns da natureza, embora muitos tenham sido tão obstinadamente ingratos a ponto de não confessar isso. Tampouco há uma pessoa tão miserável a ponto de não participar dessa generosidade divina. Alguns benefícios, é verdade, podem parecer ser divididos de forma desigual, mas não é pouca coisa o que possuímos em comum e que a natureza nos concedeu. Se Deus não é generoso, de onde vem o fato de termos tudo o que pretendemos ter? O que damos e o que negamos, o que acumulamos e o que desperdiçamos? Esses inúmeros prazeres para o entretenimento de nossos olhos, nossos ouvidos e nossos entendimentos? Não, essa matéria abundante até para o próprio luxo? Pois há cuidado não apenas com nossas necessidades, mas também com nossos prazeres e com a satisfação de todos os nossos sentidos e apetites. Tantos bosques agradáveis; plantas frutíferas e salutares; tantos rios bonitos que nos servem tanto para recreação, abundância e comércio. As vicissitudes das estações; variedades de alimentos, preparadas pela natureza para nossas mãos, e toda a criação sujeita à humanidade para saúde, medicina e domínio. Podemos ser gratos a um amigo por alguns hectares ou por um pouco de dinheiro. No entanto, pela liberdade e pelo comando de toda a Terra e pelos grandes benefícios de nosso ser, como vida, saúde e razão, consideramos que não temos nenhuma obrigação. Se um indivíduo nos presentear com uma casa delicadamente embelezada com pinturas, estátuas, dourados e mármore, fazemos um grande negócio com ela e, ainda assim, ela fica à mercê de uma lufada de vento, do sopro de uma vela e de uma centena de outros acidentes que a colocam no pó. E não é nada agora dormir sob a cobertura do céu, onde temos o globo terrestre como nosso lugar de descanso e as glórias dos céus como nosso espetáculo? Como é possível que valorizemos tanto o que temos e, ao mesmo tempo, sejamos tão ingratos por isso? De onde vem nossa respiração, o conforto da luz e do calor, o sangue que corre em nossas veias? O gado que nos alimenta e os frutos da terra que os alimentam? De onde temos o crescimento de nossos corpos, a sucessão de nossas idades e as faculdades de nossas mentes? Tantas veias de metais, pedreiras de mármore? A semente de tudo está em si mesma, e é a bênção de Deus que a tira da escuridão para a ação e o movimento. Para não falar das encantadoras variedades de música, dos belos objetos, das deliciosas provisões para o paladar, dos perfumes requintados, que são lançados, além das necessidades comuns de nosso ser. "Tudo isso", diz Epicuro, "devemos atribuir à natureza". E por que não a Deus, eu vos peço? Como se ambos não fossem um e o mesmo poder, atuando no todo e em cada parte dele. Ou, se você o chamar de Júpiter Todo-Poderoso; o Trovão; o Criador e Preservador de todos nós, isso leva ao mesmo resultado, porque alguns o expressarão sob a noção de destino, que é apenas uma conexão de causas, e ele mesmo é a mais alta e original, da qual todas as outras dependem. Os estoicos representam as várias funções do poder todo-poderoso sob vários nomes. Quando falam dele como o pai e a fonte de todos os seres, eles o chamam de Baco; e sob o nome de Hércules, eles denotam que ele é infatigável e invencível; e na contemplação dele na razão, ordem, proporção e sabedoria de seus procedimentos, eles o chamam de Mercúrio; de modo que para onde quer que olhem, e sob qualquer nome que expressem seu significado, eles nunca deixam de encontrá-lo, pois ele está em toda parte e preenche o próprio trabalho. Se uma pessoa pedir dinheiro emprestado a Sêneca e disser que o deve a Amaeus ou Lucius, ele pode mudar o nome, mas não o seu credor, pois, se ele adotar qualquer um dos três nomes que quiser, ainda será devedor da mesma pessoa. Assim como a justiça, a integridade, a prudência, a frugalidade, a fortaleza, são todos bens de uma mesma mente, de modo que qualquer um deles nos agrada, não podemos dizer distintamente que é um ou outro, mas sim a mente.

Mas, para não levar essa digressão longe demais, temos certeza de que o que o próprio Deus faz é bem feito, e não temos menos certeza de que, para tudo o que ele dá, ele não quer, espera ou recebe nada em troca, de modo que o fim de um benefício deve ser a vantagem do receptor, e esse deve ser o nosso escopo, sem qualquer consideração por nós mesmos. Objetam-nos a singular cautela que prescrevemos na escolha da pessoa, pois seria uma loucura dizemos que um lavrador semeasse a areia, o que, se for verdade, dizem eles, é que você está de olho no lucro, tanto ao dar quanto ao arar e semear. Então, eles dizem novamente que se a concessão de um benefício fosse desejável em si mesma, ela não dependeria da escolha de pessoa, porque se o déssemos quando, como ou onde quiséssemos, ainda assim seria um benefício. Isso não afeta em nada nossa afirmação, pois a pessoa, o assunto, a maneira e o tempo são circunstâncias absolutamente necessárias para a razão da ação, uma vez que deve haver um julgamento correto em todos os aspectos para que seja um benefício. É meu dever ser fiel a uma confiança e, no entanto, pode haver um momento ou um lugar em que eu faria pouca diferença entre renunciar a ela e a entregar, e a mesma regra se aplica aos benefícios, pois não darei uma coisa nem darei outra para o prejuízo do recebedor. Um homem perverso correrá todos os riscos para fazer uma injúria e para se vingar, ao passo que um homem honesto não se aventurará tanto para fazer um bom trabalho? Todos os benefícios devem ser gratuitos. Um comerciante me vende o milho que impede que eu e minha família morramos de fome, mas ele o vendeu por seus interesses, assim como eu o comprei pelos meus. Portanto, não lhe devo nada por isso. Aquele que dá para obter lucro, dá para si mesmo, como um médico ou um advogado, que dá conselhos por uma taxa, e só faz uso de mim para os próprios fins, como um criador de gado que alimenta seu gado para levá-lo a um mercado melhor. Isso é mais propriamente a condução de um negócio do que o cultivo de um comércio generoso. Isso por aquilo é mais um lucro do que um benefício; e ele merece ser condenado por dar qualquer coisa na esperança de um retorno. Na verdade, que fim deve uma pessoa propor honrosamente? Não o lucro. Certamente, isso é vulgar e mecânico, e aquele que não o condena nunca poderá ser grato. E quanto à glória, é de fato muito importante para uma pessoa se gabar de ter cumprido seu dever? Devemos dar, mesmo que seja apenas para evitar não dar, e se alguma coisa resultar disso é um ganho claro, na pior das hipóteses, não há nada perdido. Além disso, um benefício bem colocado compensa mil erros. Não é que eu exclua o benfeitor por ser ele mesmo melhor por um bom trabalho que faz por outro. Há quem nos faça o bem apenas por si mesmo; outros, por nós; e outros, ainda, por ambos. Aquele que faz o bem para mim em comum com ele mesmo, se tiver uma perspectiva para ambos ao fazê-lo, eu lhe agradeço por isso, e me alegro de todo o coração por ele ter participado disso. Eu seria ingrato e injusto se não me regozijasse com o fato de que o que foi benéfico para mim poderia ser igualmente benéfico para ele.

Passemos agora à questão da gratidão e da ingratidão. Nunca houve alguém tão perverso que não aprovasse uma e detestasse a outra, como as duas coisas em todo o mundo, uma a mais abominada e a outra a mais estimada. A própria história de uma ação ingrata nos tira toda a paciência e nos dá aversão ao seu autor. "Aquele vilão desumano", gritamos, "para fazer uma coisa tão horrenda", e não "aquele tolo sem consideração por omitir uma virtude tão proveitosa", o que mostra claramente o senso que temos naturalmente, tanto de um quanto de outro, e que somos levados a isso por um impulso comum da razão e da consciência. Epicuro imagina que Deus não tem poder e não tem armas, pois está acima do medo e não deve ser temido. Ele o coloca entre os orbes, solitário e ocioso, fora do alcance dos mortais, sem ouvir nossas orações nem se importar com nossas preocupações, e permite que ele tenha apenas a veneração e o respeito que dedicamos aos nossos pais. Se alguém lhe perguntasse agora, por que qualquer reverência, se não temos nenhuma obrigação para com ele, ou melhor, por que essa reverência maior a seus átomos fortuitos, sua resposta seria que era por sua majestade e sua natureza admirável, e não por qualquer esperança ou expectativa deles. Assim, por essa própria confissão, uma coisa pode ser desejável por seu valor. Mas, diz ele, "a gratidão é uma virtude que comumente tem lucro anexado a ela". Onde está a virtude, pergunto eu, que não tem, mas ainda assim a virtude deve ser valorizada por si mesma, e não pelo lucro que a acompanha? Não há dúvida de que a gratidão pelos benefícios recebidos é a maneira mais fácil de obter mais, e ao retribuir a um amigo, encorajamos muitos, mas esses acréscimos ocorrem a cada momento, e se eu tivesse certeza de que a prática de boas obras seria minha ruína, eu ainda assim as praticaria. Aquele que visita os doentes, na esperança de receber um legado, que nunca seja tão amigável em todos os outros aspectos eu não o considero melhor do que um corvo, que observa uma ovelha fraca apenas para lhe arrancar os olhos. Nunca damos com tanto juízo ou cuidado como quando consideramos a honestidade da ação, sem qualquer consideração pelo lucro dela, pois nosso entendimento é corrompido pelo medo, pela esperança e pelo prazer.

UMA VISÃO GERAL DAS PARTES E DEVERES DO BENFEITOR

Os três pontos principais na questão dos benefícios são, em primeiro lugar, uma escolha criteriosa do objeto; em segundo lugar, a questão de nossa benevolência; e, em terceiro lugar, uma grata felicidade na maneira de expressá-la. Mas o benfeitor também deve levar em conta outras considerações, que merecerão um lugar neste discurso.

Não é suficiente fazer uma boa ação, e fazê-la com uma boa graça também, a menos que a sigamos com mais, e sem repreender ou se queixar. É comum acusar a ingratidão do recebedor, que, na verdade, é mais comumente a leviandade e a indiscrição do doador, porque todas as circunstâncias devem ser devidamente ponderadas para consumar a ação. Há alguns que consideramos ingratos, mas, com nossa atitude de antecipação, mudança de humor e repreensões, há mais que tornamos ingratos. E este é o negócio: damos com intenção, e mais para aqueles que são capazes de dar mais novamente. Damos aos cobiçosos e aos ambiciosos, àqueles que nunca poderão ser gratos (pois seus desejos são insaciáveis) e àqueles que não querem. Aquele que é um tribuno seria um pretor; o pretor, um cônsul; nunca refletindo sobre o que ele era, mas apenas olhando para frente, para o que ele seria. As pessoas ainda estão se perguntando: "Devo perder um ou outro benefício? Se ele for perdido, a culpa é de quem o concedeu mal, pois, colocado corretamente, ele é tão bom quanto consagrado. Se formos enganados por outro, não sejamos enganados por nós mesmos também. Uma pessoa caridosa consertará a situação e dirá a si mesma: "Talvez ele tenha se esquecido, talvez não tenha podido, talvez ainda venha a retribuir". Um credor paciente, com o tempo, transformará um mau pagador em um bom pagador; uma bondade obstinada supera uma má disposição, assim como um solo estéril se torna frutífero com cuidado e cultivo. Mas se um indivíduo nunca for tão ingrato ou desumano, ele nunca destruirá a satisfação de eu ter feito um bom trabalho.

Mas e se os outros forem maus? Se os outros forem ingratos, devemos, portanto, ser desumanos? Dar e perder não é nada; mas perder e dar ainda é a parte de uma grande mente. E os outros, de fato, são a maior perda, pois um só perde seu benefício, e o outro perde a si mesmo. A luz brilha sobre os profanos e sacrílegos, assim como sobre os justos. Quantos desapontamentos encontramos em nossas esposas e filhos, e ainda assim continuamos juntos? Aquele que perdeu uma batalha arrisca outra. O marinheiro volta ao mar depois de um naufrágio. Uma mente ilustre não propõe o lucro de um bom cargo, mas o dever. Se o mundo é perverso, ainda assim devemos perseverar em fazer o bem, mesmo entre pessoas más. Prefiro nunca receber uma gentileza a nunca a conceder, porque deixar de retribuir um benefício é o maior pecado, e não o reconhecer é o mais grave. Não podemos propor a nós mesmos um exemplo mais glorioso do que o do Todo-Poderoso, que não precisa nem espera nada de nós. No entanto, ele está continuamente derramando e distribuindo suas misericórdias e sua graça entre nós, não apenas para nossas necessidades, mas também para nossos prazeres, tais como frutas e estações, chuva e sol, veios de água e de metal, tudo isso tanto para os ímpios quanto para os bons, e sem qualquer outro fim que não seja o benefício comum de quem recebe. Com que cara, então, podemos ser mercenários uns com os outros, se recebemos todas as coisas da Divina Providência gratuitamente? É comum dizer: "Eu dei tanto dinheiro a tal ou tal pessoa, e ainda assim o comerciante volta a negociar depois de uma pirataria, e o banqueiro se aventura novamente depois de uma garantia ruim. Aquele que não quer fazer nada de bom depois de uma decepção deve ficar parado e não fazer nada? O arado continua depois de um ano estéril e, enquanto as cinzas ainda estão quentes, erguemos uma nova casa sobre as ruínas de uma anterior. Que obrigações podem ser maiores do que aquelas que os filhos recebem de seus pais? Ainda assim, se os abandonássemos em sua infância, seria tudo em vão. Os benefícios, como os grãos, devem ser acompanhados desde a semente até a colheita. Não deixarei nenhum espaço para a ingratidão. Perseguirei e cercarei o recebedor de benefícios, de modo que, olhe ele para onde olhar, seu benfeitor ainda estará em seus olhos, mesmo quando ele quiser evitar a própria memória. Então, perdoarei uma pessoa porque ela pede; outra, porque ele não faz; uma terceira, porque ela é perversa; e a uma quarta, porque ela é o contrário. Eu devolverei uma boa parte a um indivíduo mau, e recompensarei uma boa parte; a primeira porque é meu dever, e a outra para que eu não fique em débito.

Não gosto de ouvir alguém reclamar que encontrou uma pessoa ingrata. Se ele encontrou apenas uma, é porque teve muita sorte ou foi muito cuidadoso. No entanto, o cuidado não é suficiente, pois não há como escapar do risco de perder um benefício, a não ser não a concedendo, e negligenciar um dever para comigo mesmo por medo de que outro o abuse. A culpa é do outro se ele for ingrato, mas é minha se eu não der. Para encontrar uma pessoa grata eu obrigaria muitas que não são. Os negócios da humanidade estariam parados se não fizéssemos nada por medo de erros em questões de eventos certos. Tentarei acreditar em todas as coisas antes de entregar qualquer pessoa e farei todo o possível para não perder um bom cargo e um amigo. Os negócios podem tê-lo tirado da cabeça ou o afastado dela, uma vez que ele pode ter perdido sua oportunidade. Eu diria, desculpando-me pela fraqueza humana, que a memória de um ser humano não é suficiente para todas as coisas, porque ela tem uma capacidade limitada, de modo a conter apenas uma parte, e não mais do que isso. Quando está cheia, ela precisa deixar de lado parte do que tinha para receber qualquer outra coisa, e o último benefício sempre fica mais próximo de nós. Em nossa juventude, esquecemos as obrigações de nossa infância e, quando nos tornamos adultos, esquecemos as de nossa juventude. Se nada prevalecer, que ele fique com o que tem e seja bem-vindo, mas que tenha o cuidado de retribuir o mal com o bem, tornando perigoso para um ser humano cumprir seu dever. Eu não daria um benefício para tal pessoa, assim como não emprestaria dinheiro a um perdulário mendigo ou depositaria qualquer quantia nas mãos de um conhecido cavaleiro do correio. Seja qual for o caso, uma pessoa ingrata nunca é melhor para uma reprovação, porque se ela já estiver endurecida em sua maldade, ela não dá importância a isso; e se não estiver, isso transforma uma modéstia duvidosa em uma impudência incorrigível; além disso, ela fica atenta a todas as palavras ruins para brigar com elas.

Assim como o benfeitor não deve se queixar de um benefício, também não deve o adiar, já que um é cansativo, e o outro odioso. Não devemos segurar as pessoas nas mãos, como os médicos e cirurgiões fazem com seus pacientes, e mantê-los com medo e dor por mais tempo do que o necessário, apenas para aumentar a cura. Um indivíduo generoso dá facilmente e recebe como dá, mas nunca exige. Ele se alegra com o retorno, julga-o favoravelmente, seja ele qual for, e se contenta com um simples agradecimento por uma retribuição. Para alguns, é mais difícil obter o benefício depois que ele é prometido do que na primeira promessa, pois é preciso fazer muitos amigos nesse caso. Deve-se pedir a um que solicite a outro, que deve ser instado a mover um terceiro, e um quarto deve ser finalmente solicitado a receber, de modo que o autor, no final das contas, tenha a menor participação na obrigação. É, então, bem-vinda quando chega livremente e sem dedução, e não há ninguém para interceptá-la, impedi-la ou a reter. E que seja de tal qualidade também, que não seja apenas agradável ao recebê-la, mas depois de recebê-la, o que certamente será, se apenas observarmos a regra de nunca fazer nada para outrem que não desejemos honestamente para nós mesmos.

SOBRE A GRATIDÃO

Aquele que prega a gratidão defende a causa de Deus e do ser humano, pois sem ela não podemos ser sociáveis nem religiosos. Há um estranho prazer no próprio propósito e na contemplação disso, bem como na ação, porque quando posso dizer a mim mesmo: "Eu amo meu benfeitor; o que há neste mundo que eu não faria para obrigá-lo e servi-lo?". Quando não tenho os meios de retribuição, a própria meditação sobre isso é suficiente. Uma pessoa não deixa de ser artista por não ter suas ferramentas à mão; ou um músico, por não ter seu violino; nem é menos corajoso por ter as mãos amarradas; ou pior piloto por estar em solo seco. Se eu tiver apenas vontade de ser grato, eu o serei. Que eu esteja sobre a roda, ou sob a mão do carrasco; que eu seja queimado membro por membro, e todo o meu corpo caia nas chamas, uma boa consciência me apoia em todos os extremos. Ela é confortável até na própria morte, pois quando nos aproximamos desse ponto, que cuidado tomamos para convocar e lembrar todos os nossos benfeitores e os bons serviços que eles nos fizeram, para que deixemos o mundo justo e coloquemos nossas mentes em ordem? Sem gratidão, não podemos ter segurança, paz nem reputação, e essa atitude não é, portanto, menos desejável, porque atrai muitos benefícios adventícios com ela. Suponhamos que o Sol, a Lua e as estrelas não tivessem outra função senão passar por cima de nossas cabeças, sem qualquer efeito sobre nossas mentes ou corpos, tampouco qualquer consideração por nossa saúde, frutos ou estações, dificilmente uma pessoa poderia erguer os olhos para os céus sem admiração e veneração, ao ver tantos milhões de luzes radiantes e observar seus cursos e revoluções, mesmo sem qualquer respeito pelo bem comum do Universo. Mas quando chegamos a considerar que a Providência e a natureza ainda estão em ação enquanto dormimos, com a admirável força e operação de suas influências e movimentos, não podemos deixar de reconhecer que seu ornamento é a menor parte de seu valor, e que eles devem ser mais estimados por suas virtudes do que por seu esplendor. Seu principal objetivo e uso é a vida e a necessidade, embora possam nos parecer mais consideráveis por sua majestade e beleza. O mesmo acontece com a gratidão, uma vez que nós a amamos mais pelos fins secundários do que por ela mesma.

Nenhuma pessoa pode ser grata sem contestar as coisas que deixam as pessoas comuns fora de si. Devemos ser banidos, dar nossas vidas, mendigar e nos expor a censuras? Não, muitas vezes se vê que a lealdade sofre a punição em função da rebelião, e que a traição recebe as recompensas da fidelidade. Como seus benefícios são muitos e grandes, também o são os riscos, o que é o caso, mais ou menos, de todas as outras virtudes, e seria difícil se essa, acima das demais, fosse dolorosa e infrutífera. Assim, embora possamos seguir em frente por um caminho suave, devemos nos preparar e decidir (se necessário) forçar nossa passagem para ela, mesmo que o caminho esteja coberto de espinhos e serpentes e, ao recuar devemos ser gratos ainda, gratos por causa da virtude, e gratos acima de tudo por causa do interesse, pois ela preserva velhos amigos e ganha novos. Não se trata de obter um benefício com outro, tampouco de conceder um pouco para obter mais, muito menos de obrigar por qualquer tipo de conveniência, mas porque devo fazê-lo e porque amo fazer isso a tal ponto que, se eu não pudesse ser grato sem parecer o contrário, se eu não pudesse retribuir um benefício sem ser suspeito de estar fazendo uma injúria, apesar da própria infâmia, eu ainda assim seria grato. Nenhum ser humano é maior em minha estima do que aquele que arrisca a fama para preservar a consciência de uma pessoa honesta, porque um é apenas imaginário, o outro é sólido e inestimável. Não posso chamar de grato aquele que, no momento de retribuir um benefício, está de olho em outro. Aquele que é grato por lucro ou medo é como uma mulher que é honesta apenas por causa da reputação.

Assim como a gratidão é necessária e gloriosa, ela também é uma virtude óbvia, barata e fácil, tão óbvia que, onde quer que haja uma vida, há um lugar para ela – tão barata que o indivíduo cobiçoso pode ser grato sem gastar – e tão fácil que o preguiçoso pode sê-lo, da mesma forma, sem trabalho. No entanto, não deixa de ser delicado também, pois pode haver um momento, um lugar ou uma ocasião em que eu não deva retribuir um benefício, ou melhor, em que seja melhor renegá-lo do que o entregar.

Que fique claro, a propósito, que uma coisa é ser grato por um bom trabalho, e outra coisa é retribuir esse trabalho, porque a boa vontade é suficiente em um caso, sendo o máximo que um lado exige e o outro promete, mas o efeito é necessário no outro. O médico que fez o melhor que pôde é absolvido, embora o paciente morra, e o mesmo acontece com o advogado, embora o cliente possa perder sua causa. O general de um exército, embora tenha perdido a batalha, ainda é digno de elogios, se tiver desempenhado todas as funções de um comandante prudente. Nesse caso, um absolve a si mesmo, embora o outro nunca seja melhor por isso. É uma pessoa grata aquela que está sempre disposta e pronta, aquela que busca todos os meios e ocasiões para retribuir um benefício, embora sem atingir seu objetivo faz muito mais do que o indivíduo que, mesmo sem nenhum problema, faz um retorno imediato. Suponhamos que meu amigo seja prisioneiro e que eu tenha vendido meus bens para o seu resgate. Eu me lanço ao mar em condições climáticas adversas e em uma costa assediada por piratas, mas meu amigo é resgatado antes que eu chegue ao local. Minha gratidão será tão apreciada quanto se ele tivesse sido prisioneiro, e se eu mesmo tivesse sido levado e roubado, teria sido o mesmo caso. Não. Há uma gratidão no próprio semblante, pois uma pessoa honesta carrega sua consciência no rosto e propõe a recompensa por uma boa ação no exato momento em que a recebe. Ela é alegre e confiante e, na posse de uma amizade verdadeira, está livre de toda ansiedade. Há uma diferença entre um indivíduo grato e um ingrato: um está sempre satisfeito com o bem que fez, ao passo que o outro apenas uma vez com o que recebeu. Deve haver uma benignidade na avaliação até dos menores ofícios, e uma modéstia tal que pareça estar obrigado em tudo o que dá. De fato, é um benefício muito grande a oportunidade de prestar um bom serviço a um homem digno. Aquele que se preocupa com o presente e se lembra do passado nunca será ingrato. Mas quem julgará nesse caso? Pois, um homem pode ser grato sem retribuir, e ingrato com isso. Nossa melhor maneira é ajudar todas as coisas por meio de uma interpretação justa e, onde quer que haja uma dúvida, dar a ela a interpretação mais favorável, pois aquele que é exigente com as palavras ou com os olhares tem a intenção de provocar uma briga. De minha parte, quando eu fizer minhas contas e souber o que devo e a quem devo, embora eu faça minha devolução mais cedo para alguns e mais tarde para outros, conforme a ocasião ou a sorte me permitir, ainda assim serei justo com todos. Serei grato a Deus, às pessoas, àqueles que me obrigaram, e até àqueles que obrigaram meus amigos. Sou obrigado, por honra e por consciência, a ser grato pelo que recebi, e se ainda não estiver completo, é um prazer poder esperar por mais. Para a retribuição de um favor, deve haver virtude, ocasião, meios e sorte.

É comum que a justiça seja elevada ao nível de uma injúria. Uma pessoa pode ser excessivamente justa, e por que não excessivamente grata também? Há um excesso malicioso, que beira tanto a ingratidão, que não é fácil distinguir um do outro, mas, considerando que há boa vontade no fundo (por mais distorcida que seja, pois, na verdade, não passa de bondade por parte da inteligência), falaremos sobre isso sob o título de "gratidão equivocada".

GRATIDÃO EQUIVOCADA

Recusar um bom serviço, não tanto porque não precisamos dele, mas porque não queremos ficar em dívida com ele, é um tipo de ingratidão fantasiosa, e de certa forma semelhante àquela delicadeza de humor, por outro lado, de ser excessivamente grato. Só que isso se dá de outra forma, e parece ser a ingratidão mais perdoável das duas. Algumas pessoas consideram um grande exemplo de sua boa vontade desejar a seus benfeitores tal ou qual mal, apenas para que eles próprios possam ser os instrumentos felizes de sua libertação.

Essas pessoas se assemelham a amantes extravagantes, que tomam como grande prova de sua afeição o fato de desejarem que um ao outro seja banido, mendigue ou adoeça, para que possam ter a oportunidade de intervir em seu auxílio. Que diferença há entre tal desejo e maldição? Tal afeição e um ódio mortal? A intenção é boa, você dirá, mas essa é uma aplicação errada dela. Que tal pessoa caia em meu poder, ou nas mãos de seus inimigos, de seus credores ou do povo comum, e nenhum mortal seja capaz de resgatá-la, a não ser eu mesmo. Que sua vida, sua liberdade e sua reputação estejam todas em jogo, e nenhuma criatura, a não ser eu, esteja em condições de socorrê-la. Por que tudo isso, senão porque ela me agradeceu, e eu gostaria de retribuir-lhe? Se isso é gratidão, propor prisões, grilhões, escravidão, guerra, mendicância, para a pessoa que você deseja recompensar, o que você faria se fosse ingrata? Esse modo de proceder, além de ser ímpio em si mesmo, é também excessivamente apressado e inoportuno, pois aquele que vai rápido demais é tão culpado quanto aquele que não se move (para não falar da injustiça), pois se eu nunca tivesse sido obrigado, nunca o teria desejado.

Há épocas em que um benefício não deve ser recebido nem retribuído. Pressionar um retorno sobre mim quando não o desejo é falta de educação, mas é pior ainda forçar-me a o desejar. Quão rigoroso seria ele exigir uma retribuição, se estivesse tão ansioso para a retribuir! Desejar que uma pessoa em perigo o alivie é, antes de tudo, desejá-la miserável, desejar que ela precise de alguém é contra ela, e desejar que ela precise de mim é a meu favor, de modo que meu negócio não é tanto uma caridade para com meu amigo quanto o cancelamento de uma obrigação. Não, é quase o desejo de um inimigo. É bárbaro desejar que uma pessoa seja acorrentada, escravizada ou necessitada, apenas para tirá-la de lá novamente. Por natureza, somos propensos à misericórdia, à compaixão da humanidade. Que sejamos estimulados a sê-lo ainda mais pelo número de pessoas gratas! Que seu número aumente, e que não tenhamos necessidade de as experimentar!

Não cabe a uma pessoa honesta abrir caminho para um bom cargo por meio de um crime, como se um piloto rezasse por uma tempestade para provar sua habilidade, ou um general desejasse que seu exército fosse derrotado para que ele pudesse se mostrar um grande comandante ao recuperar o dia. É como jogar alguém em um rio para tirá-lo de lá novamente. É uma obrigação, confesso, curar uma ferida ou uma doença, mas fazer essa ferida ou doença com o propósito de curá-la é a mais perversa ingratidão. É bárbaro até para um inimigo, muito mais para um amigo, pois não se trata tanto de fazer-lhe uma gentileza, mas de colocá-lo em necessidade dela. Dos dois, prefiro ser uma cicatriz a uma ferida e, ainda assim, seria melhor não ter nenhuma delas. Roma não teria sido muito grata a Cipião se ele tivesse prolongado a guerra púnica[26] para que pudesse finalmente pôr fim ao conflito. Pode ser uma boa contemplação, mas é um desejo lascivo. Se ele tivesse desejado a ruína de seu país, Eneias nunca teria recebido o sobrenome de "Piedoso"[27], apenas para ter a honra de tirar seu pai do fogo. É um escândalo para um médico trabalhar, estimular uma doença e atormentar seu paciente apenas para a reputação de sua cura. Se um indivíduo amaldiçoar abertamente a pobre-

---

26 A terceira e última guerra púnica – motivada por Dido, rainha de Cartago, antes de se suicidar, ter invocado um vingador contra os troianos – ocorreu entre 149 a.C. a 146 a.C., quando o general Cipião liderou os romanos na tomada de Nova Cartago, escravizou os cartagineses e salgou a terra a fim de torná-la infértil.
27 O *IV canto* de *Eneida*, de autoria de Virgílio, o mais importante poeta latino, narra os amores entre Dido – rainha de Cartago – e Eneias, filho da deusa Vênus e do mortal Anquises, considerado o herói piedoso, responsável pela fundação de Roma. Quando Troia foi destruída pelos gregos, que incendiaram a cidade, Eneias viu serem consumidos pelo fogo sua casa, seus amigos e mesmo sua amada Creúsa, mas salvou o próprio pai ao carregá-lo nas costas, depois preparando-se para se lançar aos perigos do mar e enfrentar as muitas dificuldades que o separam da sua "terra prometida" (SIPALA, Oriana. A viagem psicológica de Enéias. **Esfinge**, 13 dez. 2022. Disponível em: https://www.revistaesfinge.com.br/2022/12/13/a-viagem-psicologica-de-eneias/. Acesso em: 21 set. 2023).

za, o cativeiro, o medo ou o perigo a uma pessoa a quem ele foi obrigado, o mundo inteiro não o condenaria por isso? E qual é a diferença, se um é apenas um desejo privado, e o outro uma declaração pública? Foi dito a Rutilius[28] em seu exílio que, para seu conforto, haveria em breve uma guerra civil que traria todos os homens banidos de volta para casa. "Deus me livre", disse ele, "eu preferia que meu país corasse por meu banimento a lamentar por meu retorno". Quão mais honroso é dever alegremente do que pagar desonestamente? É o desejo de um inimigo tomar uma cidade para que ele possa preservá-la, e ser vitorioso para que ele possa perdoar; mas a misericórdia vem depois da crueldade; além disso, é uma ofensa tanto a Deus quanto ao ser humano, pois o indivíduo deve primeiro ser afligido pelo Céu para ser aliviado por mim.

Assim, impomos a crueldade a Deus e tomamos a compaixão para nós mesmos; e, na melhor das hipóteses, isso não passa de uma maldição que dá lugar a uma bênção, porque o simples desejo é um dano, e se não surtir efeito é porque o Céu não ouviu nossas orações. Ou, se elas forem bem-sucedidas, o próprio medo é um tormento e é muito mais desejável ter uma segurança firme e inabalável. É amigável desejar que esteja em seu poder me obrigar, caso eu venha a precisar, mas é cruel desejar que eu seja infeliz para que eu possa precisar. Quão mais piedoso e humano é desejar que eu nunca precise da ocasião de ser obrigado, tampouco dos meios para fazê-lo nem nunca ter motivos para me arrepender do que fiz!

SOBRE A INGRATIDÃO

A ingratidão é, de todos os defeitos, aquele que devemos considerar o mais facilmente perdoável nos outros, e o mais imperdoável em nós mesmos. Ela é impiedosa no mais alto grau, pois nos faz lutar contra nossos filhos e nossos altares. Existem, sempre existiram e sempre existirão criminosos de todos os tipos, como assassinos, tiranos, ladrões, adúlteros, traidores, assaltantes e pessoas sacrílegas, mas dificilmente existe um crime notório sem uma mistura de ingratidão. Ela desune a

---

28 Publius Rutilius Rufus foi um oficial de impostos romano condenado por acusações falsas. Ele foi exilado para a Ásia.

humanidade e quebra os próprios pilares da sociedade. No entanto, essa prodigiosa maldade está tão longe de ser uma maravilha para nós que mesmo a própria gratidão seria a maior das duas, uma vez que as pessoas são impedidas de fazê-lo pelo trabalho, pelas despesas, pela preguiça, pelos negócios, ou então são desviadas por luxúria, inveja, ambição, orgulho, leviandade, imprudência ou medo, isso pela própria vergonha de confessar o que receberam. E um ingrato não tem nada a dizer em sua defesa durante todo esse tempo, pois não precisa de dores ou fortunas para cumprir seu dever, além da ansiedade e do tormento interior quando a consciência de uma pessoa a faz ter medo dos próprios pensamentos.

Falar contra os ingratos é criticar a humanidade, porque mesmo aqueles que reclamam são culpados. E não falo apenas daqueles que não vivem de acordo com a regra estrita da virtude, mas também a humanidade está degenerada e perdida. Vivemos ingratamente neste mundo e saímos dele lutando e murmurando, insatisfeitos com nossa sorte, ao passo que deveríamos ser gratos pelas bênçãos de que desfrutamos e considerar suficiente o que a Providência nos proporcionou. Um pouco mais de tempo pode tornar nossa vida mais longa, mas não mais feliz, e sempre que Deus nos chamar, devemos obedecer. Ainda assim, durante todo esse tempo, continuamos a brigar com o mundo pelo que encontramos em nós mesmos, e somos ainda mais ingratos com o Céu do que uns com os outros. Que benefício pode ser grande agora para o indivíduo que despreza as bênçãos de seu criador? Gostaríamos de ser tão fortes quanto os elefantes, tão velozes quanto os patos, tão leves quanto os pássaros – e reclamamos por não termos a sagacidade dos cães, a visão das águias, a vida longa dos corvos – por não sermos imortais e dotados do conhecimento das coisas que estão por vir, não gostamos de ser deuses na Terra, nunca considerando as vantagens de nossa condição ou a bondade da Providência nos confortos que desfrutamos. Subjugamos a mais forte das criaturas e ultrapassamos a mais veloz, bem como conquistamos a mais feroz e superamos a mais astuta. Estamos a um grau do próprio céu e, ainda assim, não estamos satisfeitos.

Como não há nenhuma criatura que preferiríamos ser, não gostamos do fato de não podermos atrair para nós as excelências de todas as outras criaturas. Por que não somos gratos àquela bondade que submeteu toda a criação ao nosso uso e serviço?

As principais causas da ingratidão são o orgulho e a presunção, a avareza, a inveja. É uma exclamação familiar: "É verdade que ele fez isso ou aquilo por mim, mas chegou tão tarde e foi tão pouco que eu poderia muito bem ter ficado sem isso, porque se ele não tivesse me dado, teria dado a outra pessoa. Não foi nada do seu bolso". Somos tão ingratos que aquele que nos dá tudo o que temos, se deixar alguma coisa para si mesmo, consideramos que está nos prejudicando.

Isso custou a vida de Júlio César pela decepção de seus insaciáveis companheiros; e, ainda assim, ele não reservou nada de tudo o que obteve para si, a não ser a liberdade de dispor disso. Não há benefício tão grande que a malignidade não possa diminuir, tampouco tão estreito que uma boa interpretação não possa ampliar. Nenhuma pessoa jamais será grata se considerar um benefício pelo lado errado, ou se aproveitar de um bom cargo pelo lado errado. O indivíduo avarento é naturalmente ingrato, pois nunca acha que tem o suficiente, mas, sem considerar o que tem, só pensa no que cobiça. Alguns fingem não ter poder para fazer uma devolução competente, e você encontrará em outros um tipo de modéstia sem graça, que faz que um ser humano tenha vergonha de retribuir uma obrigação, porque é uma confissão de que ele recebeu uma.

Não retribuir um bom ofício por outro é desumano, mas retribuir o mal pelo bem é diabólico. Há muitos desse tipo que, quanto mais devem, mais odeiam. Não há nada mais perigoso do que obrigar essas pessoas, pois quando elas têm consciência de que não estão pagando a dívida, desejam que o credor saia do caminho. É um ódio mortal, aquele que surge da vergonha de um benefício indevido. Quando estamos do lado de quem está pedindo, que quantidade de reclamações e profissão! "Bem, nunca esquecerei esse favor, ele será uma obrigação eterna para mim". Mas, em pouco tempo, a nota muda, e não ouvimos mais nada a respeito, até que, pouco a pouco, tudo é esquecido. Enquanto estivermos precisando de um benefício, não haverá nada mais caro para nós, muito menos nada mais barato, quando o tivermos recebido. No entanto, um indivíduo pode muito bem se recusar a entregar uma quantia em dinheiro que lhe foi deixada em confiança sem um processo, ou não devolver um bom cargo sem pedir. Quando não temos mais valor para o benefício, geralmente nos importamos tão pouco com o autor. As pessoas seguem seus interesses. Ao passo que um sujeito é grato por sua conveniência, outro é ingrato pelo mesmo motivo.

Alguns são ingratos com seu país, e seu país não é menos ingrato com outros, de modo que a queixa de ingratidão atinge todas as pessoas. O filho não deseja a morte de seu pai, ou o marido a de sua esposa? Mas quem pode esperar por gratidão em uma época de tantos apetites escancarados e ávidos, em que todas as pessoas tomam e ninguém dá? Em uma época de permissão para todos os tipos de vaidade e maldade, como luxúria, gula, avareza, inveja, ambição, preguiça, insolência, leviandade, contumácia, medo, imprudência, discórdias privadas e males públicos, desejos extravagantes e infundados, confidências vãs, afeições doentias, impiedades desavergonhadas, rapina autorizada e a violação de todas as coisas, sagradas e profanas, as obrigações são perseguidas com espada e veneno e os benefícios são transformados em crimes. O sangue mais sedutoramente derramado pelo qual todo ser humano honesto deveria expor o próprio. Aqueles que deveriam ser os preservadores de seu país são os destruidores dele, e é uma questão de dignidade pisotear o governo, pois a espada dá a lei, e os mercenários pegam em armas contra seus senhores. Entre esses movimentos turbulentos e indisciplinados, que esperança há de encontrar honestidade ou boa-fé, que é a mais calma de todas as virtudes? Não há imagem mais viva da vida humana do que a de uma cidade conquistada, tampouco há misericórdia, modéstia ou religião, e se esquecermos nossas vidas, podemos muito bem esquecer nossos benefícios. O mundo está repleto de exemplos de pessoas ingratas, e não menos de governos ingratos. Catilina[29] não foi ingrato? Sua malícia visava não apenas a dominar seu país, mas a destruí-lo totalmente, chamando um inimigo inveterado e vingativo de além dos Alpes para executar sua vingança há tanto tempo sedenta

---

29 Lúcio Sérgio Catilina (108 a.C.-62 a.C.) foi um militar e senador da Roma Antiga que ficou célebre em razão de suas tentativas de derrubar o governo republicano com vistas a obter poder e fortuna.

e sacrificar a vida de tantos romanos nobres que pudessem servir para responder e apaziguar os fantasmas dos gauleses massacrados. Não foi Marius um ingrato que, de um soldado comum, ao ser elevado a cônsul, não apenas deu ao mundo a oportunidade de derramamento de sangue e massacres civis, mas foi ele mesmo o sinal da execução, e todo homem que ele encontrou nas ruas, a quem ele não estendeu a mão direita, foi assassinado? E não foi Sylla também ingrato? Depois de ter subido até os portões com sangue humano, levou o ultraje para a cidade e lá cortou barbaramente duas legiões inteiras em pedaços em uma esquina, não apenas após a vitória, mas de forma pérfida, depois de lhes ter dado um quarto? Santo Deus! Que algum homem pudesse não apenas escapar impunemente, mas receber um prêmio por tão horrenda vilania! Pompeu também não foi ingrato? Depois de três consulados, três triunfos e tantas honras, usurpou antes de seu tempo, dividiu a comunidade em três partes e a levou a tal ponto que não havia esperança de segurança a não ser pela escravidão. Para diminuir a inveja de seu poder, ele levou consigo outros parceiros para o governo, como se o que não era lícito para qualquer um pudesse ser permitido para outros, dividindo e distribuindo as províncias e dividindo tudo em um triunvirato, reservando ainda duas partes das três para sua família. E César também não foi ingrato, embora, para lhe dar o devido valor, fosse um homem de palavra; misericordioso em suas vitórias, e nunca matou ninguém a não ser com a espada na mão? Portanto, perdoemos uns aos outros. Apenas mais uma palavra agora para a vergonha dos governos ingratos. Camilo não foi banido? Cipião foi demitido? E Cícero foi exilado e saqueado? Mas, o que é tudo isso para aqueles que são tão loucos, e para contestar até mesmo a bondade do Céu, que nos dá tudo, e não espera nada de novo, mas continua dando aos mais ingratos e reclamões?

NÃO PODE HAVER LEI CONTRA A INGRATIDÃO

A ingratidão é tão perigosa para si mesma e tão detestável para as outras pessoas que a natureza, como se poderia pensar, já a havia prevenido suficientemente, sem a necessidade de qualquer outra lei. Pois todo ser humano ingrato é o próprio inimigo, e parece supérfluo obrigar um indivíduo a ser gentil consigo mesmo e a seguir suas inclinações. Essa, de todas as maldades imagináveis, é certamente o vício que mais divide e distrai a natureza humana. Sem o exercício e o comércio de ofícios mútuos, não podemos ser nem felizes nem seguros, pois é somente a sociedade que nos protege. Se nos tirarmos um a um, seremos uma presa até para os brutos, bem como uns para os outros.

A natureza nos trouxe ao mundo nus e desarmados. Nós não temos os dentes ou as patas de leões ou ursos para nos tornarmos terríveis, mas pelas duas bênçãos da razão e da união, nós nos protegemos e nos defendemos contra a violência e a fortuna. É isso que faz do ser humano o mestre de todas as outras criaturas, que, de outra forma, dificilmente seriam páreo para a mais fraca delas. É isso que nos conforta na doença, na idade, na miséria, nas dores e nas piores calamidades. Se tirarmos essa combinação, a humanidade se dissocia e se desfaz em pedaços. É verdade que não há qualquer lei estabelecida contra esse vício abominável, mas ainda não podemos dizer que ele escapa impune, pois o ódio público é certamente a maior de todas as penalidades. Além disso, perdemos as bênçãos mais valiosas da vida ao não conceder e receber benefícios. Se a ingratidão fosse punida por uma lei, ela desacreditaria a obrigação, pois um benefício deve ser dado, não emprestado. E se não tivermos nenhum retorno, não há motivo justo para reclamação, pois a gratidão não seria uma virtude se houvesse algum perigo em ser ingrato. Eu sei que existem cabrestos, ganchos e forca para o homicídio, o veneno, o sacrilégio e a rebelião, mas a ingratidão (aqui na Terra) só é punida nas escolas, todas as outras dores e punições são totalmente atribuídas à justiça divina. E, se alguém pode julgar a consciência pelo semblante, o ingrato nunca deixa de ter uma afta no coração, porque sua mente tem um aspecto triste e solícito, ao passo que o outro é sempre alegre e sereno.

Assim como não existem leis contra a ingratidão, é totalmente impossível criar alguma que a alcance em todas as circunstâncias. Se ela fosse passível de ação, não haveria tribunais suficientes em todo o mundo para julgar as causas. Não se pode estabelecer um dia para a retribuição de benefícios como para o pagamento de dinheiro, tampouco qualquer estimativa sobre os benefícios em si, mas toda a questão repousa na consciência de ambas as partes, porque há tantos graus disso que a mesma regra nunca servirá para todos. Além disso, propor uma proporção de acordo com o benefício maior ou menor seria impraticável e sem razão. Uma boa ação salva minha vida; outra, minha liberdade ou, talvez, minha alma. Como qualquer lei pode agora adequar uma punição a uma ingratidão sob esses diferentes graus? Não se deve dizer, tanto em benefícios como em obrigações, "Pague o que deve". Como uma pessoa deve pagar a vida, a saúde, o crédito, a segurança, em espécie? Não pode haver uma regra definida para delimitar essa infinita variedade de casos, que são mais apropriadamente o assunto da humanidade e da religião do que da lei e da justiça pública. Haveria disputas também sobre o benefício em si, que deve depender totalmente da cortesia do juiz, pois nenhuma lei imaginável pode estabelecê-lo. Uma pessoa me dá uma propriedade; outra, apenas me empresta uma espada, e essa espada preserva minha vida. Não, a mesma coisa, feita de várias maneiras, muda a qualidade da obrigação. Uma palavra, um tom, um olhar, faz uma grande alteração no caso. Como, então, julgaremos e determinaremos uma questão que não depende do fato em si, mas da força e da intenção dele? Algumas coisas são consideradas benefícios não por seu valor, mas porque as desejamos. Há serviços de valor muito maior, com os quais não contamos de forma alguma. Se a ingratidão fosse passível de ser punida por uma lei, nunca deveríamos dar, a não ser diante de testemunhas, o que derrubaria a dignidade do benefício. Então, a punição deve ser igual quando os crimes são desiguais, ou então deve ser injusta, de modo que sangue deve responder por sangue. Aquele que é ingrato por eu ter salvado sua vida deve perder a própria. E o que pode ser mais desumano do que o fato de os benefícios terminarem em eventos sangrentos? Uma pessoa salva minha vida, e eu sou ingrato por isso. Isso é muito pouco, pois, se for menor que o benefício, é injusto, e deve ser capital para ser igualado a ele. Além disso, há certos privilégios concedidos aos pais que nunca podem ser reduzidos a uma regra comum. Seus danos podem ser reconhecíveis, mas não seus benefícios. A diversidade de casos é muito grande e intrincada para ser colocada sob a perspectiva de uma lei, de modo que é muito mais justo não punir ninguém do que punir todos igualmente. E se um indivíduo retribuir uma boa obra com uma injúria, se isso deve ou não deixar de ser pontuado? Ou quem deve compará-los e pesar um contra o outro? Há ainda outra coisa com a qual talvez nem sonhemos, uma vez que nenhuma pessoa sobre a face da Terra escaparia e, ainda assim, todo ser humano esperaria ser seu juiz. Mais uma vez, somos todos ingratos, e o número não apenas tira a vergonha, mas dá autoridade e proteção à maldade.

    Alguns acham razoável que haja uma lei contra a ingratidão, porque, como dizem, é comum que uma cidade critique a outra e reivindique da posteridade o que foi concedido a seus ancestrais, mas isso é apenas clamor sem razão. Outros objetam que é um desestímulo às boas obras se as pessoas não forem responsabilizadas por elas. Eu digo, por outro lado, que ninguém aceitaria um benefício nesses termos. Aquele que dá é levado a isso por uma bondade de espírito, e a generosidade da ação é diminuída pela cautela, pois é seu desejo que o recebedor se satisfaça e não deva mais do que julga adequado. Mas e se isso pudesse ocasionar menos benefícios, contanto que fossem mais francos? Tampouco há mal algum em colocar um controle sobre a imprudência e a profusão. Em resposta a isso, as pessoas serão cuidadosas o suficiente quando estiverem obrigadas, sem uma lei. Também não é possível que um juiz nos acerte nisso ou, de fato, qualquer outra coisa, exceto a fé do receptor. Dessa forma, preserva-se a honra de um benefício, que, de outra forma, seria profanada quando se tratasse de um mercenário e se tornasse motivo de contenda. Somos suficientemente agressivos conosco mesmos para brigar, sem as provocações necessárias. Seria bom, penso eu, se o dinheiro pudesse ser repassado nas mesmas condições de outros benefícios, e o pagamento fosse remetido à consciência, sem a formalização de contas e títulos. Mas a sabedoria humana preferiu aconselhar a conveniência à virtude, preferiu forçar a honestidade a esperá-la. Para cada quantia insignificante de dinheiro deve haver títulos, testemunhas, contrapartidas, poderes, o que não é outra coisa senão uma confissão vergonhosa de fraude e maldade, quando se dá mais crédito a nossos selos do que a nossas mentes, tomando-se o cuidado para que aquele que recebeu o dinheiro não o negue. Não seria melhor ser enganado por alguns do que suspeitar de todos? Qual é a diferença, nesse caso, entre o benfeitor e o usurário, exceto pelo fato de que, no caso do benfeitor, não há ninguém obrigado?

ESCRITOS DE SÊNECA SOBRE UMA VIDA FELIZ
SOBRE UMA VIDA FELIZ E EM QUE ELA CONSISTE

Talvez não haja nada neste mundo que seja mais comentado e menos compreendido do que a questão de uma vida feliz. É o desejo e o desígnio de todo ser humano, muito embora nem um entre mil saiba em que consiste essa felicidade. Vivemos, no entanto, em uma busca cega e ansiosa por ela, e quanto mais nos apressamos em um caminho errado, mais nos afastamos do fim de nossa jornada. Vamos, portanto, primeiro considerar "o que devemos fazer"; e, em segundo lugar, "qual é o caminho mais rápido para alcançar esse objetivo". Se estivermos certos, descobriremos a cada dia o quanto melhoramos; mas se seguirmos o grito ou a trilha de pessoas que estão fora do caminho, devemos esperar ser enganados e continuar nossos dias vagando no erro. Por isso, é muito importante que levemos conosco um guia habilidoso, pois não é nesta, como em outras viagens, que a estrada nos leva ao nosso lugar de descanso; ou se um indivíduo estiver fora do caminho, os habitantes poderão corrigi-lo novamente. Mas, ao contrário, a estrada batida é aqui a mais perigosa, e as pessoas, em vez de nos ajudar, nos desencaminham. Não sigamos, portanto, como animais, mas nos governemos pela razão, e não pelo exemplo. A vida humana é como a de um exército derrotado, em que um tropeça primeiro, e então outro cai sobre ele, e assim eles seguem, um sobre o pescoço do outro, até que todo o campo se torne apenas um amontoado de erros. E o mal é que "o número da multidão a leva contra a verdade e a justiça", de modo que devemos deixar a multidão, se quisermos ser felizes, porque a questão de uma vida feliz não deve ser decidida por votação. Não, tão longe disso que a pluralidade de vozes ainda é um argumento do mal, porque as pessoas comuns acham mais fácil acreditar do que julgar, e se contentam com o que é comum, nunca examinando se é bom ou não. Por pessoas comuns entende-se o indivíduo de título, bem como o sapato de salto, pois não os distingo pelos olhos, mas pela mente, que é o juiz adequado do ser humano. A felicidade mundana, eu sei, deixa a cabeça tonta, mas se algum dia uma pessoa voltar a si, ela confessará que "tudo o que ela fez, ela deseja que não seja feito", bem como que "as coisas que ela temia eram melhores do que aquelas pelas quais ela rezava".

A verdadeira felicidade da vida é estar livre de perturbações, compreender nossos deveres para com Deus e o ser humano. Desfrutar o presente sem qualquer dependência ansiosa do futuro. Não nos divertirmos com esperanças ou temores, mas ficarmos satisfeitos com o que temos, que é abundantemente suficiente, pois quem é assim não precisa de nada. As grandes bênçãos da humanidade estão dentro de nós e ao nosso alcance, mas fechamos os olhos e, como pessoas no escuro, caímos em desgraça com aquilo que procuramos sem encontrar. "A tranquilidade é uma certa igualdade de espírito, que nenhuma condição de sorte pode exaltar ou deprimir". Nada pode diminuí-la, pois é o estado de perfeição humana. Ela nos eleva o mais alto que podemos ir e faz de cada pessoa a própria apoiadora, ao passo que quem é sustentado por qualquer outra coisa pode cair. Aquele que julga corretamente e persevera nisso, desfruta de uma calma perpétua, uma vez que tem uma perspectiva verdadeira das coisas, observa uma ordem, uma medida, um decoro em todas as suas ações, tem uma benevolência em sua natureza, organiza sua vida de acordo com a razão, e atrai para si amor e admiração. Sem um julgamento certo e imutável, todo o resto não passa de flutuação, mas "aquele que sempre quer e deseja a mesma coisa, sem dúvida está certo". A liberdade e a serenidade da mente devem necessariamente resultar do domínio das coisas que nos seduzem ou nos afligem, porque quando, em vez desses prazeres chamativos (que, mesmo no melhor dos casos, são vãos e prejudiciais ao mesmo tempo), nos encontraremos possuídos por uma alegria transportadora e eterna. Uma mente sadia deve ser o que faz uma pessoa feliz. Deve haver constância em todas as condições, um cuidado com as coisas deste mundo, mas sem problemas, e uma indiferença tal pelas recompensas da sorte, que, com elas ou sem elas, possamos viver contentes. Não deve haver lamentações, tampouco brigas, e muito menos preguiça ou medo, pois isso causa discórdia na vida de qualquer pessoa. "Aquele que teme, serve". A alegria de um sábio permanece firme sem interrupção, isso em todos os lugares, em todos os momentos e em todas as condições. Seus pensamentos são alegres e tranquilos. Assim como nunca veio de fora, também nunca o deixará, mas nasceu dentro dele e é inseparável dele.

É uma vida solícita a estimulada pela esperança de qualquer coisa, apesar de nunca ser tão aberta e fácil, embora uma pessoa nunca deva sofrer qualquer tipo de decepção. Não digo isso como um impedimento para o desfrute justo de prazeres legítimos ou para as suaves lisonjas de expectativas razoáveis, mas, ao contrário, gostaria que as pessoas estivessem sempre de bom humor, desde que isso viesse de suas almas e fosse acalentado em seus peitos. Outros prazeres são triviais, já que eles podem suavizar a testa, mas não preenchem e afetam o coração. "A verdadeira alegria é um movimento sereno e sóbrio", e são miseráveis aqueles que tomam o riso como alegria. O lugar dela é dentro de si, e não há alegria como a resolução de uma mente corajosa, que tem a sorte sob seus pés. Aquele que consegue encarar a morte de frente e lhe dar as boas-vindas, abrir a porta para a pobreza e refrear seus apetites, essa pessoa é a que a Providência estabeleceu na posse de prazeres invioláveis. Os prazeres dos vulgares são infundados, finos e superficiais, mas os outros são sólidos e eternos. Assim como o corpo em si é mais uma coisa necessária do que excelente, os confortos dele são temporários e vãos. Além disso, sem extraordinária moderação, seu fim é apenas dor e arrependimento, ao passo que uma consciência pacífica, pensamentos honestos, ações virtuosas e uma indiferença por eventos casuais são bênçãos sem fim, saciedade ou medida. Esse estado consumado de felicidade é apenas uma submissão aos ditames da natureza correta, porque "o fundamento disso é a sabedoria e a virtude; o conhecimento do que devemos fazer e a conformidade da vontade com esse conhecimento".

A FELICIDADE HUMANA ESTÁ FUNDAMENTADA NA SABEDORIA E NA VIRTUDE. EM PRIMEIRO LUGAR, NA SABEDORIA

Partindo do pressuposto de que a felicidade humana se baseia na sabedoria e na virtude, trataremos desses dois pontos na ordem em que se encontram. Primeiro, da sabedoria, não na latitude de suas várias operações, mas na medida em que ela se refere apenas à vida boa e à felicidade da humanidade.

A sabedoria é um entendimento correto, uma faculdade de discernir o bem do mal, o que deve ser escolhido e o que deve ser rejeitado, um julgamento fundamentado no valor das coisas, e não na opinião comum sobre elas, uma igualdade de força e uma força de resolução. Ele vigia nossas palavras e ações, nos leva a contemplar as obras da natureza e nos torna invencíveis, tanto pela boa quanto pela má sorte. É grande e espaçoso, e requer muito espaço para trabalhar, vasculha o céu e a Terra, tem como objeto as coisas passadas e futuras, transitórias e eternas. Ela examina todas as circunstâncias do tempo: "o que é, quando começou e por quanto tempo continuará; e o mesmo acontece com a mente: de onde veio; o que é; quando começa; quanto tempo dura; se passa ou não de uma forma para outra, ou se serve apenas a uma e vagueia quando nos deixa; se permanece em um estado de separação, e qual é a ação dela; que uso faz de sua liberdade; se retém ou não a memória das coisas passadas e chega ao conhecimento de si mesma". É o hábito de uma mente perfeita e a perfeição da humanidade, elevada tão alto quanto a natureza a pode levar. Ela difere da filosofia, como a avareza e o dinheiro; um deseja e o outro é desejado. Verifica-se que um é o efeito e a recompensa do outro. Ser sábio é o uso da sabedoria, assim como ver é o uso dos olhos, e falar bem é o uso da eloquência. Aquele que é perfeitamente sábio é perfeitamente feliz; de fato, o próprio início da sabedoria torna a vida mais fácil para nós. Também não é suficiente saber isso, a menos que o imprimamos em nossa mente por meio da meditação diária e, assim, transformemos a boa vontade em um bom hábito. E devemos praticar o que pregamos, pois a filosofia não é um assunto para ostentação popular, tampouco se baseia em palavras, mas sim em coisas. Não se trata de um entretenimento para deleite ou para dar sabor ao nosso lazer, mas modela a mente, governa nossas ações, diz-nos o que devemos fazer e o que não devemos. Ele se senta no leme e nos guia em todos os perigos, e não podemos estar seguros sem ele, pois cada hora nos dá a oportunidade de fazer uso dele. Ela nos informa sobre todos os deveres da vida, desde piedade para com nossos pais, fé para com nossos amigos, caridade para com os infelizes, até discernimento nos conselhos. Ela nos dá paz por não temermos nada, e riquezas por não cobiçarmos nada.

Não há condição de vida que impeça um sábio de cumprir seu dever. Se sua sorte for boa, ele a modera; se for ruim, ele a domina; se tiver uma propriedade, ele exercerá sua virtude na abundância; se não tiver, na pobreza; se não puder fazê-lo em seu país, ele o fará no exílio; se não tiver um comando, ele fará o trabalho de um soldado comum. Algumas pessoas têm a habilidade de recuperar os animais mais ferozes, fazem um leão abraçar seu guardião, um tigre o beijar e um elefante se ajoelhar diante dele. Esse é o caso de um sábio nas dificuldades mais extremas, mesmo que elas nunca sejam tão terríveis em si mesmas, quando chegam a ele, são perfeitamente domesticadas. Aqueles que atribuem a invenção da agricultura, da arquitetura ou da navegação a sábios, talvez estejam certos, pois foram inventadas por sábios, como pessoas sábias, pois a sabedoria não ensina nossos dedos, mas sim nossas mentes a realizar coisas como tocar violino e dançar, fabricar armas e fortificações, obras de luxo e discórdia. A sabedoria nos instrui no caminho da natureza e nas artes da unidade e da concórdia, não nos instrumentos, mas no governo da vida, não para nos fazer viver apenas, mas também para vivermos felizes. Ela nos ensina o que é bom, o que é mau, e o que apenas parece ser, bem como a distinguir entre a verdadeira grandeza e o tumor. Ela limpa nossas mentes da escória e da vaidade, eleva nossos pensamentos ao céu e os leva para o inferno, ela discorre sobre a natureza da alma, seus poderes e faculdades, os primeiros princípios das coisas, a ordem da Providência. Ela nos exalta das coisas corpóreas para as incorpóreas e recupera a verdade de tudo. Ela examina a natureza, dá leis à vida e nos diz: "Que não é suficiente para Deus, a menos que lhe obedeçamos". Ela considera todos os acidentes como atos da Providência, estabelece um valor verdadeiro para as coisas, nos livra de opiniões falsas e condena todos os prazeres que são acompanhados de arrependimento. Ela não permite que nada seja bom que não o seja para sempre, que nenhuma pessoa seja feliz que não precise de outra felicidade além da que tem dentro de si. Essa é a felicidade da vida humana; uma felicidade que não pode ser corrompida nem extinta, ela indaga sobre a natureza dos céus, a influência das estrelas, até a que ponto elas operam em nossas mentes e corpos e quais pensamentos. Embora não formem nossas maneiras, ainda nos elevam e nos dispõem para coisas gloriosas.

É consenso entre todos que "a razão correta é a perfeição da natureza humana", e a sabedoria é apenas o ditame dela. A grandeza que surge dela é sólida e inamovível, sendo as resoluções da sabedoria livres, absolutas e constantes, ao passo que a insensatez nunca se satisfaz por muito tempo com a mesma coisa. Ao contrário, continua mudando de conselhos e doente de si mesma. Não pode haver felicidade sem constância e prudência, pois um sábio deve escrever sem uma mancha, e o que ele gosta uma vez, ele aprova para sempre. Ele não admite nada que seja ruim ou escorregadio, mas marcha sem cambalear ou tropeçar, e nunca é surpreendido. Uma pessoa sábia vive sempre fiel e firme a si mesma, e o que quer que lhe aconteça, essa grande artífice de ambas as fortunas transforma em vantagem. Aquele que hesita e hesita ainda não está composto, mas onde quer que a virtude se interponha sobre o principal deve haver concórdia e consentimento nas partes, porque todas as virtudes estão de acordo, assim como todos os vícios estão em desacordo. Um sábio, em qualquer condição que esteja, ainda será feliz, pois submete todas as coisas a si mesmo, porque se submete à razão, governa suas ações por conselho, e não por paixão.

Uma pessoa sábia não se comove com a maior violência da fortuna, tampouco com os extremos do fogo e da espada, ao passo que o tolo tem medo da própria sombra e se surpreende com os maus acidentes, como se todos fossem dirigidos a ele. O sábio não faz nada de má vontade, pois tudo o que acha necessário, ele o escolhe. Ele propõe a si mesmo o escopo e o fim certos da vida humana, ele segue o que conduz a isso e evita o que o impede. Ele se contenta com sua sorte, seja ela qual for, sem desejar o que não tem, embora, entre as duas coisas, prefira a abundância à carência. O grande negócio de sua vida, como o da natureza, é realizado sem tumulto ou barulho. Ele não teme o perigo nem o provoca, mas é sua cautela, não qualquer falta de coragem – pois o cativeiro, as feridas e as correntes são vistos por ele apenas como terrores falsos e linfáticos. O sábio não pretende ir até o fim com tudo o que empreende, mas fazer bem o que faz. As artes são apenas os servos – a sabedoria comanda – e quando o assunto falha, não é culpa do trabalhador.

Ele é cauteloso em casos duvidosos, temperante na prosperidade e resoluto na adversidade, tirando o melhor proveito de todas as condições e melhorando todas as ocasiões para torná-las úteis ao seu destino. Há alguns acidentes que, confesso, podem afetar o sábio, mas não o derrubar, como dores corporais, perda de filhos e amigos, a ruína e a desolação do país de uma pessoa. É preciso ser feito de pedra ou ferro para não sentir essas calamidades. Além disso, não seria virtude suportá-las se um corpo não as sentisse.

Há três graus de proficiência na escola da sabedoria. Os primeiros são aqueles que se aproximam dela, mas não chegam a ela, porque aprenderam o que devem fazer, mas não colocaram seu conhecimento em prática, já passaram do risco de uma recaída, mas ainda guardam o rancor de uma doença, embora estejam fora de perigo. Por doença entendo uma obstinação no mal, ou um mau hábito, que nos torna excessivamente ansiosos em relação a coisas que não são muito desejáveis, ou nem são. Um segundo tipo é o daqueles que submeteram seus apetites por um tempo, mas ainda têm medo de voltar atrás. Um terceiro tipo é o daqueles que estão livres de muitos vícios, mas não de todos. Eles não são cobiçosos, mas talvez sejam coléricos, tampouco luxuriosos, mas talvez ambiciosos. Eles são firmes o suficiente em alguns casos, mas fracos o suficiente em outros. Há muitos que desprezam a morte, mas se encolhem diante da dor. Há diversidades nos sábios, mas não há desigualdades. Ao passo que um é mais afável, outro mais pronto, um terceiro é melhor orador. Mas a felicidade de todos eles é igual. Assim como nos corpos celestes, há um certo estado de grandeza.

Em assuntos civis e domésticos um sábio pode precisar de conselhos, como de um médico, um advogado, um solicitador. Já em assuntos maiores a bênção dos sábios repousa na alegria que eles têm na comunicação de suas virtudes. Se não houvesse mais nada, as pessoas se dedicariam a obter sabedoria, porque ela as deixa em uma perfeita tranquilidade mental.

NÃO PODE HAVER FELICIDADE SEM VIRTUDE

A virtude é o bem perfeito, o complemento de uma vida feliz. A única coisa imortal que pertence à mortalidade, o conhecimento dos outros e de si mesmo, uma grandeza invencível da mente, que não pode ser elevada ou abatida pela boa ou pela má sorte. É sociável e gentil, livre, estável e destemida, satisfeita consigo mesma, cheia de prazeres inesgotáveis, e é valorizado por si mesma. Uma pessoa pode ser um bom médico, um bom governador, um bom gramático, sem ser um bom cidadão ou cidadã, de modo que todas as coisas externas são apenas acessórios, pois sua sede é uma mente pura e santa. Consiste em uma congruência de ações que nunca podemos esperar enquanto estivermos distraídos por nossas paixões, uma vez que não apenas uma pessoa possa mudar de cor e semblante, e sofrer tais impressões que são propriamente uma espécie de força natural sobre o corpo, e não sob o domínio da mente, mas durante todo esse tempo terá seu julgamento firme, e agirá com firmeza e ousadia, sem vacilar entre os movimentos de seu corpo e os de sua mente. Não é indiferente, eu sei, se uma pessoa estiver deitada em uma cama ou atormentada em uma roda, e ainda assim o primeiro pode ser o pior dos dois se ela sofrer o segundo com honra e desfrutar do outro com infâmia. Não é a matéria, mas a virtude, que torna a ação boa ou má, e aquele que é conduzido em triunfo pode ser ainda maior do que seu conquistador.

Quando chegamos a valorizar nossa carne acima de nossa honestidade, estamos perdidos. No entanto, eu não me pressionaria contra os perigos, não, não tanto quanto contra os inconvenientes, a menos que o ser humano e o animal entrem em competição. Em tal caso, em vez de perder meu crédito, minha razão ou minha fé, eu correria todos os extremos.

É uma grande bênção ter pais carinhosos, filhos obedientes e viver sob um governo justo e bem organizado. Ora, não incomodaria até mesmo a um indivíduo virtuoso ver seus filhos serem massacrados diante de seus olhos, seu pai transformado em escravo e seu país invadido por um inimigo bárbaro? Há uma grande diferença entre a simples perda de uma bênção e a sucessão de um grande mal em seu lugar. A perda da saúde é seguida de doença, e a perda da visão, de cegueira, mas isso não se aplica à perda de amigos e filhos. Onde há algo contrário para suprir essa perda, isto é, a virtude, que preenche a mente e tira o desejo do que não temos. O que importa se a água está parada ou não, desde que a fonte esteja segura? Será que uma pessoa é mais sábia por ter muitos amigos ou mais tola por os perder? Vida curta, tristeza e dor são acréscimos que não têm efeito algum sobre a virtude, porque ela consiste na ação, e não nas coisas que fazemos, na escolha em si, e não no objeto dela. Não é um corpo ou condição desprezível, tampouco pobreza, infâmia ou escândalo que podem obscurecer as glórias da virtude, mas uma pessoa pode vê-la através de todas as oposições, uma vez que quem olhar diligentemente para o estado de um indivíduo perverso verá a ferida em seu coração, através de todos os falsos e deslumbrantes esplendores de grandeza e fortuna. Descobriremos, então, nossa infantilidade, ao colocarmos nosso coração em coisas triviais e desprezíveis, e ao vendermos nossa pátria e nossos pais por um chocalho. E qual é a diferença (de fato) entre velhos e crianças, senão que um lida com pinturas e estátuas, e o outro com bebês, de modo que nós mesmos somos apenas os tolos mais caros.

Se alguém pudesse ver a mente de uma pessoa boa como ela é ilustrada pela virtude, a beleza e a majestade dela, que é uma dignidade que não deve ser pensada sem amor e veneração, um indivíduo não se abençoaria ao ver tal objeto como se encontrasse algum poder sobrenatural, um poder tão milagroso que é uma espécie de encanto para as almas daqueles que são verdadeiramente afetados por ele. Há uma graça e uma autoridade tão maravilhosas nele que até as piores pessoas o aprovam e buscam a reputação de serem consideradas virtuosas. De fato, elas cobiçam o fruto e o lucro da iniquidade, mas odeiam e se envergonham da imputação dela. É por uma impressão da natureza que todos os seres humanos têm reverência pela virtude, a conhecem e têm respeito por ela, embora não a pratiquem. Por causa de sua maldade eles a chamam erroneamente de virtude. Eles chamam suas injúrias de benefícios e esperam que um indivíduo lhes agradeça por terem lhe causado um dano, cobrem suas iniquidades mais notórias com um pretexto de justiça. Aquele que rouba na estrada prefere encontrar seu saque a forçá-lo. Pergunte a qualquer um dos que vivem de rapina, fraude e opressão se eles não preferem desfrutar de uma fortuna obtida honestamente, e suas consciências não permitirão que eles neguem. As pessoas são perversas apenas pela prova da vilania, pois ao mesmo tempo que a cometem, elas a condenam. É tão poderosa a virtude e tão graciosa a Providência que todo ser humano tem uma luz acesa dentro de si como guia, que todos nós vemos e reconhecemos, embora não a sigamos. É isso que torna o prisioneiro na tortura mais feliz do que o carrasco, e a doença melhor do que a saúde, se a suportarmos sem ceder ou recuar. É isso que supera a má sorte e modera o bem, pois ela marcha entre um e outro, com igual desprezo por ambos. Ela transforma (como fogo) todas as coisas em si mesma, nossas ações e amizades são tingidas com ela, e tudo o que ela toca se torna amável.

O que é frágil e mortal sobe e desce, cresce, definha e varia de si mesmo, mas o estado das coisas divinas é sempre o mesmo, e assim é a virtude, seja qual for o assunto. Ela nunca é pior pela dificuldade da ação, tampouco melhor pela facilidade dela. É a mesma coisa em uma pessoa rica e em uma pobre, em uma pessoa doente e em uma saudável, em uma forte e em uma fraca. A virtude dos sitiados é tão grande quanto a dos sitiantes. Confesso que há algumas virtudes que não podem faltar a um ser humano de bem e, no entanto, ele preferiria não ter ocasião de as usar. Se houvesse alguma diferença, eu preferiria as virtudes da paciência às do prazer, pois é mais corajoso superar as dificuldades do que moderar nossos prazeres. Embora o objeto da virtude possa ser contra a natureza, como ser queimado ou ferido, ainda assim a virtude em si de uma paciência invencível é de acordo com a natureza. Talvez pareça que prometemos mais do que a natureza humana é capaz de realizar, mas estamos falando com respeito à mente, e não ao corpo.

Se alguém não vive de acordo com as próprias regras, é algo ainda ter meditações virtuosas e bons propósitos, mesmo sem agir, é generoso, a própria aventura de ser bom, e a simples proposta de um curso de vida eminente, embora além da força da fragilidade humana. Ainda há algo de honra no aborto, e não na contemplação pura e simples dele. Eu receberia minha morte com tão pouco incômodo quanto receberia a de outra pessoa. Eu teria a mesma preocupação, quer seja rico ou pobre, quer ganhe ou perca no mundo. O que tenho, não pouparei de forma sórdida nem desperdiçarei prodigamente, e considerarei os benefícios bem concedidos como a parte mais justa de minha posse, não os avaliando por número ou peso, mas pelo lucro e estima de quem os recebe. Nunca me considerarei mais pobre por aquilo que dou a uma pessoa digna. O que eu fizer será feito por consciência, não por ostentação. Comerei e beberei, não para satisfazer meu paladar, ou apenas para encher e esvaziar, mas para satisfazer a natureza. Serei alegre com meus amigos, brando e apaziguador com meus inimigos, evitarei um pedido honesto se puder prevê-lo, e o concederei sem pedir. Considerarei o mundo inteiro como meu país e os deuses como testemunhas e juízes de minhas palavras e ações. Viverei e morrerei com este testemunho, de que amei bons estudos e uma boa consciência, bem como de que nunca invadi a liberdade de outra pessoa e de que preservei a minha. Governarei minha vida e meus pensamentos como se o mundo inteiro pudesse ver um e ler o outro, pois "o que significa fazer qualquer coisa em segredo para o meu vizinho, quando para Deus (que é o perscrutador de nossos corações) todas as nossas privacidades estão abertas?".

    A virtude é dividida em duas partes: contemplação e ação. Uma parte da virtude consiste na disciplina, a outra no exercício, pois primeiro devemos aprender e, depois, praticar. Quanto mais cedo começarmos a nos dedicar a isso, e quanto mais pressa tivermos, mais tempo desfrutaremos dos confortos de uma mente retificada. Nós temos a fruição dela no próprio ato de formá-la, mas é outro tipo de prazer, devo confessar, que surge da contemplação de uma alma que está avançada na posse da sabedoria e da virtude. Se foi um conforto tão grande para nós passar da sujeição de nossa infância para um estado de liberdade, quanto maior será quando chegarmos a nos livrar da leviandade infantil de nossas mentes e nos colocarmos entre os filósofos? É verdade que já passamos de nossa menoridade, mas não de nossas indiscrições e, o que é ainda pior, temos a autoridade dos idosos e as fraquezas das crianças (eu poderia ter dito dos bebês, pois qualquer coisinha assusta um, e qualquer fantasia trivial, o outro). Quem estudar bem esse ponto descobrirá que muitas coisas devem ser menos temidas quanto mais terríveis parecerem. Pensar em algo bom que não seja honesto seria censurar a Providência, porque as pessoas boas sofrem muitos inconvenientes. Contudo, a virtude, como o Sol, continua seu trabalho, mesmo que o ar nunca esteja tão nublado, e termina seu curso, extinguindo também todos os outros esplendores e oposições, de modo que a calamidade não é mais para uma mente virtuosa do que uma chuva no mar. O que é correto não deve ser avaliado por quantidade, número ou tempo. Uma vida de um dia pode ser tão honesta quanto uma vida de cem anos, mas, ainda assim, a virtude em um indivíduo pode ter um campo maior para se mostrar do que em outro. Um ser humano, talvez, pode estar em uma posição para administrar cidades e reinos a fim de elaborar boas leis, criar amizades e realizar trabalhos benéficos para a humanidade.

A virtude está aberta a todos, tanto para servos e exilados quanto para príncipes, uma vez que ela é proveitosa para o mundo e para si mesma, em todas as distâncias e em todas as condições. Não há dificuldade que possa dispensar uma pessoa de exercê-la, e ela só pode ser encontrada em um sábio, embora possa haver algumas leves semelhanças dela nas pessoas comuns. Os estoicos sustentam que todas as virtudes são iguais, mas ainda assim há uma grande variedade na matéria sobre a qual eles têm de trabalhar, de acordo com o fato de ser maior ou menor, ilustre ou menos nobre, de maior ou menor extensão, assim como todos os seres humanos bons são iguais, isto é, conforme sejam bons. Mas ainda assim um pode ser jovem, outro velho; um pode ser rico, outro pobre; um eminente e poderoso, outro desconhecido e obscuro. Há muitas coisas que têm pouca ou nenhuma graça em si mesmas, mas que são gloriosas e notáveis por sua virtude. Nada pode ser bom que não dê grandeza nem segurança à mente, mas que, ao contrário, a infecte com insolência e arrogância, tampouco a virtude habita na ponta da língua, mas sim no templo de um coração purificado. Aquele que depende de qualquer outro bem torna-se cobiçoso da vida e do que lhe pertence, o que expõe uma pessoa a apetites que são vastos, ilimitados e intoleráveis. A virtude é livre e infatigável, e acompanhada de concórdia e graciosidade, ao passo que o prazer é mesquinho, servil, transitório, cansativo e doentio e dificilmente sobrevive à sua degustação, uma vez que é o bem da barriga, e não do ser humano, e apenas a felicidade dos brutos. Quem não sabe que os tolos desfrutam de seus prazeres e que há grande variedade nos entretenimentos da maldade? A própria mente tem sua variedade de prazeres perversos, assim como o corpo, por exemplo, a insolência, a presunção, o orgulho, a arrogância, a preguiça e a sagacidade abusiva de transformar tudo em ridículo, ao passo que a virtude pesa tudo isso e o corrige. É o conhecimento tanto dos outros quanto de si mesmo que deve ser aprendido consigo mesmo, e a própria vontade pode ser ensinada, a qual não pode ser correta, a menos que todo o hábito da mente seja correto, de onde vem a vontade. É pelo impulso da virtude que amamos a virtude, de modo que o próprio caminho para a virtude é a virtude, que também considera, em uma visão geral, as leis da vida humana.

Também não devemos nos avaliar por um dia, uma hora ou qualquer ação, mas por todo o hábito da mente. Algumas pessoas fazem uma coisa corajosamente, mas não fazem outra, porque elas se encolhem diante da infâmia e resistem à pobreza. Nesse caso, elogiamos o fato, mas desprezamos o indivíduo. A alma nunca está no lugar certo até que seja libertada dos cuidados com os assuntos humanos, por isso devemos trabalhar e subir a colina se quisermos chegar à virtude, cujo assento está no topo dela. Aquele que domina a avareza e é verdadeiramente bom, mantém-se firme contra a ambição, encara sua última hora não como um castigo, mas como a equidade de um destino comum. Já aquele que subjuga seus desejos carnais facilmente se manterá imune a qualquer outro, de modo que a razão não encontra um ou outro vício por si só, mas derruba todos de um só golpe. O que lhe importa a ignomínia, se ele se avalia apenas pela consciência, e não pela opinião? Sócrates encarou uma morte escandalosa com a mesma constância que havia praticado antes com os trinta tiranos, uma vez que sua virtude consagrou a própria masmorra, assim como a repulsa de Catão[30] foi a honra de Catão e a reprovação do governo. Aquele que é sábio se deleitará até em uma opinião ruim que seja bem obtida, pois é ostentação, e não virtude, quando um ser humano quer que suas boas ações sejam publicadas. Não é suficiente ser justo onde há honra a ser obtida, mas continuar assim, desafiando a infâmia e o perigo.

---

30 Catão se destacou por sua defesa conservadora das tradições romanas contra o luxo e a frivolidade da corrente helenística oriunda do contato cada vez maior de Roma com o Oriente, bem como por sua habilidade como escritor e historiador (VIDAL, Gerardo. **Catón el viejo y la primera asimilación romana de la cultura griega**. [S.l.: s.n.] p. 115-26, 2002).

CAFÉ COM OS ESTOICOS

A virtude não pode ficar escondida, pois virá o tempo que a ressuscitará (mesmo depois de enterrada) e a libertará da malignidade da era que a oprimiu, já que a glória imortal é a sombra dela e a acompanha, quer queiramos ou não. Mas às vezes a sombra precede a substância, e outras vezes a segue, e quanto mais tarde ela vier, maior será, quando até a própria inveja terá cedido lugar a ela. Foi por muito tempo que Demócrito[31] foi tido como louco, e antes que Sócrates tivesse qualquer estima no mundo. Quanto tempo se passou até que Catão pudesse ser compreendido? Não, ele foi afrontado, desprezado e rejeitado, e as pessoas nunca souberam o valor dele até que o perderam. A integridade e a coragem do louco Rutílio[32] foram esquecidas, exceto por seus sofrimentos. Falo daqueles que a fortuna tornou famosos por suas perseguições. Há outros também que o mundo nunca tomou conhecimento até que estivessem mortos, como Epicuro e Metrodoro[33], que eram quase totalmente desconhecidos, mesmo no lugar onde viviam. Agora, assim como o corpo deve ser mantido em uma descida e forçado a subir, há algumas virtudes que exigem rédea e outras, espora. Na liberalidade, na temperança, na gentileza da natureza, devemos nos controlar por medo de cair. Porém, na paciência, nas resoluções e na perseverança, onde devemos subir a colina, precisamos de incentivo. Com relação a essa divisão do assunto, prefiro seguir o caminho mais suave a passar pelas experiências de suor e sangue. Sei que é meu dever estar satisfeito em todas as condições, mas, ainda assim, se fosse minha escolha, eu escolheria a mais justa. Quando uma pessoa chega a necessitar de fortuna sua vida se torna ansiosa, desconfiada, tímida, dependente de cada momento e com medo de todos os acidentes. Como pode um indivíduo resignar-se a Deus, ou suportar sua sorte, seja ela qual for, sem murmurar, e submeter-se ale-

---

31 Demócrito de Abdera (460 a.C.-370 a.C.) foi um filósofo pré-socrático da Grécia Antiga que desenvolveu o atomismo, teoria segundo a qual o Universo e tudo o que existe são compostos por elementos indivisíveis chamados átomos. Também criou a teoria de que haveria muitos outros mundos como o planeta Terra.
32 Públio Rutílio Rufo foi um estudioso da literatura e da filosofia gregas da República Romana eleito cônsul. Ele foi acusado de extorsão e condenado, apesar de a acusação ter sido falsa.
33 Mencionado no diálogo de Platão, *Íon*, Metrodoro foi um filósofo grego da escola epicurista. Embora tenha sido um dos quatro principais proponentes do epicurismo, restam apenas fragmentos de suas obras.

gremente à Providência, que se encolhe a cada movimento de prazer ou dor? É somente a virtude que nos eleva acima das tristezas, esperanças, medos e chances, tornando-nos não apenas pacientes, mas também dispostos, como se soubéssemos que tudo o que sofremos está de acordo com o decreto do Céu. Aquele que é dominado pelo prazer (um inimigo tão desprezível e fraco), o que será dele quando tiver de enfrentar perigos, necessidades, tormentos, morte e a dissolução da própria natureza? Riqueza, honra e favores podem vir a uma pessoa por acaso, podem ser lançados sobre ele sem que ele sequer os procure. Mas a virtude é obra do trabalho, e certamente vale a pena adquirir esse bem que traz todos os outros com ele. Um ser humano bom é feliz dentro de si mesmo e independente da sorte, gentil com seu amigo, moderado com seu inimigo, religiosamente justo, incansavelmente trabalhador e cumpridor de todos os deveres com constância e congruência de ações.

A FILOSOFIA É O GUIA DA VIDA

Se for verdade que o entendimento e a vontade são as duas faculdades eminentes da alma sensata, segue-se necessariamente que a sabedoria e a virtude (que são os melhores aperfeiçoamentos dessas duas faculdades) devem ser também a perfeição de nosso ser sensato e, consequentemente, o fundamento inegável de uma vida feliz. Não há nenhum dever ao qual a Providência não tenha anexado uma bênção, tampouco nenhuma instituição do Céu para a qual, mesmo nesta vida, não possamos ser melhores. Também não há nenhuma tentação, seja da sorte ou do apetite, que não esteja sujeita à nossa razão, tampouco qualquer paixão ou aflição para a qual a virtude não tenha fornecido um remédio. De modo que é nossa culpa se temermos ou esperamos alguma coisa, sendo que essas duas aflições são a raiz de todas as nossas misérias. Por essa perspectiva geral do fundamento de nossa tranquilidade, passaremos gradualmente a uma consideração particular dos meios pelos quais ela pode ser obtida e dos impedimentos que a obstruem, começando com a filosofia que diz respeito principalmente a nossas maneiras e nos instrui sobre como ter uma vida virtuosa e tranquila.

A filosofia é dividida em moral, natural e racional. A primeira, diz respeito a nossas maneiras; a segunda pesquisa as obras da natureza; e a terceira nos capacita com a propriedade de palavras e argumentos, bem como a faculdade de distinguir, para que não sejamos enganados com truques e falácias. As causas das coisas se enquadram na filosofia natural, os argumentos na filosofia racional, e as ações na filosofia moral. A filosofia moral é novamente dividida em matéria de justiça, que surge da estimativa das coisas e das pessoas, bem como em afeições e ações, sendo que uma falha em qualquer uma delas perturba todo o resto, pois, de que nos adianta conhecer o verdadeiro valor das coisas se somos levados por nossa paixão? Ou de que nos adianta dominar nossos apetites sem entender o quando, o quê, o como e outras circunstâncias de nossos procedimentos? Uma coisa é conhecer o valor e a dignidade das coisas, e outra é conhecer os pequenos detalhes e as molas da ação. Já a filosofia natural é o conhecimento das coisas corpóreas e incorpóreas, a investigação das causas e efeitos, e a contemplação da causa das causas. A filosofia racional, por sua vez, é dividida em lógica e retórica. Ao passo que a primeira trata das palavras, do sentido e da ordem, a segunda (retórica) trata apenas das palavras e de seus significados. Sócrates coloca toda a filosofia na moral, e a sabedoria na distinção entre o bem e o mal. Ela é a arte e a lei da vida e nos ensina o que fazer em todos os casos e, como bons atiradores, a acertar o alvo a qualquer distância. Sua força é incrível, pois nos dá, na fraqueza de um indivíduo, a segurança de um espírito. Na doença, ela é tão boa quanto um remédio para nós, pois tudo o que alivia a mente também é benéfico para o corpo. O médico pode prescrever dieta e exercícios, e adaptar suas regras e remédios à doença, mas é a filosofia que deve nos levar a desprezar a morte, que é o remédio para todas as doenças. Na pobreza, ela nos dá riquezas, ou um estado de espírito que as torna supérfluas para nós. Ela nos arma contra todas as dificuldades, porque uma pessoa é pressionada pela morte, outra pela pobreza, e algumas pela inveja, outras ainda estão ofendidas com a Providência e insatisfeitas com a condição da humanidade. Mas a filosofia nos leva a aliviar o prisioneiro, o enfermo, o necessitado, o condenado, faz que mostremos aos ignorantes seus erros e, assim, retifiquemos suas afeições. Ela nos faz inspecionar e governar nossas maneiras, desperta-nos quando estamos fracos e sonolentos, ela amarra o que está solto e humilha em nós o que é contumaz. Liberta a mente da escravidão do corpo e a eleva à contemplação de sua origem divina. Honras, monumentos e todas as obras da vaidade e da ambição são demolidos e destruídos pelo tempo, mas a reputação da sabedoria é venerável para a posteridade, e aqueles que foram invejados ou negligenciados em suas vidas são adorados em suas memórias e isentos das próprias leis da natureza, que estabeleceu limites para todas as outras coisas. A própria sombra da glória leva uma pessoa de honra a todos os perigos, ao desprezo do fogo e da espada, e seria uma vergonha se a razão correta não inspirasse resoluções tão generosas em uma pessoa virtuosa.

A filosofia não é proveitosa apenas para o público, mas um sábio ajuda outro, mesmo no exercício das virtudes, porque um sábio precisa do outro, tanto para conversar quanto para aconselhar, pois eles estimulam uma emulação mútua em boas obras. Não somos tão perfeitos, mas muitas coisas novas ainda precisam ser descobertas, o que nos dará as vantagens recíprocas de nos instruirmos uns aos outros, pois assim como um indivíduo perverso é contagioso para outro, e quanto mais vícios são misturados, pior é, ao contrário, com os bons e suas virtudes.

Assim como os indivíduos de letras são os mais úteis e excelentes amigos, também são os melhores súditos, justamente por serem melhores juízes das bênçãos de que desfrutam sob um governo bem ordenado e em razão do que devem ao magistrado para sua liberdade e proteção. Eles são sóbrios e instruídos, e livres de ostentação e insolência, reprovam o vício sem reprovar a pessoa, pois aprenderam a não ter pompa nem inveja. O que vemos nas altas montanhas, encontramos nos filósofos, eles parecem mais altos ao alcance da mão do que a distância. Eles são elevados acima das outras pessoas, mas sua grandeza é substancial. Tampouco ficam na ponta dos pés para parecerem mais altos do que são, mas, satisfeitos com a própria estatura, consideram-se suficientemente altos quando a sorte não os alcança. Suas leis são curtas, mas também abrangentes, pois obrigam a todos.

É uma dádiva da natureza o fato de vivermos, mas é uma dádiva da filosofia o fato de vivermos bem, o que, na verdade, é um benefício maior do que a própria vida. A filosofia também é uma dádiva do Céu, no que diz respeito à faculdade, mas não à ciência, pois isso deve ser tarefa do trabalho humano. Nenhuma pessoa nasce sábia, mas a sabedoria e a virtude requerem um tutor, embora possamos facilmente aprender a ser perversos sem um mestre. É a filosofia que nos dá veneração por Deus, caridade pelo próximo, que nos ensina nosso dever para com o Céu e nos exorta a concordar uns com os outros. Ela desmascara as coisas que nos são terríveis, aplaca nossas luxúrias, refuta nossos erros, restringe nosso luxo, reprova nossa avareza e trabalha estranhamente sobre naturezas ternas. Nunca pude ouvir Átalo[34] (diz Sêneca) falar sobre os vícios da época e os erros da vida sem sentir compaixão pela humanidade, e em seus discursos sobre a pobreza, havia algo mais do que humano. "Mais do que usamos", diz ele, "é mais do que precisamos, e apenas um fardo para o portador". Essa frase me deixou sem graça diante dos supérfluos de minha fortuna. E assim, em seus discursos contra os prazeres vãos, ele promoveu de tal forma as felicidades de uma mesa sóbria, de uma mente pura e de um corpo casto, que não era possível ouvi-lo sem amar a continência e a moderação. Após essas palestras, neguei a mim mesmo, por algum tempo, certas iguarias que eu costumava consumir, mas em pouco tempo voltei a consumi-las, embora com tanta parcimônia, que a proporção não chegava nem perto de uma abstinência total.

Agora, para mostrar a vocês (diz nosso autor) o quanto minha entrada na filosofia foi mais séria do que meu progresso, meu tutor Sotion[35] me deu uma maravilhosa simpatia por Pitágoras e, depois dele, por Quinto Séxtio. O primeiro, proibiu o derramamento de sangue em sua metempsicose e colocou os homens com medo dela, para que não ofe-

---

34 Átalo foi um filósofo estoico do reinado de Tibério, por volta de 25 d.C. Ele foi despojado de sua propriedade e exilado, passando a viver em um lugar onde foi reduzido a cultivar a terra. Sêneca o descreve como um homem de grande eloquência, o filósofo mais perspicaz de sua época.

35 Sotion, natural de Alexandria, foi um filósofo grego neopitagórico que viveu na época de Tibério e pertencia à escola dos Sextii, fundada pelo filósofo da Roma Antiga Quinto Séxtio, que combinava o pitagorismo com o estoicismo. Sotion foi o professor de Sêneca, em sua juventude, derivando dele sua admiração pelo pitagorismo, inclusive citando os pontos de vista de Sotion sobre o vegetarianismo e a migração da alma (FRANKEL, Hermann. **Ovid**: a poet between two worlds. California, EUA: University of California Press, 2021, p. 108.).

recessem violência às almas de alguns de seus amigos ou parentes falecidos. "Quer", diz ele, "haja transmigração ou não; se for verdadeira, não há mal; se for falsa, há frugalidade: e nada se obtém com crueldade, a não ser o cozimento de um lobo, talvez, ou de um abutre, de uma ceia".

Ora, Séxtio se absteve por outro motivo, que era o fato de que ele não queria que as pessoas ficassem com o coração endurecido pela dilaceração e pelo tormento de criaturas vivas. Além disso, "a natureza havia provido suficientemente o sustento da humanidade sem sangue". Isso me influenciou tanto que deixei de comer carne e, em um ano, tornei isso não apenas fácil, mas agradável para mim, inclusive minha mente estava mais livre (e eu ainda sou da mesma opinião), mas, mesmo assim, deixei de comer carne pela seguinte razão: foi imputada como uma superstição aos judeus a tolerância de alguns tipos de carne, e meu pai me trouxe de volta ao meu antigo costume, para que eu não fosse considerado contaminado pela superstição deles. Eu tive muito trabalho para me convencer a tolerar isso também. Faço uso desse exemplo para mostrar a aptidão dos jovens para receber boas impressões, se houver um amigo por perto para os pressionar. Os filósofos são os tutores da humanidade, porque se eles descobriram remédios para a mente, deve ser nossa parte os empregar.

DA LEVIANDADE DA MENTE E OUTROS IMPEDIMENTOS PARA UMA VIDA FELIZ

Agora, para resumir o que já foi dito, mostramos o que é a felicidade e em que ela consiste: ela se baseia na sabedoria e na virtude, pois devemos primeiro saber o que devemos fazer e, depois, viver de acordo com esse conhecimento. Também discorremos sobre os auxílios da filosofia e dos preceitos para uma vida feliz, a bênção de uma boa consciência, e que uma boa pessoa nunca pode ser miserável, tampouco uma pessoa perversa pode ser feliz nem qualquer pessoa que não se submeta alegremente à Providência. Examinaremos agora como é possível que, quando o caminho certo para a felicidade está tão claro diante de nós, as pessoas ainda assim sigam seu curso para o outro lado, o que manifestamente leva à ruína.

Há alguns que vivem sem nenhum projeto e apenas passam pelo mundo como palhas em um rio, os quais não vão, mas são levados. Outros deliberam apenas sobre as partes da vida, e não sobre o todo, o que é um grande erro, pois não há como dispor das circunstâncias da vida, a menos que primeiro proponhamos o escopo principal. Ou que vento lhe servirá se ainda não estiver decidido sobre seu porto? Vivemos como que por acaso, e por acaso somos governados. Há quem se atormente com a lembrança do passado: "Senhor, o que eu suportei? Nunca houve uma pessoa em minha condição; todos me abandonaram; meu coração estava prestes a se partir". Outros se afligem com a apreensão de males futuros, e de forma muito ridícula, pois um não nos diz respeito agora, e o outro ainda não. Além disso, pode haver remédios para males que provavelmente acontecerão, pois eles nos avisam por meio de sinais e sintomas de sua aproximação. Aquele que quiser ficar quieto, tome cuidado para não provocar os homens que estão no poder, mas viva sem ofender; e se não pudermos fazer de todos os grandes homens nossos amigos, será suficiente evitar que sejam nossos inimigos. Isso é algo que devemos evitar, como um marinheiro evitaria uma tempestade.

Um marinheiro imprudente nunca considera o vento que sopra ou o rumo que toma, mas se arrisca, como se quisesse enfrentar os rochedos e os redemoinhos, ao passo que aquele que é cuidadoso e atencioso se informa de antemão onde está o perigo e como será o tempo. Ele consulta sua bússola e se mantém afastado dos lugares que são propícios a naufrágios e a acidentes. Assim faz um sábio nos negócios comuns da vida: ele se mantém fora do caminho daqueles que podem lhe fazer mal. Mas é uma questão de prudência não deixar que eles percebam que ele faz isso de propósito, pois aquilo que uma pessoa evita, ela tacitamente condena. Que ela tenha cuidado também com os ouvintes, os que se ocupam de notícias e os que se intrometem em assuntos alheios, pois seus discursos são geralmente sobre coisas que nunca são proveitosas e, na maioria das vezes, são perigosas tanto para serem faladas quanto ouvidas.

CAFÉ COM OS ESTOICOS

A leviandade da mente é um grande obstáculo ao repouso, e a própria mudança de iniquidade é um acréscimo à iniquidade, porque é a inconstância somada à iniquidade. Abandonamos a coisa que buscávamos e, depois, a retomamos, e assim dividimos nossa vida entre a luxúria e o arrependimento. De um apetite passamos a outro, não tanto por escolha, mas por mudança, e há um controle de consciência que lança uma umidade sobre todos os nossos prazeres ilegais, o que nos faz perder o dia na expectativa da noite, e a própria noite por medo da luz que se aproxima.

Algumas pessoas nunca estão quietas, outras estão sempre, e ambas são culpadas, pois o que parece vivacidade e trabalho em uma é apenas inquietação e agitação, ao passo que o que parece moderação e reserva na outra é apenas uma preguiça sonolenta e inativa. Deixemos que o movimento e o repouso se revezem, de acordo com a ordem da natureza, que cria o dia e a noite. Alguns estão perpetuamente mudando de uma coisa para outra; outros, por sua vez, fazem de toda a sua vida uma espécie de sono incômodo. Há ainda alguns que ficam se revirando até que o cansaço os faça descansar, ao passo que outros não posso chamar de inconstantes, mas de preguiçosos. Existem muitas propriedades e diversidades de vícios, mas um de seus efeitos infalíveis é viver descontente. Todos nós trabalhamos sob desejos desordenados. Ou somos tímidos e não ousamos nos aventurar, ou nos aventuramos e não temos sucesso, ou então nos lançamos em esperanças incertas, onde estamos perpetuamente solícitos e em suspense. Nessa distração, somos capazes de propor a nós mesmos coisas desonestas e difíceis, e quando nos esforçamos muito e sem sucesso, chegamos a nos arrepender de nossos empreendimentos, temos medo de continuar e não conseguimos dominar nossos apetites nem os obedecer. Vivemos e morremos inquietos e irresolutos e, o que é pior de tudo, quando nos cansamos do público e nos entregamos à solidão para nos aliviarmos, nossa mente está doente e chafurdando, e a própria casa e as paredes nos incomodam, ficamos impacientes e envergonhados de nós mesmos, e reprimimos nossa irritação interior até que ela nos parta o coração por falta de vazão. É isso que nos torna azedos e melancólicos, invejosos dos outros e insatisfeitos com nós mesmos, até que, por fim, entre nossos problemas com o sucesso dos outros e o desespero com o nosso sucesso, caímos em desgraça com a sorte e com os tempos, e talvez fiquemos em um canto, onde nos sentamos remoendo nossas inquietações. Nessas disposições há uma espécie de fantasia pruriginosa que faz que algumas pessoas se deliciem com o trabalho e a inquietação, como se estivessem arranhando uma coceira até o sangue começar a sair.

É isso que nos coloca em viagens errantes. Um tempo por terra, mas ainda desgostosos com o presente, a cidade nos agrada hoje, o campo amanhã, os esplendores da corte em um momento, os horrores de um deserto em outro, mas o tempo todo carregamos nossa praga conosco, pois não é do lugar que estamos cansados, mas de nós mesmos. Nossa fraqueza se estende a tudo, pois somos impacientes tanto com o trabalho quanto com o prazer. Esse trote no ringue e o fato de pisar nos mesmos degraus repetidamente fez muitas pessoas se matarem com violência. Deve ser a mudança da mente, e não do clima, que removerá o peso do coração. Nossos vícios nos acompanham, e carregamos em nós mesmos as causas de nossas inquietações. Há um grande peso sobre nós, e o simples fato de chocá-lo o torna ainda mais desconfortável. Mudar de país, nesse caso, não é viajar, mas vagar. Devemos continuar em nosso curso se quisermos chegar ao fim de nossa jornada. "Aquele que não pode viver feliz em qualquer lugar, não viverá feliz em lugar algum". O que uma pessoa tem de melhor para viajar? Como se suas preocupações não pudessem encontrá-la onde quer que ela vá? Há como se retirar do medo da morte, dos tormentos ou das dificuldades que assolam o ser humano onde quer que ele esteja? É somente a filosofia que torna a mente invencível e nos coloca fora do alcance da fortuna, de modo que todas as suas flechas não nos atingem. É ela que recupera a fúria de nossos desejos e adoça a ansiedade de nossos temores. A mudança frequente de lugares ou conselhos mostra uma instabilidade mental, e precisamos fixar o corpo antes de fixar a alma. Dificilmente podemos sair de casa ou olhar ao nosso redor sem encontrar algo que reavive nossos apetites. Da mesma forma que aquele que deseja se livrar de um amor infeliz evita tudo o que possa fazê-lo se lembrar da pessoa, aquele que deseja se livrar totalmente de suas amadas luxúrias deve evitar todos os objetos que possam colocá-las novamente em sua mente e lembrá-lo delas. Viajamos, como as crianças, correndo para cima e para baixo atrás de paisagens estranhas, em busca de novidade, não de lucro. Não voltamos nem melhores nem mais sãos, e a própria agitação nos prejudica. Aprendemos a chamar as cidades e os lugares por seus nomes e a contar histórias de montanhas e rios. Mas, será que nosso tempo não teria sido mais bem gasto no estudo da sabedoria e da virtude? No aprendizado do que já foi descoberto e na busca de coisas que ainda não foram descobertas? Se uma pessoa quebrar a perna ou torcer o tornozelo, ela logo chamará um cirurgião para consertar tudo, e não montará em um cavalo ou embarcará em um navio. A mudança de lugar não afeta mais nossas mentes desordenadas do que nossos corpos. Não é o lugar, espero, que faz um orador ou um médico. Alguém perguntará na estrada: "Por favor, qual é o caminho para a prudência, para a justiça, para a temperança, para a fortaleza? Não importa aonde vá um indivíduo que leve consigo suas afeições. Aquele que deseja tornar suas viagens agradáveis deve ter um companheiro moderado.

Um grande viajante estava reclamando que nunca foi o melhor de suas viagens. "Isso é verdade", disse Sócrates, "porque você viajou consigo mesmo". Ora, não seria melhor ele ter se transformado em outro homem do que se transportar para outro lugar? Não importa que maneiras encontremos em qualquer lugar, desde que levemos as nossas. Mas todos nós temos uma curiosidade natural de ver belas paisagens e fazer novas descobertas, revirar antiguidades, aprender os costumes das nações. Nunca estamos tranquilos, porque hoje procuramos um cargo, amanhã estamos cansados dele. Dividimos nossa vida entre a aversão ao presente e o desejo do futuro. Mas aquele que vive como deve, ordena-se de modo a não temer nem desejar o amanhã. Se ele vier, será bem-vindo, mas se não vier, não há nada perdido, pois o que está por vir é apenas o mesmo que já passou. Assim como a leviandade é um inimigo pernicioso da tranquilidade, a pertinácia também é um grande inimigo. Uma não muda nada, a outra não se apega a nada, e podemos nos perguntar qual das duas é a pior. Muitas vezes vemos que imploramos sinceramente por coisas que, se nos fossem oferecidas, recusaríamos, e é justo punir essa facilidade de pedir com a mesma facilidade de conceder. Há algumas coisas que pensamos que desejamos, mas estamos tão longe de desejar que as tememos. "Eu vou cansá-lo", diz alguém, no meio de uma história tediosa. "Não, por favor, continue", gritamos, embora desejemos que ele solte a língua no meio do caminho. Não, não lidamos com sinceridade sequer com o próprio Deus. Nesses casos, deveríamos dizer a nós mesmos: "Isso eu atraí para mim. Eu nunca poderia ficar tranquilo até conseguir essa mulher, esse lugar, esse patrimônio, essa honra, e agora veja o que aconteceu".

Um remédio soberano contra todos os infortúnios é a constância da mente. A mudança de semblantes parece que uma pessoa foi levada pelo vento. Nada pode estar acima daquele que está acima da fortuna. Não é a violência, a reprovação, o desprezo ou qualquer outra coisa que venha de fora que pode fazer um sábio desistir de sua posição, mas ele é à prova de calamidades, tanto grandes quanto pequenas. Nosso único erro é que o que não podemos fazer nós mesmos, e pensarmos que ninguém mais pode, de modo que julgamos os sábios pelas medidas dos fracos. Coloquem-me entre príncipes ou entre mendigos, um não me deixará orgulhoso, tampouco o outro envergonhado. Posso dormir tão bem em um celeiro quanto em um palácio, e um feixe de feno me dá um alojamento tão bom quanto uma cama de plumas. Se todos os dias realizassem meu desejo, isso não me deixaria abalado, tampouco me consideraria miserável se não tivesse uma hora de tranquilidade em minha vida. Não vou me deixar levar nem pela dor nem pelo prazer; mas, apesar de tudo isso, eu poderia desejar ter um jogo mais fácil para jogar, e que eu fosse colocado mais para moderar minhas alegrias do que minhas tristezas. Se eu fosse um príncipe imperial, preferiria tomar a ser tomado. No entanto, eu teria a mesma mente sob a carruagem de meu conquistador que eu tinha em minha carruagem. Não é uma grande questão pisotear as coisas que são mais cobiçadas ou temidas pelas pessoas comuns. Há aqueles que rirão sobre a roda e se lançarão em uma morte certa, apenas por um impulso de amor, talvez raiva, avareza ou vingança, quanto mais por um instinto de virtude, que é invencível e estável! Se uma breve obstinação da mente pode fazer isso, quanto mais uma virtude composta e deliberada, cuja força é igual e perpétua.

Para nos assegurarmos neste mundo, em primeiro lugar, não devemos almejar nada que as pessoas considerem digno de disputa. Em segundo lugar, não devemos valorizar a posse de qualquer coisa que qualquer ladrão comum acharia que valeria a pena roubar. O corpo de um ser humano não é um saque. Que o caminho nunca seja tão perigoso para roubos, os pobres e os nus passam tranquilamente. Uma sinceridade de maneiras simples torna a vida de uma pessoa feliz, mesmo a despeito do desprezo e do desdém, que é o destino de todo ser humano. Mas é melhor ainda sermos desprezados por causa da simplicidade do que ficar perpetuamente sob a tortura de uma falsificação, desde que se tome cuidado para não confundir simplicidade com negligência. Além disso, a vida de um disfarce é muito incômoda para um indivíduo que parece ser o que não é, que mantém uma guarda perpétua sobre si mesmo e vive com medo de ser descoberto. Ele considera todos que o olham um espião, além do incômodo de ser obrigado a desempenhar o papel de outra pessoa. É um bom remédio, em alguns casos, que uma pessoa se dedique a assuntos civis e negócios públicos. No entanto, também nesse estado de vida, entre a ambição e a calúnia, dificilmente é seguro ser honesto. Há, de fato, alguns casos em que um sábio cederá; mas que ele também não ceda facilmente. Se ele marchar, que tenha cuidado com sua honra e faça sua retirada com a espada na mão e o rosto voltado para o inimigo. De todas as outras, a vida estudiosa é a menos cansativa, pois ela nos torna fáceis para nós mesmos e para os outros, e nos dá amigos e reputação.

AS BÊNÇÃOS DA TEMPERANÇA E DA MODERAÇÃO

Não há nada que seja necessário para nós que não seja barato ou gratuito, e essa é a provisão que nosso pai celestial fez para nós, cuja generosidade nunca faltou às nossas necessidades. É verdade que o estômago anseia e clama por nós, mas então uma pequena coisa o satisfaz, isto é, um pouco de pão e água é suficiente, e todo o resto é supérfluo. Aquele que vive de acordo com a razão nunca será pobre, e aquele que governa sua vida pela opinião nunca será rico, pois a natureza é limitada, mas a fantasia é ilimitada. Quanto à carne, às roupas e ao alojamento, um pouco alimenta o corpo e o mesmo pouco o cobre, de modo que se a humanidade apenas atendesse à natureza humana, sem se apegar a supérfluos, um cozinheiro seria tão desnecessário quanto um soldado, pois podemos ter o necessário em condições muito fáceis, ao passo que nos submetemos a grandes esforços por excessos. Quando estamos com frio, podemos nos cobrir com peles de animais; e, contra o calor violento, temos grutas naturais; ou, com alguns vimes e um pouco de barro, podemos nos defender contra todas as estações. A Providência tem sido mais bondosa conosco do que nos deixar vivendo por nossa inteligência e necessitando de invenções e artes. São apenas o orgulho e a curiosidade que nos envolvem em dificuldades. Se nada serve a uma pessoa, a não ser roupas e móveis ricos, estátuas e pratos, um numeroso grupo de criados e as raridades de todas as nações, não é culpa da fortuna, mas dele próprio, que ele não esteja satisfeito, pois seus desejos são insaciáveis, e isso não é uma sede, mas uma doença. E se ela fosse dona do mundo inteiro, continuaria sendo como um mendigo. É a mente que nos torna ricos e felizes, em qualquer condição que estejamos, e o dinheiro não significa mais para ela do que para os deuses. Se a religião for sincera, não importam os ornamentos, pois são apenas o luxo e a avareza que tornam a pobreza penosa para nós. É uma questão muito pequena que faz o nosso trabalho, e quando nos prevenimos contra o frio, a fome e a sede, todo o resto não passa de vaidade e excesso, porque não há necessidade de gastar com iguarias estrangeiras ou com os artifícios da cozinha. Não, não é melhor para um indivíduo, porque não é capaz de pagar por elas? Pois ele é mantido são, quer queira ou não, e o que um ser humano não pode fazer, muitas vezes parece que ele não quer. Quando olho para trás, para a moderação das eras passadas, fico envergonhado de falar, como se a pobreza precisasse de qualquer consolo, pois agora chegamos a um grau de intemperança em que um patrimônio justo é muito pouco para uma refeição. Homero tinha apenas um servo, Platão, três, e Zenão (o mestre da seita masculina dos estoicos) não tinha nenhum. As filhas de Cipião recebiam suas porções do tesouro comum, pois seu pai não lhes deixava um centavo. Como eram felizes os maridos que tinham o povo de Roma como sogro! Será que alguém pode agora condenar a pobreza depois desses exemplos eminentes, que são suficientes não apenas para justificá-la, mas para a recomendar? Quando o único servo de Diógenes[36] fugiu dele, disseram-lhe onde ele estava e o persuadiram a trazê-lo de volta: "Como", pergunta ele, "pode Manes viver sem Diógenes, e não Diógenes sem Manes?". Assim o deixou ir. A piedade e a moderação de Cipião tornaram sua memória mais venerável do que suas armas, e mais ainda depois que ele deixou seu país do que enquanto o defendia, pois as coisas chegaram a tal ponto que ou Cipião deveria ser prejudicial a Roma ou Roma a Cipião. O pão grosso e a água para um homem temperado são tão bons quanto um banquete; e as próprias ervas do campo alimentam tanto o ser humano quanto os animais. Não foi por meio de carnes e perfumes escolhidos que nossos antepassados se tornaram célebres, mas por ações virtuosas e pelo suor de trabalhos honestos, militares e viris. Enquanto a natureza estivesse em comum e todos os seus benefícios fossem promiscuamente desfrutados, o que poderia ser mais feliz do que o estado da humanidade, quando as pessoas viviam sem avareza ou inveja? O que poderia ser mais rico do que o fato de não haver uma pessoa pobre no mundo? Assim que essa generosidade imparcial da Providência passou a ser restringida pela cobiça, e que as pessoas se apropriaram daquilo que era destinado a todos, então a pobreza se infiltrou no mundo, quando algumas pessoas, ao desejarem mais do que lhes cabia, perderam o direito ao restante, uma perda que nunca será reparada, pois, embora possamos vir a ter muito, já tivemos tudo. Naqueles dias, os frutos da terra eram divididos entre seus habitantes, sem falta ou excesso. Enquanto os seres humanos se contentavam com sua sorte, não havia violência, tampouco apropriação ou ocultação desses benefícios para vantagens particulares, que eram designadas para a comunidade. Mas cada pessoa tinha tanto cuidado com seu próximo quanto consigo mesma. Não havia armas nem derramamento de sangue, nenhuma guerra, a não ser com animais selvagens; e sob a proteção de um bosque ou de uma caverna, eles passavam seus dias sem preocupações e suas noites sem gemidos; sua inocência era a mesma que a de seus companheiros. Sem armas ou derramamento de sangue, sem guerra, a não ser com animais selvagens. Sob a proteção de um bosque ou de

---

36   Refere-se ao filósofo cínico grego Diógenes de Sinope, que ao ser perguntado se iria perseguir seu escravo fugitivo, sua resposta foi: "Seria ridículo, se Manes pode viver sem Diógenes, que Diógenes não pudesse viver sem Manes".

uma caverna, passavam seus dias sem preocupações e suas noites sem gemidos. Sua inocência era sua segurança e sua proteção. Ainda não havia camas de luxo nem ornamentos de pérolas ou bordados, tampouco qualquer um daqueles remorsos que os acompanham. Os céus eram sua cobertura, e as glórias deles, seu espetáculo. Os movimentos dos orbes, o curso das estrelas e a maravilhosa ordem da Providência eram sua contemplação. Não havia medo de que a casa caísse ou o farfalhar de um rato por trás das grades, porque eles não tinham palácios como nas cidades, mas tinham ar livre e espaço para respirar, fontes cristalinas, sombras refrescantes, os prados vestidos em sua beleza nativa e chalés que estavam de acordo com a natureza e nos quais viviam satisfeitos, sem medo de perder ou cair. Essas pessoas viviam sem solidão ou fraude e, ainda assim, devo considerá-las mais felizes do que sábias.

Não tenho dúvidas de que os seres humanos eram, em geral, melhores antes de serem corrompidos do que depois. Acredito que eles também eram mais fortes e mais resistentes, mas sua inteligência ainda não havia atingido a maturidade, pois a natureza não dá a virtude, e é uma espécie de arte tornar-se bom. Eles ainda não haviam rasgado as entranhas da terra em busca de ouro, prata ou pedras preciosas, e estavam tão longe de matar qualquer pessoa, como nós fazemos, por causa de um espetáculo, que ainda não haviam chegado a isso, nem por medo nem por raiva. De fato, eles poupavam os próprios peixes. Mas, depois de tudo isso, eles eram inocentes porque eram ignorantes, e há uma grande diferença entre não saber como ofender e não estar disposto a isso. Eles tinham, naquela vida rude, certas imagens e semelhanças de virtude, mas ainda assim estavam aquém da virtude propriamente dita, que só vem por meio de aprendizado e estudo, à medida que é aperfeiçoada pela prática. É de fato o fim para o qual nascemos, mas ainda assim não veio ao mundo conosco, e nas melhores pessoas, antes de serem instruídas, encontramos mais a matéria e as sementes da virtude do que a própria virtude. É a maravilhosa benignidade da natureza que nos abriu todas as coisas que podem nos fazer bem, e só escondeu de nós as coisas que podem nos prejudicar, como se ela não quisesse nos confiar ouro e prata, ou ferro, que é o instrumento de guerra e contenda, por outro lado. Fomos nós mesmos que tiramos da terra tanto as causas quanto os instrumentos de nossos perigos, e somos tão vaidosos a ponto de dar a mais alta estima àquelas coisas às quais a natureza atribuiu o lugar mais baixo. O que pode ser mais grosseiro e rude na mina do que esses metais preciosos, ou mais servil e sujo do que as pessoas que os escavam e trabalham? No entanto, eles contaminam nossas mentes mais do que nossos corpos, e tornam o possuidor mais sujo do que o artífice deles. Os ricos, em suma, são apenas os maiores escravos, pois tanto um quanto o outro precisam de muito.

Feliz é o homem que come apenas por fome e bebe apenas por sede, que se mantém em pé sobre as próprias pernas e vive pela razão, não pelo exemplo, e se abastece para uso e necessidade, não para ostentação e pompa! Vamos refrear nossos apetites, encorajar a virtude e preferir ficar em dívida com nós mesmos em relação às riquezas do que com a fortuna, que, quando um ser humano se limita a uma bússola estreita, não tem a menor chance de se aproximar dele. Que minha cama seja simples e limpa, e minhas roupas também, minha carne, sem muitas despesas ou muitos garçons, e que não seja um peso para meu bolso nem para meu corpo, que não saia da mesma forma que entrou. O que é muito pouco para o luxo, é abundante o suficiente para a natureza. O fim de comer e beber é a saciedade. Ora, o que importa que um coma e beba mais, e outro menos, desde que um não tenha fome nem o outro tenha sede? Epicuro[37], que limita o prazer à natureza, como os estoicos fazem com a virtude, está indubitavelmente certo; e aqueles que o citam para autorizar sua volúpia o confundem excessivamente, apenas buscando uma boa autoridade para uma causa má, pois seus prazeres de preguiça, gula e luxúria não têm nenhuma afinidade com seus preceitos ou significado. É verdade que, à primeira vista, sua filosofia parece efeminada, mas aquele que olhar mais de perto verá que ele é um homem muito corajoso, apenas vestido de mulher.

---

37 Epicuro (341 a.C.-271 a.C.) foi um filósofo grego da Era Helenística cuja filosofia pregava a procura dos prazeres moderados para atingir um estado de tranquilidade e de ausência de medo (ataraxia) junto da ausência de sofrimento corporal (aponia), pelo conhecimento do funcionamento do mundo e do estabelecimento de limites para os desejos. A combinação desses dois estados constituiria a felicidade na sua forma mais elevada (WILSON, Catherine. **Epicureanism**: a very short introduction. Oxford, United Kingdom: Oxford University Press, 2016).

É uma objeção comum, eu sei, que esses filósofos não vivem no ritmo em que falam, mas eles podem lisonjear seus superiores, acumular propriedades e ficar tão preocupados com a perda de fortuna ou de amigos quanto as outras pessoas, tão sensíveis a censuras, tão luxuosos em suas comidas e bebidas, seus móveis, suas casas, tão magníficos em seus pratos, criados e oficiais, tão profusos e curiosos em seus jardins. Bem, e o que dizer de tudo isso, ou se fosse vinte vezes mais? É um certo grau de virtude para um ser humano condenar a si mesmo, se ele não puder chegar ao melhor, ser ainda melhor do que o pior, e se ele não puder subjugar totalmente seus apetites, para controlá-los e os diminuir. Se eu não viver como prego, notem que não falo de mim mesmo, mas da virtude, e que não me ofendo tanto com os vícios das outras pessoas quanto com os meus. Tudo isso foi contestado por Platão, Epicuro, Zenão, e nenhuma virtude é tão sagrada a ponto de escapar da malevolência. O cínico Demétrio foi um grande exemplo de severidade e mortificação, e alguém que não se impôs a possuir nada, sequer a pedir, e ainda assim ele foi desprezado, pois sua profissão era a pobreza, não a virtude. Platão foi acusado de pedir dinheiro; Aristóteles, de recebê-lo; Demócrito, de negligenciá-lo; Epicuro, de o consumir. Como seríamos felizes se pudéssemos imitar os vícios desses homens, pois se conhecêssemos nossa condição, encontraríamos trabalho suficiente em casa. Mas somos como pessoas que estão se divertindo em uma peça de teatro ou em uma taverna quando as próprias casas estão pegando fogo, e ainda assim não sabem de nada. Não, diz-se que o próprio Catão era um bêbado, mas será mais fácil provar que a embriaguez em si não é crime do que a desonestidade de Catão. Aqueles que destroem templos e derrubam altares demonstram sua boa vontade, embora não possam fazer mal algum aos deuses, e o mesmo acontece com aqueles que invadem a reputação de grandes homens.

Se os professantes da virtude são como o mundo os chama, avarentos, libidinosos, ambiciosos – o que são, então, aqueles que detestam o próprio nome da virtude? É prática da multidão latir para os homens eminentes como os cachorrinhos fazem com os estranhos, pois consideram as virtudes dos outros homens como a repreensão da própria maldade. Deveríamos fazer bem em elogiar aqueles que são bons, se não, passemos por cima deles. No entanto, vamos nos poupar, pois além de blasfemar contra a virtude, nossa raiva é inútil.

Estamos prontos o suficiente para limitar os outros, mas relutamos em colocar amarras e restrições em nós mesmos, embora saibamos que muitas vezes um mal maior é curado por um menor, e a mente que não quer ser levada à virtude por preceitos, chega a ela frequentemente por necessidade. Vamos tentar comer em um banco comum, servir a nós mesmos, viver dentro do possível e adaptar nossas roupas para o fim para o qual foram feitas. Experiências ocasionais de nossa moderação nos dão a melhor prova de nossa firmeza e virtude. Um apetite bem controlado é uma grande parte da liberdade, e é uma sorte abençoada que, uma vez que nenhuma pessoa pode ter todas as coisas que gostaria de ter, todos nós possamos deixar de desejar o que não temos. É função da temperança nos controlar em nossos prazeres, alguns ela rejeita, outros ela qualifica e mantém dentro dos limites. Oh! As delícias do descanso quando um indivíduo está cansado, e da carne quando ele está com muita fome.

Aprendi (diz nosso autor) em uma viagem quantas coisas supérfluas temos e como elas podem ser facilmente poupadas, pois quando estamos sem elas por necessidade, tampouco sentimos sua falta. É o segundo dia abençoado (diz ele) em que meu amigo e eu viajamos juntos. Uma carroça carrega a nós e a nossos criados, meu colchão fica no chão e eu em cima dele. Nossa alimentação é compatível com nosso alojamento, e nunca ficamos sem nossos figos e nossos livros de mesa. O condutor da mula não tem sapatos, e as mulas só provam que estão vivas quando andam. Nesse equipamento, não estou disposto, percebo, a me apresentar, mas sempre que temos uma companhia melhor, logo me ruborizo, o que mostra que ainda não estou confirmado nas coisas que aprovo e recomendo. Ainda não consegui reconhecer minha frugalidade, pois aquele que se envergonha de ser visto em uma condição ruim teria orgulho de uma condição esplêndida. Eu me valorizo pelo que os outros pensam de mim e renuncio tacitamente aos meus princípios, quando eu deveria levantar minha voz para ser ouvido pela humanidade e dizer a eles: "Vocês são todos loucos, porque suas mentes estão voltadas para o supérfluo, e vocês não valorizam ninguém pelas virtudes".

Certa noite, cheguei cansado em casa e me joguei na cama com essa reflexão sobre mim: "Não há nada de ruim que seja bem aproveitado". Meu padeiro me disse que não tem pão. "Mas", disse ele, "posso conseguir um pouco de seus inquilinos, embora eu tema que não seja bom". Não importa, disse eu, pois ficarei até que esteja melhor, ou seja, até que meu estômago se contente com o pior. Às vezes, é preciso praticar a temperança e nos contentarmos com um pouco, pois há muitas dificuldades, tanto de tempo quanto de lugar, que podem nos forçar a isso.

Quando chegamos à questão do patrimônio, quão rigorosamente examinamos o valor de cada ser humano antes de lhe confiarmos um centavo! "Tal homem", dizemos, "tem uma grande propriedade, mas ela é astutamente onerada – uma casa muito bonita, mas foi construída com dinheiro emprestado – uma família numerosa, mas ele não mantém contato com seus credores – se suas dívidas fossem pagas, ele não valeria um grama". Por que não tomamos o mesmo rumo em outras coisas e examinamos o valor de cada pessoa? Não é suficiente ter um longo séquito de assistentes, vastas posses ou um incrível tesouro em dinheiro e joias – uma pessoa pode ser pobre por tudo isso. Na melhor das hipóteses, há apenas esta diferença: um ser humano toma emprestado do agiota, e o outro, da fortuna. O que significa o entalhe ou o douramento da carruagem?

Não podemos encerrar este capítulo com um exemplo mais generoso de moderação do que o de Fabricius. Pirro o tentou com uma quantia em dinheiro para que traísse seu país, e o médico de Pirro ofereceu a Fabricius, por uma quantia em dinheiro, que envenenasse seu mestre. Mas ele era corajoso demais para ser vencido pelo ouro ou pelo veneno, de modo que recusou o dinheiro e aconselhou Pirro a tomar cuidado com a traição, e isso também no calor de uma guerra licenciosa. Fabricius se valorizava por sua pobreza e não pensava em riquezas nem em veneno. "Viva Pirro", disse ele, "com minha amizade; e transforme em sua satisfação o que era antes de seu problema", ou seja, Fabricius não podia ser corrompido.

ESCRITOS DE SÊNECA SOBRE A IRA

A IRA DESCRITA É CONTRA A NATUREZA E SÓ PODE SER ENCONTRADA NO SER HUMANO

Estamos aqui para encontrar a mais ultrajante, brutal, perigosa e intratável de todas as paixões, a mais repugnante e imprópria, a mais ridícula também. A subjugação desse monstro contribuirá muito para o estabelecimento da paz humana. O método dos médicos é começar com uma descrição da doença antes de se preocuparem com a cura, e não sei por que isso não funciona tão bem nos distúrbios da mente quanto nos do corpo.

Os estoicos consideram a ira um "desejo de punir outra pessoa por algum dano causado". Contra isso, objeta-se que muitas vezes ficamos com raiva daqueles que nunca nos machucaram, mas que possivelmente podem nos machucar, embora o dano ainda não tenha sido causado. Mas eu digo que eles já nos feriram em sua presunção, uma vez que o propósito disso é um dano em pensamento antes de se tornar um ato. É novamente contestado que, se a ira fosse um desejo de punir, as pessoas medianas não se irritariam com as grandes que estão fora de seu alcance, pois não se pode dizer que um ser humano deseje algo que ele julgue impossível de alcançar. Mas eu respondo a isso, que a raiva é o desejo, não o poder e a faculdade de vingança, tampouco qualquer pessoa é tão baixa, mas que o maior indivíduo vivo pode, porventura, estar à sua mercê.

Aristóteles considera a raiva como "um desejo de pagar tristeza por tristeza" e de atormentar aqueles que nos atormentaram. Argumenta-se contra ambos que os animais se enfurecem, embora não sejam provocados por nenhuma injúria, muito menos movidos pelo desejo de sofrer ou punir alguém. Não, embora causem isso, eles não planejam ou buscam isso. Tampouco a ira (por mais irracional que seja em si mesma) é encontrada em qualquer lugar que não seja em criaturas razoáveis. É verdade que as feras têm um impulso de raiva e ferocidade, assim como são mais afetadas do que os humanos por alguns prazeres, mas podemos chamá-las de luxuosas e ambiciosas, e não de raivosas. E, no entanto, não deixam de ter certas imagens das afeições humanas. Eles têm seus gostos e aversões, mas não têm as paixões da natureza razoável nem suas virtudes, tampouco seus vícios. Eles são levados à fúria por alguns objetos, mas são acalmados por outros. Têm seus terrores e suas decepções, mas sem reflexão. Se nunca estiverem tão irritados ou assustados, tão logo a ocasião seja removida, eles voltam a se alimentar, deitam-se e descansam. Sabedoria e pensamento são os bens da mente, dos quais os brutos são totalmente incapazes, e somos tão diferentes deles por dentro quanto por fora, já que eles têm um tipo estranho de fantasia e também têm uma voz, mas inarticulada e confusa, e incapaz das variações que nos são familiares.

A ira não é apenas um vício, mas um vício totalmente contra a natureza, pois ela divide em vez de unir e, de certa forma, frustra o objetivo da Providência na sociedade humana. Um ser humano nasceu para ajudar o outro, mas a raiva nos faz destruir uns aos outros. Um une, o outro separa; um é benéfico para nós, o outro é maléfico; um socorre até os estranhos, o outro destrói mesmo os amigos mais íntimos; um se arrisca para salvar o outro, o outro se arruína para desfazer o outro. A natureza é generosa, mas a raiva é perniciosa, pois não é o medo, mas o amor mútuo que une a humanidade.

Há alguns movimentos que se assemelham à raiva, mas que não podem ser chamados assim, como a paixão do povo contra os gladiadores, quando eles se penduram e não se despacham tão rapidamente como os espectadores gostariam que fizessem. Há algo no humor das crianças que, se caírem, não param de berrar até que o terreno travesso seja batido, e então tudo fica bem novamente. Elas se irritam sem qualquer causa ou dano, são iludidas por uma imitação de golpes e pacificadas com lágrimas falsas. Uma tristeza falsa e infantil é apaziguada com uma vingança igualmente falsa e infantil. Eles tomam por desprezo o fato de os gladiadores não se lançarem imediatamente sobre a ponta da espada. Eles olham ao seu redor de um para outro, como se dissessem: "Vejam, meus mestres, como esses bandidos abusam de nós".

Descer aos ramos e variedades particulares seria desnecessário e interminável. Há um tipo de raiva teimosa, vingativa, briguenta, violenta, mal-humorada, rabugenta e melancólica. Também temos essa variedade de complicações. Um não vai além das palavras; outro parte imediatamente para os golpes, sem falar uma palavra; um terceiro tipo explode em xingamentos e linguagem reprovável; e há aqueles que se contentam com a repreensão e a reclamação. Há uma ira conciliável e há uma implacável, mas em qualquer forma ou grau que apareça, toda ira, sem exceção, é viciosa.

A IRA É UMA LOUCURA CURTA E UM VÍCIO DEFORMADO

Quem quer que tenha sido o primeiro a chamar a ira de pequena loucura estava muito certo, pois ambos têm os mesmos sintomas. Há uma semelhança tão maravilhosa entre os transportes da cólera e os do frenesi, que é difícil distinguir um do outro. Um semblante ousado, feroz e ameaçador, pálido como cinzas e, no mesmo instante, vermelho como sangue, um olhar fixo, uma testa enrugada, movimentos violentos, as mãos inquietas e perpetuamente em ação, torcendo e ameaçando, estalando as articulações, batendo com os pés, os cabelos arrepiados, tremores nos lábios, uma voz forçada e estridente, a fala falsa e quebrada, suspiros profundos e frequentes e olhares horríveis, as veias se dilatam, o coração palpita, os joelhos batem com uma centena de acidentes sombrios que são comuns a ambos os distúrbios. A ira também não é apenas uma simples semelhança com a loucura, mas muitas vezes uma transição irrevogável para a própria coisa. Quantas pessoas conhecemos, lemos e ouvimos falar que perderam o juízo em uma paixão e nunca mais voltaram a si? Portanto, ela deve ser evitada, não apenas por causa da moderação, mas também por causa da saúde. Ora, se a aparência externa da raiva é tão repugnante e hedionda, quão deformada deve ser a mente miserável que é atormentada por ela? Ela não deixa lugar nem para conselhos nem para amizade, honestidade ou boas maneiras. Não deixa lugar para o exercício da razão, tampouco para os ofícios da vida. Se eu tivesse que descrevê-la, desenharia um tigre banhado em sangue, com uma arma afiada e pronto para dar um salto em sua presa, ou o vestiria como os poetas representam as fúrias, com chicotes, cobras e chamas. Sua representação deveria ser azeda, muito pálida, cheia de cicatrizes e chafurdando em sangue, furiosa para cima e para baixo, destruindo, sorrindo, berrando e perseguindo, doente de todas as outras coisas e, acima de tudo, de si mesma. A ira transforma a beleza em deformidade, e os conselhos mais calmos em ferocidade, desarruma nossas vestes e enche a mente de horror. Quão abominável é, então, na alma, quando ela parece tão hedionda até através dos ossos, da pele e de tantos impedimentos! Não é semelhante a um louco que perdeu o controle de si mesmo e é jogado para cá e para lá por sua fúria como por uma tempestade? O carrasco e o assassino de seus amigos mais próximos? A menor das coisas a move e nos torna insociáveis e inacessíveis. Ela faz todas as coisas com violência, tanto contra si mesmo quanto contra os outros. Em suma, a ira é o mestre de todas as paixões.

Não há nenhuma criatura tão terrível e perigosa por natureza, mas ela se torna mais feroz com a raiva. Não que as feras tenham afeições humanas, mas têm certos impulsos que se aproximam muito delas. O javali espuma, se agita e afia as presas; o touro joga os chifres para o alto, salta e rasga o chão com os pés; o leão ruge e se balança com a cauda; a serpente se incha; e há um tipo horrível de tristeza na aparência de um cão raivoso. Quão grande é a maldade hoje em dia ao se entregar a uma violência que não apenas transforma um ser humano em uma fera, mas também faz que até as feras mais ultrajantes se tornem mais terríveis e maliciosas! Um vício que não traz consigo nem prazer nem lucro, nem honra nem segurança, mas, ao contrário, destrói as pessoas em todos os propósitos confortáveis e gloriosos de nosso ser razoável. Há pessoas que querem que a raiz disso seja a grandeza da mente. E, por que não podemos também atribuir à impudência a coragem, ao passo que uma é orgulhosa, a outra é corajosa; uma é graciosa e gentil, a outra é rude e furiosa? Da mesma forma, podemos atribuir a magnanimidade à avareza, ao luxo e à ambição, que não passam de esplêndidas impotências, sem medida e sem fundamento. Não há nada de grande senão o que é virtuoso, tampouco verdadeiramente grande, senão o que é também calmo e tranquilo. A raiva, infelizmente, não passa de uma explosão selvagem e impetuosa, um tumor vazio, a própria enfermidade da mulher e das crianças, um mal gritante e clamoroso, e quanto mais barulho, menos coragem, pois, como comumente vemos, as línguas mais ousadas têm os corações mais fracos.

OS MOTIVOS E AS OCASIÕES COMUNS DE IRA

Nesse estado errante da vida, encontramos muitas ocasiões de problemas e desgostos, tanto grandes quanto triviais, e não passa um dia sem que, por causa de pessoas ou coisas, tenhamos um ou outro motivo para nos ofendermos, como um indivíduo deve esperar ser empurrado, atropelado e apinhado em uma cidade populosa. Uma pessoa engana nossa expectativa, ao passo que outra a atrasa, e uma terceira a atravessa. Se tudo não for como desejamos, logo nos desentendemos com a pessoa, o negócio, o lugar, nossa fortuna ou nós mesmos. Alguns se valorizam por sua inteligência e nunca perdoarão ninguém que pretenda diminuí-la, ao passo que outros se inflamam com o vinho, e outros se perturbam com doenças, cansaço, preocupações, amor, cuidado. Alguns são propensos a isso por causa do calor da formação, mas as características físicas úmidas, secas e frias são mais propensas a outros fenômenos patológicos que ocorrem no corpo humano, como suspeita, desespero, medo, ciúme, entre outros. Mas a maioria de nossas brigas é proveniente de nossa autoria. Uma quando suspeitamos de um erro, outra quando damos muita importância a coisas insignificantes. Para dizer a verdade, a maioria das coisas que nos exasperam é mais motivo de repulsa do que de prejuízo, uma vez que há uma grande diferença entre se opor à satisfação de uma pessoa e não a ajudar. Entre tirar e não dar, consideramos negar e adiar como a mesma coisa, e interpretamos o fato de outro ser a favor de si mesmo como se fosse contra nós. Muitas vezes temos uma opinião ruim sobre o que é bem feito, e uma boa opinião sobre o contrário. Odiamos uma pessoa por fazer exatamente aquilo pelo qual a odiaríamos do outro lado, se ela não o fizesse.

Não gostamos de ser contrariados quando há um pai, talvez um irmão ou um amigo no caso contra nós, quando deveríamos amar uma pessoa por isso e apenas desejaríamos que ela fosse honestamente de nosso partido. Aprovamos o fato e detestamos quem o cometeu. É uma coisa vil odiar a pessoa que não podemos deixar de elogiar, mas é muito pior ainda se a odiarmos exatamente por aquilo que merece ser elogiado. As coisas que desejamos, se são tais que não podem ser dadas a um sem serem tiradas de outro, devem necessariamente unir as pessoas pelos ouvidos que desejam a mesma coisa. Um indivíduo deseja a minha amante, outro a minha herança, e aquilo que deveria fazer amigos se torna inimigo, pois somos todos da mesma opinião. A causa geral da ira é o sentimento ou a opinião de uma injúria, ou seja, a opinião de uma injúria simplesmente feita ou de uma injúria feita que não merecemos. Algumas pessoas são naturalmente propensas à raiva, outras são provocadas pela ocasião. A raiva das mulheres e das crianças é geralmente aguda, mas não duradoura. Os homens idosos são mais queixosos e rabugentos. O trabalho árduo, as doenças, a ansiedade de pensamento e tudo o que prejudica o corpo ou a mente, predispõe o ser humano a ser rancoroso, mas não devemos acrescentar fogo ao fogo.

Aquele que considerar devidamente o assunto de todas as nossas controvérsias e brigas, as achará baixas e mesquinhas, que não merecem o pensamento de uma mente generosa, mas o maior barulho de todos é por causa do dinheiro. É ele que junta pais e filhos pelas orelhas, maridos e esposas, e abre caminho para a espada e o veneno. É ele que cansa os tribunais de justiça, enfurece os príncipes e derruba cidades no pó, para procurar ouro e prata em suas ruínas. É isso que dá trabalho ao juiz para determinar qual lado está menos errado, e qual é a avareza mais plausível, a do autor ou a do réu. E o que é que nós disputamos durante todo esse tempo, senão essas bugigangas que nos fazem chorar quando deveríamos rir? Ver um velho rico, que não tem ninguém a quem deixar sua propriedade, partir seu coração por um punhado de terra, e um agiota que não tem outro uso para seus dedos a não ser contar, vê-lo, eu digo, no extremo de sua forma, brigando por um dinheiro estranho em seu interesse. Se tudo o que é preciso na natureza fosse reunido em uma única massa, não valeria a pena o trabalho de uma mente sóbria. Seria interminável analisar todas essas paixões ridículas que se movem em torno de comidas e bebidas, e da matéria de nosso luxo, em torno de palavras, olhares, ações, ciúmes, erros, que são todos eles tolices tão desprezíveis quanto esses mesmos enfeites pelos quais as crianças brigam e choram. Não há nada de grandioso ou sério em tudo isso que mantemos tão desordenado. A loucura disso é que damos um valor muito grande às ninharias. Um ser humano se apaixona por uma saudação, uma carta, um discurso, uma pergunta, um gesto, uma piscadela, um olhar. Uma ação comove um indivíduo, uma palavra afeta outro. Uma pessoa é carinhosa com sua família, outra com sua pessoa, um indivíduo se apresenta como orador, outro como filósofo. Ao passo que um ser humano não suportará o orgulho, outro não suporta a oposição. Aquele que se faz de tirano em casa, é manso como um cordeiro fora.

Alguns se ofendem se uma pessoa lhes pedir favor, e outros, se ela não o faz. Todo ser humano tem seu lado fraco. Então, aprendamos qual é ele e cuidemos dele, pois a mesma coisa não funciona com todas as pessoas da mesma forma. Somos movidos como animais pelas aparências ociosas das coisas, e quanto mais feroz a criatura, mais ela se assusta. A visão de um casaco vermelho enfurece um touro, uma sombra provoca a serpente, e alguns indivíduos são tão irracionais que tomam benefícios moderados por injúrias e brigam por isso com seus parentes mais próximos: "Eles fizeram isso e aquilo para os outros", gritam, "e poderiam ter agido melhor conosco se quisessem". Muito bem! E se for menos do que esperávamos, pode ser ainda mais do que merecemos. De todos os humores intranquilos, esse é o pior, que nunca permitirá que um ser humano seja feliz, desde que veja outro mais feliz do que ele. Conheci alguns tão fracos a ponto de se considerarem desprezados se um cavalo, que ainda é obediente a outro cavaleiro, apenas brincasse com eles. É uma loucura brutal se ofender com um animal mudo, pois nenhum dano pode ser causado a nós sem a concordância da razão. Um animal pode nos ferir, como uma espada ou uma pedra, e não de outra forma. Não, há aqueles que se queixam de "mau tempo, mar revolto, inverno rigoroso", como se isso fosse expressamente dirigido a eles, e isso eles atribuem à Providência, cujas operações estão todas tão longe de serem prejudiciais, que são benéficas para nós.

Como são vãs e ociosas muitas das coisas que nos deixam loucos! Um cavalo inquieto, o derrubar de um copo, a queda de uma chave, o arrastar de uma cadeira, um ciúme, uma interpretação errônea. Como suportará os extremos da fome e da sede aquele indivíduo que se enfurece por colocar um pouco de água a mais em seu vinho? Que pressa há em derrubar um servo pelos calcanhares, ou quebrar uma perna ou um braço imediatamente por causa disso, como se ele não fosse ter o mesmo poder sobre ele uma hora depois, que tem naquele instante? A resposta de um servo, uma esposa, um inquilino, deixa algumas pessoas sem paciência, e ainda assim elas podem brigar com o governo por não lhes permitir a mesma liberdade em público, que elas mesmas negam às suas famílias. Se não disserem nada, é contumácia; se falarem ou rirem, é insolência. Como se um ser humano tivesse seus ouvidos voltados apenas para a música, ao passo que nós temos que sofrer todos os tipos de ruídos, bons e ruins, tanto de pessoas quanto de animais. Quão ocioso é se assustar com o tilintar de um sino ou o ranger de uma porta, quando, apesar de toda essa delicadeza, temos de suportar o trovão! Nossos olhos também não são menos curiosos e fantásticos do que nossos ouvidos. Quando estamos fora do país, podemos suportar muito bem os caminhos sujos, as ruas desagradáveis, as valas barulhentas, mas uma mancha em um prato em casa ou uma lareira não limpa nos distrai completamente. E qual é a razão, senão o fato de sermos pacientes em um lugar e fantasticamente irritadiços no outro? Nada nos torna mais intemperantes do que o luxo, que se encolhe a cada golpe e se sobressalta a cada sombra. Para alguns, é a morte ter outra pessoa sentada acima deles, como se um corpo fosse sempre mais ou menos honesto para a almofada. Mas eles são apenas criaturas fracas que se consideram feridas se forem apenas tocadas. Um dos sibaritas[38], que viu um companheiro trabalhando arduamente em uma escavação, desejou que ele desistisse, pois ficava cansado ao vê-lo, e era uma queixa comum dele, que "não podia descansar porque as folhas de rosa estavam dobradas sob ele". Quando somos enfraquecidos por nossos prazeres, tudo se torna intolerável. E nos irritamos tanto com as coisas que não podem nos machucar quanto com as que nos machucam. Rasgamos um livro porque está manchado; e nossas roupas, porque não estão bem feitas. Essas são coisas que não merecem nossa raiva. O alfaiate, talvez, tenha feito o melhor que pôde, ou, no entanto, não teve a intenção de nos desagradar. Se assim for, em primeiro lugar, por que deveríamos nos irritar? Em segundo lugar, por que deveríamos nos irritar

---

38 Diz-se dos habitantes de Síbaris, antiga cidade da Lucânia, na Magna Grécia, na confluência dos rios Crátis e Síbaris, tidos como pessoas que levam uma vida exclusivamente ociosa e sensual.

com a coisa por causa do ser humano? Nossa ira se estende até mesmo a cães, a cavalos e a outros animais.

Foi uma extravagância blasfema a de Caio César, que desafiou Júpiter por fazer tanto barulho com seu trovão, que ele não podia ouvir suas mímicas, e então inventou uma máquina imitando-o para opor trovão a trovão, uma presunção brutal, imaginar que ele poderia alcançar o todo-poderoso ou que o todo-poderoso não o poderia alcançar!

E tão ridículo, embora não tão ímpio, foi o caso de Ciro, que, em seu projeto de atacar a Babilônia, encontrou um rio em seu caminho que impediu sua marcha. A correnteza era forte e levou um dos cavalos que pertencia à sua carruagem. Diante disso, ele jurou que em razão de ter obstruído sua passagem nunca mais atrapalharia a de ninguém. Assim, logo pôs todo o seu exército para trabalhar nele, desviando-o em cento e oitenta canais e, dessa maneira, o secou. Nesse emprego ignóbil e inútil, ele perdeu seu tempo, e os soldados, sua coragem, e deu a seus adversários a oportunidade de se proverem, enquanto ele estava guerreando com um rio em vez de um inimigo.

PRECAUÇÕES CONTRA A IRA EM MATÉRIA DE EDUCAÇÃO, CONVERSAÇÃO E OUTRAS REGRAS GERAIS PARA EVITÁ-LA, TANTO EM NÓS MESMOS QUANTO NOS OUTROS

Tudo o que temos a dizer em particular sobre esse assunto está sob estes dois aspectos: primeiro, que não caiamos na ira; e segundo, que não transgridamos nela. Como no caso de nossos corpos, temos alguns remédios para nos preservar quando estamos bem, e outros para nos recuperar quando estamos doentes. Assim, uma coisa é não a admitir, e outra coisa é a superar. Em primeiro lugar, devemos evitar todas as provocações e o início da raiva, pois, uma vez abatidos, será difícil nos levantarmos novamente. Quando a nossa paixão leva a melhor sobre a nossa razão, e o inimigo é recebido no portão, não podemos esperar que o conquistador receba condições do prisioneiro. E, na verdade, nossa razão, quando é dominada dessa forma, transforma-se efetivamente em paixão. Uma educação cuidadosa é uma grande questão, pois nossas mentes são facilmente formadas em nossa juventude, mas é uma tarefa mais difícil curar maus hábitos. Além disso, somos inflamados pelo clima, companhia e milhares de outros eventos sobre os quais não temos controle absoluto.

A escolha de uma boa ama e de um tutor de boa índole é de grande valia, pois a doçura do sangue e dos modos passará para a criança. Não há nada que gere mais raiva do que uma criança mimada, e é muito raro ver que o queridinho da mãe ou do mestre da escola se torne bom. Mas meu jovem mestre, quando vem ao mundo, comporta-se como um colérico. A bajulação e uma grande fortuna alimentam o escrúpulo. Mas é bom controlar as sementes da raiva em uma criança, de modo a não lhe tirar o ânimo e extinguir seu ânimo. Por isso, é preciso ter o cuidado principal entre a licença e a severidade, para que ela não seja nem muito encorajada nem muito deprimida. O elogio lhe dá coragem e confiança, mas, nesse caso, há o perigo de levá-la à insolência e à ira, de modo que a principal dificuldade é saber quando usar o freio e quando usar a espora. Nunca coloque a criança em uma situação em que ela precise pedir algo de forma grosseira ou, se o fizer, deixe-a ficar sem isso. Faça ela se familiarizar com qualquer emulação e, em todos os exercícios, deixe-a entender que é generoso superar seu concorrente, mas não o machucar. Permita que ela fique satisfeita quando se sair bem, mas não se deixe levar, pois isso a levará a ter um conceito muito elevado de si mesma. Não lhe dê nada pelo qual ela chore até que o ataque de raiva tenha terminado, mas deixe-a comer quando ela estiver calma, para mostrar a ela que não há nada a ser obtido com a irritação. Repreenda a criança por tudo o que ela fizer de errado e faça que ela sempre conheça a sorte para a qual nasceu. Deixe que sua dieta seja limpa, mas comedida, e vista-a como o resto de seus companheiros, pois, ao colocá-la em igualdade de condições no início, ela será menos orgulhosa depois e, consequentemente, menos briguenta e irritadiça.

Em segundo lugar, tomemos cuidado com as tentações às quais não podemos resistir e com as provocações que não podemos suportar, especialmente com as companhias desagradáveis e desagradáveis, pois o mau humor é contagioso. Tampouco é certo que uma pessoa seja melhor pelo exemplo de uma conversa tranquila, mas uma disposição irada é incômoda, porque não tem mais nada com que trabalhar. Devemos, portanto, escolher um companheiro sincero, fácil e temperante, que não provoque a ira nem a retribua, muito menos dê às pessoas qualquer ocasião de exercitar seus problemas. Tampouco é suficiente ser gentil, submisso e humano, sem integridade e franqueza, pois a lisonja é tão ofensiva do outro lado. Algumas pessoas aceitariam melhor uma maldição de você do que um elogio. Cecílio, um orador apaixonado, tinha um amigo de paciência singular que jantava com ele e que não tinha como evitar uma briga a não ser dizendo "amém" a tudo o que Cecílio dizia. Celius, ao se indispor com ele, disse "Diga algo contra mim, para que você e eu sejamos dois". E ele se irritou com o amigo porque ele não o fez, mas a disputa foi encerrada, como deveria, por falta de um oponente.

Aquele que é naturalmente viciado em raiva, que use uma dieta moderada e se abstenha de vinho, pois isso é como adicionar combustível ao fogo. Exercícios suaves, recreações e esportes temperam e adoçam a mente. Que ele tenha cuidado também com as disputas longas e obstinadas, pois é mais fácil não as começar do que acabar com elas. Estudos severos também não são bons para ele, como Direito, Matemática, porque muita atenção prejudica o espírito e o torna ansioso. Mas poesia, histórias e os entretenimentos mais leves podem lhe servir para diversão e alívio. Aquele que deseja ficar quieto não deve se aventurar em coisas fora de seu alcance ou além de sua força, pois ou cambaleará sob o fardo ou o descarregará na próxima pessoa que encontrar, o que é o mesmo caso em assuntos civis e domésticos. Os negócios que estão prontos e são praticáveis são realizados com facilidade, mas quando são pesados demais para o portador, ambos caem juntos. Seja qual for o nosso projeto, devemos primeiro medir a nós mesmos e comparar nossa força com a do empreendimento, pois é irritante para qualquer pessoa não ir até o fim com seu trabalho. Uma repulsa inflama uma natureza generosa, assim como torna triste aquele que é fleumático. Conheço alguns que aconselharam olhar em um espelho quando um ser humano está com a doença, e o próprio espetáculo de sua deformidade o curou. Muitos que são incômodos em sua bebida e conhecem a própria enfermidade dão ordens antecipadas a seus criados para que os levem embora à força, por medo de causar danos, e não obedecem a seus senhores quando estão de cabeça quente. Se a questão fosse devidamente considerada, não precisaríamos de outra cura além da simples consideração dela. Não nos irritamos com loucos, crianças e tolos, porque eles não sabem o que fazem. Por que a imprudência não teria o mesmo privilégio em outros casos? Se um cavalo der um coice ou um cachorro morder, um indivíduo deve dar um coice ou morder novamente? É verdade que um deles é totalmente desprovido de razão, mas também é uma escuridão equivalente de mente que possui o outro. Enquanto estivermos entre os seres humanos, prezemos a humanidade e vivamos de tal forma que nenhuma pessoa tenha medo e, assim, corra de nós. Perdas, injúrias, reprovações, calúnias, são apenas pequenos inconvenientes, e devemos suportá-los com determinação. Além disso, algumas pessoas estão acima de nossa raiva, outras abaixo dela. Discutir com nossos superiores é uma tolice, e com nossos inferiores é uma indignidade.

Dificilmente haverá um remédio mais eficaz contra a raiva do que a paciência e a consideração. Deixemos que apenas o primeiro fervor diminua, e aquela névoa que obscurece a mente será diminuída ou dissipada. Um dia, não, uma hora, faz muito nos casos mais violentos, e talvez a suprima totalmente. O tempo descobre a verdade das coisas e transforma em julgamento aquilo que a princípio era raiva. Platão estava prestes a bater em seu sobrinho e, enquanto sua mão estava no ar, ele se conteve, mas ainda a manteve naquela postura ameaçadora. Um amigo seu notou isso e lhe perguntou o que ele queria dizer. "Estou agora", diz Platão, "castigando um homem irado", de modo que ele havia deixado seu sobrinho castigar a si mesmo. Em outra ocasião, seu servo cometeu uma grande falta: "Espeusipo", disse Platão, "você bate nesse sujeito, pois estou zangado", de modo que ele se absteve de bater nele pelo mesmo motivo que teria levado outro homem a fazê-lo. "Estou zangado", disse ele, "e irei além do que me convém". Tampouco é adequado que um servo esteja em seu poder sem ser seu senhor. Por que alguém se aventuraria agora a confiar uma vingança a um homem irado, se Platão não ousou confiar em si mesmo? Ou ele deve governar isso, ou isso o destruirá. Façamos o melhor que pudermos para superá-la, mas, devemos mantê-la fechada, sem lhe dar vazão. Um homem irado, se der liberdade a si mesmo o tempo todo, irá longe demais. Se a raiva se manifestar uma vez nos olhos ou no semblante, já levou a melhor sobre nós. Não, deveríamos nos opor a ela de tal forma que adotássemos as disposições contrárias. Olhares calmos, fala suave e lenta, uma marcha fácil e deliberada e, pouco a pouco, poderíamos possivelmente colocar nossos pensamentos em conformidade sóbria com nossas ações. Quando Sócrates estava com raiva, ele se encolhia e falava baixo, em oposição aos movimentos de seu descontentamento. Seus amigos tomavam conhecimento disso, e não era desvantajoso para ele, mas sim vantajoso que tantos soubessem que ele estava zangado e ninguém sentisse isso. Imagine o que poderia ter acontecido se ele não tivesse dado a seus amigos a mesma liberdade de admoestação que ele mesmo tomava. E é assim que devemos agir: devemos desejar que nossos amigos não nos lisonjeiem em nossas loucuras, mas que nos tratem com toda a liberdade de repreensão, mesmo quando estivermos menos dispostos a suportá-la, contra um mal tão poderoso e tão insinuante, devemos pedir ajuda enquanto temos nossos olhos na cabeça e ainda somos senhores de nós mesmos. A moderação é proveitosa para os súditos, mas ainda mais para os príncipes, que têm os meios de executar tudo o que sua ira os incita a fazer. Quando esse poder começa a ser exercido para um mal comum, ele nunca pode continuar por muito tempo, porque um medo comum une em uma causa todas as suas queixas divididas. Em suma, como podemos evitar, moderar ou dominar essa paixão impotente nos outros.

Não basta sermos sãos nós mesmos, a menos que nos esforcemos para fazer os outros serem sãos, e para isso devemos adaptar o remédio ao temperamento do paciente. Alguns devem ser tratados por meio de artifícios e discursos, por exemplo: "Por que você vai agradar seus inimigos para se mostrar tão preocupado? Não vale a pena sua raiva, pois ela está abaixo de você. Eu mesmo estou tão preocupado com isso quanto você pode estar, mas é melhor não dizer nada e tomar seu tempo para ser justo com eles". Em algumas pessoas, a raiva deve ser combatida abertamente, ao passo que em outras é preciso ceder um pouco, de acordo com a disposição da pessoa. Alguns são conquistados por meio de súplicas, outros por meio de mera vergonha e convicção, e alguns por meio da demora. Uma forma monótona de cura para um distúrbio violento, mas essa deve ser a última experiência. Outras afeições podem ser tratadas com mais tranquilidade, pois ocorrem gradualmente, mas essa se consolida e se aperfeiçoa no mesmo momento. Como outras paixões, ela não nos solicita e nos engana, mas foge conosco à força e nos apressa com uma temeridade irresistível, tanto para a nossa ruína quanto para a ruína de outrem, não apenas voando na cara daquele que nos provoca, mas como uma torrente, arrastando tudo à sua frente. Não há como enfrentar o primeiro calor e fúria dela, porque, por ser surda e louca, a melhor maneira é (no início) dar-lhe tempo e descanso, e deixá-la se esgotar. Enquanto a paixão estiver quente demais para ser manuseada, podemos enganá-la, mas é preciso deixar todos os instrumentos de vingança fora do caminho. Às vezes, não é errado fingir que também estamos com raiva e nos unirmos a ela, não apenas na opinião sobre a injúria, mas na aparente tentativa de vingança. Mas deve ser uma pessoa que tenha alguma autoridade. Essa é uma maneira de ganhar tempo e, ao aconselhar uma punição maior, adiar o presente. Se a paixão for ultrajante, tente o que a vergonha ou o medo podem fazer. Se for fraca, não é difícil diverti-la com histórias estranhas, notícias gratas ou discursos agradáveis. O engano, nesse caso, é a amizade, pois as pessoas precisam ser enganados para serem curadas.

As injúrias que nos atingem com mais força são aquelas que não merecemos ou não esperávamos, ou, pelo menos, não em um grau tão elevado. Isso decorre do amor a nós mesmos, pois todo ser humano toma para si, como um príncipe, nesse caso, a responsabilidade de praticar todas as liberdades, e de não permitir nenhuma, o que decorre da ignorância ou da insolência. Que novidade é o fato de as pessoas fazerem coisas ruins, de um inimigo nos ferir, de um amigo ou servo transgredir e se mostrar traiçoeiro, ingrato, cobiçoso e ímpio? O que encontramos em uma pessoa, podemos encontrar em outra, e há mais segurança na sorte do que nos humanos. Nossas alegrias estão misturadas com o medo, e uma tempestade pode surgir de uma calmaria, mas um piloto habilidoso está sempre preparado para isso.

ESCRITOS DE SÊNECA SOBRE CLEMÊNCIA

A humanidade e a excelência dessa virtude são confessadas por todos, tanto pelas pessoas entregues ao prazer quanto por aquelas que pensam que cada ser humano foi feito para si mesmo, bem como pelos estoicos, que fazem do "ser humano uma criatura sociável e nascida para o bem comum da humanidade", pois é, de todas as disposições, a mais pacífica e tranquila. Antes de prosseguirmos com o discurso, é preciso primeiro saber o que é clemência, para que possamos distingui-la da piedade, que é uma fraqueza, embora muitas vezes confundida com uma virtude, e o próximo passo será levar a mente ao hábito e ao exercício dela.

Clemência é uma disposição favorável da mente, na questão de infligir punição, ou uma moderação que remete um pouco da penalidade incorrida, como o perdão é a remissão total de uma punição merecida. Devemos ter cuidado para não confundir clemência com piedade, pois assim como a religião adora a Deus e a superstição profana essa adoração, devemos distinguir entre clemência e piedade, praticando uma e evitando a outra. Pois a piedade procede de uma estreiteza de espírito, que respeita mais a sorte do que a causa. É uma espécie de doença moral, contraída pelo infortúnio alheio. Outra fraqueza como rir ou bocejar por companhia, ou como a dos olhos doentes que não podem olhar para os outros que estão sangrando sem se deixar cair. Darei uma tábua a um náufrago, um alojamento a um estranho ou uma quantia em dinheiro a quem o desejar. Secarei as lágrimas de meu amigo, mas não chorarei com ele, mas o tratarei com constância e humanidade, como um ser humano deve tratar outro.

Alguns objetam que a clemência é uma virtude insignificante e que somente os maus são melhores por ela, pois os bons não precisam dela. Mas, em primeiro lugar, assim como a medicina é usada apenas entre os doentes e, ainda assim, é honrada pelos sãos, os inocentes têm reverência pela clemência, embora os criminosos sejam propriamente os objetos dela. Por outro lado, uma pessoa pode ser inocente e, ainda assim, ter a oportunidade de usá-la também, pois, por acidentes da sorte ou pela condição dos tempos, a própria virtude pode estar em perigo. Considere a cidade ou nação mais populosa, que solidão seria se não houvesse ninguém além daqueles que pudessem suportar o teste de uma justiça severa! Não teríamos juízes nem acusadores, ninguém para conceder ou pedir perdão. Mais ou menos, somos todos pecadores, e aquele que melhor purificou sua consciência foi levado pelos erros ao arrependimento. E isso é muito mais proveitoso para a humanidade, porque muitos delinquentes se convertem. Há uma ternura que deve ser usada até para com nossos escravos e aqueles que compramos com nosso dinheiro: quanto mais para com pessoas livres e honestas, que estão antes sob nossa proteção do que sob nosso domínio! Não que eu queira que ela seja tão geral a ponto de não distinguir entre os bons e os maus, pois isso introduziria uma confusão e daria uma espécie de incentivo à maldade. Deve, portanto, respeitar a qualidade do infrator e separar os curáveis dos desesperados, pois é uma crueldade igual perdoar todos e não perdoar nenhum. Quando a questão estiver em equilíbrio, que a misericórdia gire a balança. Se todas as pessoas más forem punidas, quem escapará?

Embora a misericórdia e a gentileza da natureza mantenham todos em paz e tranquilidade, mesmo em uma casa de campo, ela é muito mais benéfica e notável em um palácio. Pessoas privadas em sua condição são igualmente privadas em suas virtudes e em seus vícios, mas as palavras e as ações dos príncipes são objeto de rumores públicos; e, portanto, eles precisam ter cuidado com a ocasião que dão ao povo para falar, de quem o povo estará sempre falando. Há o governo de um príncipe sobre seu povo, um pai sobre seus filhos, um mestre sobre seus alunos, um oficial sobre seus soldados. Ele é um pai antinatural, que por qualquer coisa bate em seus filhos. Quem é o melhor mestre, aquele que se enfurece com seus alunos por perderem apenas uma palavra em uma lição, ou aquele que tenta, por meio de admoestação e palavras justas, os instruir e, assim, os reformar? Um oficial ultrajante faz que seus homens fujam de suas cores. Um cavaleiro habilidoso faz seu cavalo obedecer ao misturar meios justos com sujos, ao passo que estar perpetuamente trocando e esporeando o torna vicioso. Não devemos ter mais cuidado com pessoas do que com animais? Isso quebra a esperança de inclinações generosas, quando elas são deprimidas pelo servilismo e pelo terror. Não há criatura tão difícil de ser satisfeita com maus usos como o ser humano.

A clemência é boa para todos, mas é melhor para os príncipes, pois torna seu poder confortável e benéfico, o que, de outra forma, seria uma praga para a humanidade. Ela estabelece sua grandeza, quando eles fazem do bem público seu cuidado particular e empregam seu poder para a segurança do povo. O príncipe, de fato, é apenas a alma da comunidade, assim como a comunidade é apenas o corpo do príncipe, de modo que, sendo misericordioso com os outros, ele é carinhoso consigo mesmo. Ninguém é tão mesquinho que seu mestre não sinta sua perda como parte de seu império, e ele cuida não apenas da vida de seu povo, mas também de sua reputação. Agora, considerando que todas as virtudes são iguais em si mesmas, não se pode negar que elas podem ser mais benéficas para a humanidade em uma pessoa do que em outra. Um mendigo pode ser tão magnânimo quanto um rei, pois o que pode ser maior ou mais corajoso do que desafiar a má sorte? Isso não impede que um indivíduo com autoridade e abundância tenha mais motivos para trabalhar com sua generosidade do que uma pessoa comum, e ela também é mais apreciada nos bancos do que nas ruas.

Quando um príncipe gracioso se mostra ao seu povo, eles não fogem dele como de um tigre que se levanta de sua toca, mas o adoram como uma influência benevolente, o protegem contra todas as conspirações e interpõem seus corpos entre ele e o perigo. Eles o guardam enquanto ele dorme e o defendem no campo contra seus inimigos. Esse acordo unânime de amor e lealdade e esse zelo heroico de se abandonarem pela segurança de seu príncipe também não é sem razão, mas é também o interesse do povo. Na respiração de um príncipe há vida e morte, e sua sentença é válida, quer seja certa ou errada. Se ele estiver com raiva, ninguém ousa o aconselhar, e se ele fizer algo errado, quem o chamará para prestar contas? Agora, para aquele que tem tanto mal em seu poder e ainda assim aplica esse poder para a utilidade comum e o conforto de seu povo, difundindo também clemência e bondade em seus corações, o que pode ser uma bênção maior para a humanidade do que tal príncipe? Qualquer pessoa pode matar outra contra a lei, mas somente um príncipe pode salvar. Que ele lide com seus súditos da mesma forma que deseja que Deus lide com ele. Se o Céu fosse inexorável com os pecadores e destruísse todos sem misericórdia, que carne poderia estar a salvo?

Mas como as falhas dos grandes homens não são punidas com trovões do alto, que eles tenham a mesma consideração com seus inferiores aqui na Terra. Aquele que tem a vingança em seu poder e não a usa é o grande homem. Qual é o estado mais belo e agradável, o de um dia calmo, temperado e claro, ou o de relâmpagos, trovões e tempestades? Essa é a diferença entre um governo moderado e turbulento. Cabe aos espíritos baixos e vulgares brigar, fazer tempestades e se transportar, mas não cabe à majestade de um príncipe se lançar na intemperança das palavras. Alguns acharão que é mais escravidão do que império ser privado da liberdade de expressão. E o que dizer se for, quando o próprio governo não passa de uma servidão mais ilustre?

Aquele que usa seu poder como deveria, tem tanto prazer em torná-lo confortável para seu povo quanto glorioso para si mesmo. Ele é afável e de fácil acesso; seu semblante o torna a alegria dos olhos de seu povo e o deleite da humanidade. Ele é amado, defendido e reverenciado por todos os seus súditos; e as pessoas falam tão bem dele em particular quanto em público. Ele está seguro sem guardas, e a espada é antes seu ornamento do que sua defesa. Em seu dever, ele é como um bom pai, que às vezes reprova gentilmente um filho, às vezes o ameaça, e talvez o corrija, mas nenhum pai em seu juízo perfeito deserdará um filho pela primeira falha. Deve haver muitas e grandes ofensas, e apenas consequências desesperadoras, que o levariam a essa resolução. Ele fará muitas experiências para tentar recuperá-lo primeiro, e nada além do desespero máximo o levará a extremos.

Não é lisonja chamar um príncipe de pai de seu país. Os títulos de "grande" e de "augusto" são uma questão de elogio e honra, mas ao chamá-lo de pai, nós o lembramos da moderação e da indulgência que ele deve a seus filhos. Seus súditos são seus membros. Se for necessário amputar um membro, que ele o faça lentamente, e quando a parte for cortada, que ele deseje colocá-la novamente, que ele sofra ao fazer isso. Aquele que profere uma sentença apressadamente, parece que o fez de boa vontade, e então há uma injustiça no excesso.

É uma contemplação gloriosa para um príncipe considerar as vastas multidões de seu povo, cujas paixões sediciosas, divididas e impotentes, lançariam tudo em confusão e destruiriam a si mesmas, e também a ordem pública, se a mão do governo não as contivesse, e então passar pelo exame de sua consciência, dizendo a si mesmo: "É por escolha da Providência que sou aqui nomeado representante de Deus na Terra, o árbitro da vida e da morte; e que de minha respiração depende a sorte de meu povo. Meus lábios são os oráculos de seu destino, e deles depende o destino das cidades e dos seres humanos. É sob meu favor que as pessoas buscam prosperidade ou proteção. Milhares de espadas são desembainhadas ou embainhadas a meu bel-prazer. Que cidades serão promovidas ou destruídas; quem será escravo ou quem será livre, depende da minha vontade. No entanto, com esse poder arbitrário de agir sem controle, nunca fui levado a fazer qualquer coisa cruel, seja por raiva ou sangue quente em mim mesmo ou pela contumácia, imprudência ou provocações de outras pessoas, embora seja suficiente para transformar a própria misericórdia em fúria. Nunca fui movido pela odiosa vaidade de me tornar terrível por meu poder (aquele maldito, embora comum, humor de ostentação e glória que assombra naturezas imperiosas). Minha espada não foi apenas enterrada na bainha, mas de certa forma ligada à paz, e até ao sangue mais barato. Quando não encontro outro motivo para compaixão, a própria humanidade é suficiente. Sempre fui lento para ser severo e propenso a perdoar; e sempre fui tão rigoroso na observância das leis como se fosse responsável por sua violação. Alguns eu perdoei por sua juventude, outros por sua idade. Eu poupo um homem por sua dignidade, outro por sua humildade, e quando não encontro outro assunto para trabalhar, eu me poupo. De modo que, se Deus me chamasse a prestar contas neste instante, o mundo inteiro concordaria em testemunhar a meu favor que não defraudei a comunidade por nenhuma força, pública ou privada, tampouco por mim mesmo nem por qualquer outro. E a reputação que sempre busquei foi aquela que poucos príncipes obtiveram, a consciência de minha inocência. E também não perdi meu trabalho, pois nenhum homem jamais foi tão querido por outro como eu me tornei por todo o meu povo".

Sob tal príncipe, os súditos não têm nada a desejar além do que desfrutam, porque seus medos são acalmados e suas orações são ouvidas, e não há nada que possa tornar sua felicidade maior, a não ser torná-la perpétua. Não há liberdade negada ao povo, a não ser a de destruir uns aos outros. É do interesse do povo, com o consentimento de todas as nações, correr todos os riscos para a segurança de seu príncipe e, com mil mortes, resgatar aquela única vida da qual dependem tantos milhões. O corpo inteiro não serve à mente, embora apenas um esteja exposto aos olhos e o outro não, mas fino e invisível, sendo incerta a sua sede? No entanto, as mãos, os pés e os olhos observam seus movimentos. Nós nos deitamos, corremos e perambulamos, conforme isso nos ordena. Se formos cobiçosos, pescamos nos mares e saqueamos a terra em busca de tesouros; se formos ambiciosos, queimamos nossa carne, lançamo-nos no golfo com Curtius. Assim também essa vasta multidão de pessoas, que é animada apenas por uma alma, governada por um espírito e movida por uma razão, se destruiria com a própria força, se não fosse apoiada pela sabedoria e pelo governo. Portanto, é para a segurança do príncipe que o povo expõe suas vidas, como o próprio elo que une a república, o espírito vital de tantos milhares, que nada mais seria do que um fardo e uma presa sem um governador.

Quando essa união é dissolvida, tudo se despedaça, pois o império e a obediência devem permanecer e cair juntos. Não é de se admirar, portanto, que um príncipe seja querido por seu povo, quando a comunidade está envolvida nele, e o bem de ambos é tão inseparável quanto o corpo e a cabeça, um para a força e o outro para o conselho, pois o que significa a força do corpo sem a direção do entendimento? Enquanto o príncipe vigia, seu povo dorme, seu trabalho os mantém tranquilos, e seus negócios os mantêm calmos. A intenção natural da monarquia aparece até na própria disciplina das abelhas, uma vez que elas designam ao seu mestre os alojamentos mais bonitos, o lugar mais seguro, e seu trabalho é apenas garantir que o resto cumpra seus deveres. Quando sua rainha se perde, todo o enxame se dissolve, porque não admitem mais de uma. Então, disputam quem ficará com o melhor. De todas as criaturas, são as mais ferozes por sua grandeza e deixam seus ferrões para trás em suas brigas. Somente a própria rainha não tem nenhum, o que indica que os soberanos não devem ser vingativos nem cruéis.

Não é uma vergonha, depois de um exemplo de moderação como esse nessas criaturas, que as pessoas sejam ainda intemperantes? Seria bom se elas perdessem seus ferrões também em sua vingança, assim como as abelhas, para que pudessem ferir apenas uma vez e não fizessem nenhum mal por meio de seus representantes. Elas se cansariam se tivessem que executar tudo com as próprias mãos, ou ferir outros com o risco de suas vidas.

Um príncipe deve se comportar generosamente no poder que Deus lhe concedeu de vida e morte, especialmente em relação àqueles que foram seus iguais em algum momento, pois um tem sua vingança, e o outro, sua punição. Aquele que está em dívida com sua vida a perdeu, mas aquele que recebe sua vida aos pés de seu inimigo vive para a honra de seu preservador, ele vive o monumento duradouro de sua virtude, ao passo que se ele tivesse sido conduzido em triunfo o espetáculo teria acabado rapidamente. Não seria um grande acréscimo à sua honra mostrar que ele não encontrou nada no conquistado que fosse digno do conquistador? Não há nada mais venerável do que um príncipe que não se vinga de uma injúria. Aquele que é gracioso é amado e reverenciado como um pai comum, mas um tirano tem medo e corre perigo até dos próprios guardas. Nenhum príncipe pode estar seguro se todos os outros têm medo dele, pois não poupar ninguém é enfurecer a todos. É um erro imaginar que qualquer homem pode estar seguro se não permitir que ninguém mais esteja também. Como alguém pode suportar levar uma vida inquieta, desconfiada e ansiosa, quando pode estar seguro, se quiser, e desfrutar de todas as bênçãos do poder, juntamente às orações de seu povo? A clemência protege um príncipe sem uma guarda, não há necessidade de tropas, castelos ou fortificações, porque a segurança de um lado é a condição da segurança do outro, e os afetos do súdito são a fortaleza mais invencível. O que pode ser mais justo do que um príncipe viver como objeto do amor de seu povo, ter os votos de seu coração, bem como de seus lábios, e sua saúde e doença, suas esperanças e temores comuns? Não haverá perigo de conspirações; pelo contrário, quem não arriscaria francamente seu sangue para salvá-lo, sob cujo governo florescem a justiça, a paz, a modéstia e a dignidade? Sob cuja influência as pessoas se tornam ricas e felizes, e a quem as pessoas olham com tanta veneração, como fariam com os deuses imortais, se fossem capazes de vê-los? E como o verdadeiro representante do altíssimo, eles o consideram quando ele é gracioso e generoso e emprega seu poder para o benefício de seus súditos.

Quando um príncipe aplica uma punição, deve ser para defender a si mesmo ou a outros. É uma questão difícil governar a si mesmo no próprio caso. Se alguém o aconselhar a não ser crédulo, mas a examinar as questões e a fazer a vontade aos inocentes, isso é mais uma questão de justiça do que de clemência; mas, no caso de ele ser manifestamente prejudicado, eu gostaria que ele perdoasse, quando pudesse fazê-lo com segurança, e fosse mais tenaz mesmo quando não pudesse perdoar, pois em seu caso se demove muito mais com rogos ou súplicas do que no de outras pessoas.

Não é nada estar livre da na causa de outra pessoa, e é tão pouco ser misericordioso na causa de outrem. Ele é o grande homem que domina sua paixão onde ele mesmo é picado e perdoa quando poderia destruir. O objetivo da punição é confortar a parte prejudicada ou protegê-la para o futuro. A fortuna de um príncipe está acima da necessidade de tal conforto, e seu poder é eminente demais para buscar um avanço na reputação causando um dano a qualquer pessoa. Falo isso no caso de uma afronta daqueles que estão abaixo de nós; mas aquele que, de igual para igual, fez de qualquer pessoa seu inferior, tem sua vingança quando a derrubar. Um príncipe foi morto por um servo, destruído por uma serpente; mas aquele que preserva um homem deve ser maior do que a pessoa que ele preserva. Com os cidadãos, estrangeiros e pessoas de baixa condição, um príncipe não deve brigar, pois estão abaixo dele. Ele pode poupar alguns por boa vontade, e outros como faria com algumas criaturinhas que um homem não pode tocar sem sujar os dedos, mas para aqueles que devem ser perdoados ou expostos à punição pública, ele pode usar de misericórdia conforme achar oportuno. Uma mente generosa nunca pode ter falta de incentivos e motivos para isso, e seja idade ou sexo, alto ou baixo, nada vem errado.

UMA SELEÇÃO DOS DISCURSOS DE EPITETO[39]

EPITETO

Sabe-se muito pouco sobre a vida de Epiteto. Diz-se que ele era natural de Hierápolis, na Frígia, uma cidade entre o Meandro e um braço do Meandro chamado Lico. Hierápolis é mencionada na epístola de Paulo ao povo de Colossos (Colossenses 4:12-13), de onde se conclui que havia uma igreja cristã em Hierápolis na época do apóstolo. A data de nascimento de Epiteto é desconhecida. O único fato registrado de sua infância é que ele era um escravo em Roma, e seu mestre era Epafrodito, um liberto perdulário do imperador Nero. Há uma história de que o senhor quebrou a perna de seu escravo ao torturá-lo, mas é melhor confiar na evidência de Simplício, o comentarista do *Encheiridion*, ou *Manual*, que diz que Epiteto era fraco de corpo e manco desde cedo. Não é dito como ele se tornou escravo, mas tem sido afirmado nos tempos modernos que os pais venderam a criança. Entretanto, não encontrei nenhuma autoridade para essa afirmação.

Pode-se supor que o jovem escravo demonstrou inteligência, pois seu mestre o enviou ou permitiu que ele assistisse às palestras de C. Caio Musônio Rufo, um eminente filósofo estoico. Pode parecer estranho que tal senhor desejasse que seu escravo se tornasse um filósofo, mas Garnier, autor de "Memória sobre as obras de Epiteto", explica essa questão muito bem em uma comunicação ao arqueólogo e filósofo francês Schweighaeuser. Garnier diz: "Epiteto, nascido em Hierápolis, na Frígia, de pais pobres, ficou devendo, aparentemente, as vantagens de uma boa educação ao capricho, que era comum no final da República e sob os

---

39 Título original: *A selection from the discourses of Epictetus*. Autor: Epictetus. Tradução: George Long. Tradução e composição de notas: Murilo Oliveira de Castro Coelho.

primeiros imperadores, entre os grandes de Roma, de contar entre seus numerosos escravos, gramáticos, poetas, retóricos e filósofos, da mesma forma que os ricos financistas nessas últimas eras foram levados a formar, a um custo elevado, bibliotecas ricas e numerosas. Essa suposição é a única que pode nos explicar como uma criança miserável, nascida tão pobre quanto Irus, recebeu uma boa educação, e como um estoico rígido era escravo de Epafrodito, um dos oficiais da guarda imperial. Pois não podemos suspeitar que foi por predileção pela doutrina estoica, e para seu uso, que o confidente e ministro das devassidões de Nero teria desejado possuir tal escravo".

Alguns escritores supõem que Epiteto foi alforriado por seu mestre, mas não consigo encontrar nenhuma evidência para essa afirmação. Epafrodito acompanhou Nero quando ele fugiu de Roma diante de seus inimigos e ajudou o miserável tirano a se matar. Domiciano (SUETÔNIO, Domit. 14), posteriormente, levou Epafrodito à morte por esse serviço prestado a Nero. Podemos concluir que Epiteto, de alguma forma, obteve sua liberdade e começou a ensinar em Roma, mas após a expulsão dos filósofos de Roma por Domiciano, em 89 d.C., ele se retirou para Nicópolis, em Épiro, uma cidade construída por Augusto para comemorar a vitória em Áccio. Epiteto abriu uma escola ou sala de aula em Nicópolis, onde lecionou até a velhice. A data de sua morte é desconhecida. Epiteto nunca se casou, como sabemos por Lucian (DEMONAX, c. 55, torn, ii., ed. Hemsterh., p. 393). Quando Epiteto estava criticando o filósofo cínico grego Demonax e aconselhando-o a tomar uma esposa e gerar filhos, pois isso também, como Epiteto disse, era o dever de um filósofo, deixar em seu lugar outro no Universo, Demonax refutou a doutrina, respondendo: "Dê-me, então, Epiteto, uma de suas filhas". Simplicius diz (*Comment.*, c. 46, p. 432, ed. Schweigh.) que Epiteto viveu sozinho por muito tempo. Por fim, ele levou uma mulher para sua casa para cuidar de uma criança, que um dos amigos de Epiteto ia expor por causa de sua pobreza, mas Epiteto pegou a criança e a criou.

Epiteto não escreveu nada, e tudo o que temos sob seu nome foi escrito.

Fócio (Biblioth., 58) menciona entre as obras de Arriano "Conversas com Epiteto", [grego: *Homiliai Epichtaeton*], em doze livros. Upton Sinclair acha que essa obra é apenas outro nome para os *Discursos*, e que Fócio cometeu o erro de considerar as *Conversações* como uma obra diferente dos *Discursos*. No entanto, Fócio enumerou oito livros dos *Discursos* e doze livros das *Conversações*. Schweighaeuser observa que Fócio não tinha visto essas obras de Arriano sobre Epiteto, pois assim ele conclui com base na breve descrição dessas obras por Fócio. O fato é que Fócio não diz que leu esses livros, como geralmente faz quando está falando dos livros que enumera em sua *Bibliotheca*. A conclusão é que não temos certeza de que existiu uma obra de Arriano intitulada "Conversas com Epiteto".

Upton observa em uma nota (p. 184, tradução) que "há muitas passagens nessas dissertações que são ambíguas ou bastante confusas por causa das pequenas questões, e porque o assunto não é expandido pela copiosidade oratória, para não mencionar outras causas". Os discursos de Epiteto, supõe-se, eram proferidos de improviso e, portanto, uma coisa após a outra surgia nos pensamentos do orador (WOLF). Schweighaeuser também observa em uma nota (ii., 336 de sua edição) que a conexão do discurso às vezes é obscura em função da omissão de algumas palavras que são necessárias para indicar a conexão dos pensamentos. O leitor, então, descobrirá que nem sempre pode entender Epiteto, se não o ler com muito cuidado, e algumas passagens mais de uma vez. Ele também deve pensar e refletir, ou não entenderá o significado. Não estou dizendo que o livro vale todo esse esforço. Cada pessoa deve julgar por si mesma. Mas eu não deveria ter traduzido o livro se não achasse que valeria a pena estudá-lo, e acho que todos os livros desse tipo exigem uma leitura cuidadosa, se é que valem a pena ser lidos.

George Long.

DAS COISAS QUE ESTÃO EM NOSSO PODER, E AS QUE NÃO ESTÃO EM NOSSO PODER

De todas as faculdades (exceto a que mencionarei em breve), você não encontrará nenhuma que seja capaz de contemplar a si mesma e, consequentemente, não seja capaz de aprovar ou desaprovar. Até a que ponto a arte gramatical possui o poder de contemplação? Até formar um julgamento sobre o que é escrito e falado. E até a que ponto a música? À medida que julga a melodia. Então, alguma delas contempla a si mesma? De modo algum. Mas quando você precisa escrever algo para seu amigo, a gramática lhe dirá quais palavras você deve escrever. Contudo, se você deve escrever ou não, a gramática não lhe dirá. E o mesmo acontece com a música no que diz respeito aos sons musicais, porque se você deve cantar neste momento e tocar alaúde, ou não deve fazer nada disso, a música não lhe dirá. Que faculdade, então, lhe dirá? Aquela que contempla a si mesma e todas as outras coisas. E qual é essa faculdade? A faculdade racional, pois essa é a única faculdade que recebemos que examina a si mesma, o que é, e que poder tem, e qual é o valor desse dom, e examina todas as outras faculdades. E o que mais nos diz que as coisas douradas são belas, já que elas mesmas não dizem isso? Evidentemente, é a faculdade que é capaz de julgar as aparências. O que mais julga a música, a gramática e as outras faculdades, prova seus usos e indica as ocasiões para as utilizar? Nada mais.

O que, então, uma pessoa deve ter em mãos em tais circunstâncias? O que mais além disso? O que é meu, e o que não é meu; e o que me é permitido, e o que não me é permitido. Eu preciso morrer. Devo, então, morrer lamentando? Devo ser acorrentado. Devo, então, também me lamentar? Devo ir para o exílio. Alguém, então, me impede de ir com sorrisos, alegria e contentamento? Conte-me o segredo que você possui. Não o farei, pois isso está em meu poder. Mas eu o acorrentarei. Homem, do que você está falando? De mim, acorrentado? Você pode acorrentar minha perna, mas minha vontade nem o próprio Zeus pode dominar. Eu o jogarei na prisão. Meu pobre corpo, você quer dizer. Cortarei sua cabeça. Quando foi que eu lhe disse que minha cabeça sozinha não pode ser cortada? Essas são as coisas sobre as quais os filósofos deveriam meditar, sobre as quais deveriam escrever diariamente, sobre as quais deveriam se exercitar.

O que disse, então, Agripino? Ele disse: "Eu não sou um obstáculo para mim mesmo". Quando lhe foi relatado que seu julgamento estava ocorrendo no Senado, ele disse: "Espero que tudo corra bem, mas é a quinta hora do dia" – essa era a hora em que ele costumava se exercitar e, depois, tomar o banho frio – "vamos nos exercitar". Depois de ter feito seu exercício, alguém chega e lhe diz: "Você foi condenado". "Ao banimento", responde ele, "ou à morte?". "Ao banimento". "E quanto à minha propriedade?". "Ela não será tirada de você". "Vamos para Aricia, então", disse ele, "e jantemos."

COMO UM HOMEM EM QUALQUER OCASIÃO PODE MANTER SEU CARÁTER PRÓPRIO

Para o animal racional, apenas o irracional é intolerável, mas o que é racional é tolerável. Os golpes não são naturalmente intoleráveis. Como isso é possível? Veja como os lacedemônios[40] suportam o açoite quando aprendem que o açoite é coerente com a razão. Enforcar-se não é intolerável. Quando, então, você tem a opinião de que isso é racional, você vai e se enforca. Em suma, se observarmos, descobriremos que o homem animal não se aflige por nada que seja irracional; e, ao contrário, não se sente atraído por nada que seja racional.

Apenas considere o preço pelo qual você vende a própria vontade. Se não por outra razão, pelo menos por esta: que você não a vende por uma pequena quantia. Mas aquilo que é grande e superior talvez pertença a Sócrates e aos que são como ele. Por que, então, se somos naturalmente assim, um grande número de nós não é como ele? É verdade que todos os cavalos se tornam velozes, que todos os cães são hábeis em rastrear pegadas? Então, já que sou naturalmente monótono, será que, por essa razão, não devo me esforçar? Espero que não. Epiteto não é superior a Sócrates, mas se ele não é inferior, isso é suficiente para mim, pois eu nunca serei um Milo, e ainda assim não negligencio meu corpo, tampouco serei um Creso[41], e ainda assim não negligencio minha propriedade; nem, em uma palavra, negligenciamos o cuidado com qualquer coisa porque desesperamos de alcançar o mais alto grau.

---

40 Pessoas naturais da Lacônia, também conhecida como Lacedemônia, na Grécia, cuja capital era Esparta.
41 Creso foi um dos mais famosos monarcas da Antiguidade, rei da Lídia, na Ásia Menor, onde hoje é a Turquia. Durante um diálogo com o sábio Sólon afirmou que era feliz porque não tinha nenhuma posse.

COMO UMA PESSOA DEVE PROCEDER COM BASE NO PRINCÍPIO DE QUE DEUS É O PAI DE TODOS

Se uma pessoa fosse capaz de concordar com essa doutrina como deveria, de que todos nós somos originados de Deus de uma maneira especial, e que Deus é o pai tanto dos seres humanos quanto dos deuses, suponho que ele nunca teria nenhum pensamento ignóbil ou mesquinho sobre si mesmo. Mas se César (o imperador) o adotasse, ninguém poderia suportar sua arrogância, e se você souber que é filho de Zeus, não ficará exultante? Como essas duas coisas estão misturadas na geração do ser humano, o corpo em comum com os animais e a razão e a inteligência em comum com os deuses, muitos se inclinam para esse parentesco, que é miserável e mortal, e alguns poucos para o que é divino e feliz. Uma vez que é necessário que todas as pessoas usem cada coisa de acordo com a opinião que têm sobre ela, aqueles, os poucos, que pensam que são formados para a fidelidade e a modéstia e para um uso seguro das aparências não têm pensamentos mesquinhos ou ignóbeis sobre si mesmos, mas com os muitos é exatamente o contrário, pois eles dizem: O que sou eu? Uma pobre e miserável criatura, com meu miserável pedaço de carne. Miserável, de fato, mas você possui algo melhor do que seu pedaço de carne. Por que, então, negligenciam o que é melhor, e por que se apegam a isso?

Por causa dessa afinidade com a carne, alguns de nós que se inclinam a ela se tornam como lobos, infiéis, traiçoeiros e maliciosos, e alguns se tornam como leões, selvagens, bestiais e indomáveis. Mas a maior parte de nós se torna raposa e outros animais piores. Pois o que mais é um ser humano caluniador e maligno do que uma raposa, ou outro animal mais miserável e mesquinho? Portanto, veja e tome cuidado para não se tornar uma dessas coisas miseráveis.

DO PROGRESSO OU APRIMORAMENTO

Aquele que está progredindo, tendo aprendido com os filósofos que o desejo significa o desejo de coisas boas, e a aversão significa a aversão a coisas ruins, tendo aprendido também que a felicidade e a tranquilidade não podem ser alcançadas pelo ser humano de outra forma a não ser por deixar de obter o que deseja e não caindo naquilo que gostaria de evitar, essa pessoa tira de si mesma o desejo por completo e o confere, mas emprega sua aversão apenas em coisas que dependem de sua vontade. Se alguém tentar evitar qualquer coisa independente de sua vontade, ele sabe que às vezes cairá em algo que deseja evitar, e será infeliz. Ora, se a virtude promete boa sorte, tranquilidade e felicidade, certamente o progresso em direção à virtude também é um progresso em direção a cada uma dessas coisas. Pois é sempre verdade que, seja qual for o ponto a que nos conduza o aperfeiçoamento de qualquer coisa, o progresso é uma aproximação a esse ponto.

Como, então, admitimos que a virtude é o que eu disse e, ainda assim, buscamos o progresso em outras coisas e o exibimos? Qual é o produto da virtude? A tranquilidade. Quem, então, faz melhorias? É aquele que leu muitos livros de Crisipo[42]? Mas, será que a virtude consiste em ter compreendido Crisipo? Se for assim, o progresso é claramente nada mais do que saber muito sobre Crisipo. Agora, admitimos que a virtude produz uma coisa, e declaramos que aproximar-se dela é outra coisa, a saber, progresso ou aprimoramento. Tal pessoa, diz alguém, já é capaz de ler Crisipo por si mesma. De fato, senhor, você está fazendo um grande progresso. Que tipo de progresso? Por que você zomba do homem? Por que o afasta da percepção de seus infortúnios? Não vai lhe mostrar o efeito da virtude para que ele aprenda onde procurar por melhorias? Busque-a lá, infeliz, onde está seu trabalho. E onde está seu trabalho? No desejo e na aversão, para que você não se decepcione com seu desejo e não caia naquilo que gostaria de evitar em sua busca e evitação, para que você não cometa erros no assentimento e na suspensão dessa aceitação de uma ideia como verdade, de modo que você não seja enganado. As primeiras coisas, e as mais necessárias, são as que mencionei. Mas, se com tremor e lamentação você procura não cair naquilo que evita, diga-me como está melhorando.

---

42 Crisipo de Solos (280 a.C.-208 a.C.) foi um filósofo grego que se tornou um dos maiores expoentes do estoicismo.

CAFÉ COM OS ESTOICOS

Você me mostra seu progresso nessas coisas? Se eu estivesse falando com um atleta, diria: "Mostre-me seus ombros", e ele poderia dizer: "Aqui estão meus halteres". Você e seus halteres olhem para isso. Eu responderia: "Quero ver o efeito dos halteres". Portanto, quando você diz: "Pegue o tratado sobre os poderes ativos ([grego: *hormea*]) e veja como eu o estudei", eu respondo: "Escravo, não estou perguntando sobre isso, mas sobre como você exerce a busca e a evasão, o desejo e a aversão, como você projeta, planeja e se prepara, se de acordo com a natureza ou não. Se for conforme, dê-me evidências disso, e eu direi que está progredindo; mas se não for conforme, vá embora e não apenas exponha seus livros, mas escreva esses livros você mesmo". E o que ganhará com isso? Você não sabe que o livro inteiro custa apenas cinco denários? Então o expositor parece valer mais do que cinco denários? Então, nunca procure a matéria em si em um lugar e o progresso em direção a ela em outro. Onde, então, está o progresso? Se algum de vocês, afastando-se das coisas externas, voltar-se para a própria vontade ([grego: *proairesis*]) para exercê-la e melhorá-la pelo trabalho, de modo a torná-la conforme à natureza, elevada, livre, irrestrita, desimpedida, fiel, modesta; e se tiver aprendido que aquele que deseja ou evita as coisas que não estão em seu poder não pode ser nem fiel nem livre, mas necessariamente deve mudar com elas e ser sacudido por elas como em uma tempestade, e necessariamente deve se sujeitar a outros que têm o poder de obter ou impedir o que ele deseja ou gostaria de evitar. Por fim, quando ele se levanta pela manhã, se observar e mantiver essas regras, tomar banho como uma pessoa fiel, comer como um indivíduo modesto, da mesma forma, se em todos os assuntos que ocorrerem, ele aplicar seus princípios fundamentais ([grego: *ta proaegoumena*]) como o corredor faz com a corrida, e o treinador dá voz à voz – esse é o indivíduo que realmente faz progresso, e esse é o sujeito que não viajou em vão. Mas se ele dedicou seus esforços à prática da leitura de livros, e trabalha apenas nisso, e viajou por isso, eu lhe digo para voltar para casa imediatamente e não negligenciar seus afazeres lá, pois isso pelo qual ele viajou não é nada. Mas a outra coisa é estudar como uma pessoa pode livrar sua vida de lamentações e gemidos, e dizer: "Ai de mim, e miserável que sou", e livrá-la também de infortúnio e decepção, e aprender o que é a morte, e o exílio, e a prisão, e o veneno, para que ele possa ser capaz de dizer quando estiver em grilhões: "Caro Críton[43], se é a vontade dos deuses que seja assim, que seja assim; e não dizer: "Miserável sou eu, um homem velho; será que guardei meus cabelos brancos para isso?". Quem é que está falando assim? Você acha que vou citar algum homem de má reputação e de baixa condição? Não é o que diz Príamo[44]? Não o diz Édipo[45]? Não, todos os reis o dizem! O que mais é a tragédia do que as perturbações ([grego: *pathae*]) de seres humanos que valorizam o exterior, exibidas nesse tipo de poesia? Se uma pessoa precisa aprender por ficção que nenhuma coisa externa que seja independente da vontade nos diz respeito, de minha parte eu gostaria dessa ficção, com a ajuda da qual eu poderia viver feliz e sem perturbações. Mas vocês devem considerar por si mesmos o que desejam.

O que Crisipo nos ensina, então? A resposta é: saber que essas coisas não são falsas, e daí vem a felicidade e a tranquilidade. Pegue meus livros e você aprenderá como são verdadeiras e em conformidade com a natureza as coisas que me deixam livre de perturbações. Ó grande boa sorte! Ó o grande benfeitor que aponta o caminho! Para Triptólemo[46] todos os homens ergueram templos e altares, porque ele nos deu alimento por meio do cultivo; mas para aquele que descobriu a verdade e a trouxe à luz e a comunicou a todos, não a verdade que nos mostra como viver, mas como viver bem, quem de vocês, por essa razão, construiu um altar, ou um templo, ou dedicou uma estátua, ou quem adora a Deus por isso? Porque os deuses deram a videira ou o trigo, nós os sacrificamos; mas porque eles produziram na mente humana o fruto com o qual pre-

---

43   *Críton* ou *Do dever* é um diálogo entre Sócrates e seu amigo rico Críton no qual discorrem sobre justiça e injustiça, bem como a respeito da resposta apropriada à injustiça.
44   Príamo foi rei de Troia, segundo a mitologia grega, durante a Guerra de Troia, o filho de Laomedonte.
45   Édipo é um herói da mitologia grega que matou o pai, resolveu o enigma da esfinge que atacava a cidade grega de Tebas, e desposou a mãe. Em função desse incesto foi ao mesmo tempo pai e irmão de Etéocles, Ismênia, Antígona e de Polinices (ÉDIPO. *In*: KURY, Mario da Gama. **Dicionário da Mitologia Grega e Romana**. São Paulo: Zahar, 1999).
46   Herói da mitologia grega cuja veneração estava ligada à deusa da colheita e da agricultura Deméter, que também era a deusa das estações do ano.

tendiam nos mostrar a verdade relacionada à felicidade, não devemos agradecer a Deus por isso?

CONTRA OS ACADÊMICOS

Se um ser humano, disse Epiteto, se opõe a verdades evidentes, não é fácil encontrar argumentos pelos quais possamos fazê-lo mudar de opinião. Mas isso não se deve nem à força do indivíduo nem à fraqueza do professor, pois, quando uma pessoa, embora tenha sido refutada, está endurecida como uma pedra, como poderemos então lidar com ela por meio de argumentos?

Agora, há dois tipos de endurecimento, um do entendimento e outro do senso de vergonha, quando uma pessoa está decidida a não concordar com o que é manifesto nem a desistir de contradições. A maioria de nós tem medo da mortificação do corpo e planejaria todos os meios para evitá-la, mas não nos importamos com a mortificação da alma. E, de fato, no que diz respeito à alma, se um ser humano estiver em tal estado que não apreenda nada, ou não entenda nada, pensamos que ele está em uma condição ruim; mas se o senso de vergonha e modéstia estiver amortecido, chamamos isso de poder (ou força).

DA PROVIDÊNCIA

De tudo o que é ou acontece no mundo, é fácil louvar a Providência, se um ser humano possui estas duas qualidades: a faculdade de ver o que pertence e acontece a todas as pessoas e coisas; e uma disposição grata. Se não possuir essas duas qualidades, uma pessoa não verá a utilidade das coisas que são e que acontecem; outra não será grato por elas, mesmo que as conheça. Se Deus tivesse criado as cores, mas não tivesse criado a faculdade de vê-las, qual teria sido a utilidade delas? Nenhuma. Por outro lado, se ele tivesse feito a faculdade da visão, mas não tivesse feito objetos que se enquadrassem nessa faculdade, qual teria sido, nesse caso, a sua utilidade? Nenhum. Bem, suponhamos que Deus tivesse criado ambas, mas não tivesse criado a luz. Nesse caso, eles também não teriam sido úteis. Quem foi, então, que ajustou isto àquilo e aquilo àquilo?

Que são, pois, essas coisas feitas somente em nós? Muitas, de fato, somente em nós, das quais o animal racional tinha necessidade peculiar, mas você encontrará muitas comuns a nós com animais irracionais. Eles, então, entendem o que é feito? De modo algum. Pois o uso é uma coisa, e o entendimento é outra. Deus precisava que os animais irracionais fizessem uso das aparências, mas de nós para entender o uso das aparências. Portanto, é suficiente que eles comam e bebam, copulem e façam todas as outras coisas que fazem individualmente. Mas para nós, a quem ele deu também a faculdade intelectual, essas coisas não são suficientes, porque a menos que ajamos de maneira adequada e ordenada, e de acordo com a natureza e a constituição de cada coisa, nunca alcançaremos nosso verdadeiro fim. Onde as constituições dos seres vivos são diferentes, lá também os atos e os fins são diferentes. Nos animais cuja constituição é adaptada apenas ao uso, o uso por si só é suficiente, mas em um animal (o ser humano), que também tem o poder de compreender o uso, a menos que haja o devido exercício do entendimento, ele nunca alcançará seu fim adequado. Pois bem, Deus constitui todos os animais, um para ser comido, outro para servir à agricultura, outro para fornecer queijo e outro para algum uso semelhante. Para esses propósitos, que necessidade há de entender as aparências e ser capaz de distingui-las? Mas Deus reservou ao ser humano ser um espectador de Deus e de suas obras, e não apenas um espectador delas, mas também um intérprete. Por essa razão, é vergonhoso para os humanos começarem e terminarem onde os animais irracionais começam. Ao contrário, eles devem começar onde eles começam e terminar onde a natureza termina em nós, sendo que a natureza termina em contemplação e compreensão, e em um modo de vida em conformidade com a natureza. Portanto, tome cuidado para não morrer sem ter sido espectador dessas coisas.

Mas vocês viajam até Olímpia para ver as esculturas de Fídias, e todos acham que é um infortúnio morrer sem ter visto tais coisas. Mas quando não há necessidade de viajar, e onde um homem está, ele tem as obras (de Deus) diante de si, você não desejará vê-las e compreendê-las? Não perceberá o que você é, ou para que nasceu, ou o que é isso para o qual recebeu a faculdade da visão? Mas você pode dizer: "Há algumas coisas desagradáveis e incômodas na vida". E não há nenhuma em Olímpia? Você não está se queimando? Não está sendo pressionado por uma multidão? Não tem meios confortáveis para tomar banho? Não ficam molhados quando chove? Não há uma abundância de barulho, clamor e outras coisas desagradáveis? Mas suponho que, comparando todas essas coisas com a magnificência do espetáculo, vocês suportam e aguentam. Pois bem, e você não recebeu faculdades pelas quais poderá suportar tudo o que acontecer? Você não recebeu grandeza de alma? Não recebeu virilidade? Não recebeu perseverança? E por que me preocupo com qualquer coisa que possa acontecer se possuo grandeza de alma? O que distrairá minha mente, me perturbará ou parecerá doloroso? Não devo usar o poder para os propósitos para os quais o recebi, e devo me entristecer e lamentar pelo que acontece?

Então, depois de observar essas coisas, você também olha para as faculdades que possui e, depois de examiná-las, diz: "Traga agora, ó Zeus, qualquer dificuldade que lhe agrade, pois tenho os meios que me foram dados por você e poderes para me honrar por meio das coisas que acontecem". Vocês não fazem isso, mas ficam quietos, tremendo de medo de que algumas coisas aconteçam, chorando, lamentando e gemendo pelo que acontece e, então, culpam os deuses. Qual é a consequência de tal mesquinhez de espírito, senão a impiedade? No entanto, Deus não apenas nos deu essas faculdades, por meio das quais seremos capazes de suportar tudo o que acontece sem sermos deprimidos ou quebrados por isso; mas, como um bom rei e um verdadeiro pai, Deus nos deu essas faculdades livres de impedimentos, não sujeitas a qualquer compulsão, desimpedidas, e as colocou inteiramente em nosso poder, sem sequer ter reservado para si mesmo qualquer poder de impedimento ou impedimento. Vocês, que receberam esses poderes gratuitamente e como se fossem seus, não os usam e sequer veem o que receberam e de quem. Alguns de vocês estão cegos para o doador, e sequer reconhecem seu benfeitor, e outros, por mesquinhez de espírito, entregam-se- à procura de falhas e à formulação de acusações contra Deus. No entanto, mostrarei a vocês que têm poderes e meios para a grandeza de alma e a virilidade. Mas, que poderes vocês têm para encontrar falhas e fazer acusações, mostrem-me.

COM BASE NO FATO DE QUE SOMOS SEMELHANTES A DEUS, UM HOMEM PODE CHEGAR ÀS CONSEQUÊNCIAS

De fato, acho que o ancião deveria estar sentado aqui, não para planejar como vocês não podem ter pensamentos mesquinhos nem conversas mesquinhas e ignóbeis a respeito de si mesmos, mas para cuidar para que não haja entre nós nenhum jovem com tal mentalidade que, depois de reconhecerem sua afinidade com Deus, e que estamos presos por esses laços, isto é, o corpo e suas posses, e tudo o mais que, por causa deles, nos é necessário para a economia e o comércio, eles pretendam se livrar dessas coisas como se fossem fardos dolorosos e intoleráveis, e partir para junto de seus parentes. Mas esse é o trabalho em que seu professor e instrutor deveria estar empregado, se ele realmente fosse o que deveria ser. Você deveria ir até ele e dizer: "Não é um professor, é um instrutor". Você deveria ir até ele e dizer: "Epiteto, não podemos mais suportar estar presos a este pobre corpo, alimentá-lo, dar-lhe de beber e descansar, limpá-lo e, por causa do corpo, atender aos desejos de uns e de outros". Essas coisas não são indiferentes e nada nos dizem. E não seria a morte um mal? Não somos, de certo modo, parentes de Deus, e não viemos dele? Permita que partamos para o lugar de onde viemos, permita que finalmente sejamos libertados dessas amarras que nos prendem e nos sobrecarregam. Aqui há salteadores e ladrões e tribunais de justiça, e aqueles que são chamados de tiranos e pensam que têm algum poder sobre nós por meio do corpo e de suas posses. Permita-nos mostrar-lhes que eles não têm poder sobre ninguém. E eu, de minha parte, diria: "Amigos, esperem em Deus, porque, quando ele der o sinal e os liberar deste serviço, então vão até ele. Mas, por enquanto, permaneçam neste lugar onde ele os colocou. De fato, é curto o tempo de sua permanência aqui, e fácil de suportar para aqueles que estão dispostos a isso; pois que tirano, ou que ladrão, ou que tribunais de justiça são formidáveis para aqueles que assim consideraram como coisas sem valor o corpo e as posses do corpo? Espere, então, não vá embora sem uma razão".

O QUE A FILOSOFIA PROMETE

Quando uma pessoa o consultou sobre como deveria persuadir seu irmão a deixar de se zangar com ele, Epiteto respondeu: "A filosofia não se propõe a assegurar ao ser humano qualquer coisa externa. Se assim fosse (ou se não fosse, como eu digo), a filosofia estaria permitindo algo que não está em sua alçada. Assim como o material do carpinteiro é a madeira, e o do estatuário é o cobre, também a matéria da arte de viver é a vida de cada pessoa". Quando, então, é a do meu irmão? "Isso novamente pertence à arte dele; mas no que diz respeito à sua, é uma das coisas externas, como um pedaço de terra, como saúde, como reputação". A filosofia não promete nada disso. Em todas as circunstâncias, eu manterei, diz ela, a parte governante conforme a natureza. De quem é a parte governante? Daquele em quem estou, diz ela.

Como, então, meu irmão deixará de ficar zangado comigo? Traga-o até mim e eu lhe direi. Mas não tenho nada a lhe dizer sobre a raiva dele.

Quando a pessoa que o estava consultando disse: "Procuro saber isto: como, mesmo que meu irmão não se reconcilie comigo, poderei manter-me em um estado conforme a natureza?". "Nada de grande", disse Epiteto, "é produzido de repente, pois sequer a uva ou o figo o são. Se você me disser agora que quer um figo, eu lhe responderei que isso requer tempo. Deixe-o primeiro florescer, depois, dar frutos e, então, amadurecer. O fruto da figueira não é aperfeiçoado de repente e em uma hora, e você possuiria o fruto da mente de uma pessoa em tão pouco tempo e tão facilmente? Não espere isso, mesmo que eu lhe diga".

NÃO DEVEMOS NOS IRRITAR COM OS ERROS (FALHAS) DOS OUTROS

Então, esse ladrão e esse adúltero não deveriam ser destruídos? De modo algum diga isso, mas fale da seguinte maneira: "Essa pessoa que se enganou e foi enganada sobre as coisas mais importantes, e que ficou cega, não na faculdade de visão que distingue o branco e o preto, mas na faculdade que distingue o bom e o ruim, não a deveríamos destruir?". Se você falar assim, verá como isso que está dizendo é desumano, e que é como se você dissesse: "Não devemos destruir essa pessoa cega e surda?". Se o maior dano é a privação das maiores coisas, e a maior coisa em cada ser humano é a vontade ou a escolha como deveria ser, e uma pessoa é privada dessa vontade, por que você também está zangado com ela? Você não deve ser afetado de forma contrária à natureza pelas coisas ruins de outra pessoa. Tenha mais pena dos outros, deixe de lado essa disposição para se ofender e odiar, e estas palavras que muitos proferem: "Esses malditos e odiosos companheiros". Como você se tornou tão sábio de uma vez? E como você está tão irritado? Por que, então, estamos irritados? Será que é porque valorizamos muito as coisas que essas pessoas nos roubam? Não admire suas roupas, e então você não ficará com raiva do ladrão. Considere o seguinte: você tem roupas finas; seu vizinho não tem; você tem uma janela; você deseja arejar as roupas. O ladrão não sabe em que consiste o bem do ser humano, mas acha que consiste em ter roupas finas, exatamente o que você também acha. Então ele não deve vir e levá-las embora? Quando você mostra um bolo a pessoas gananciosas e o engole todo, espera que elas não o roubem de você? Não os provoque; não tenha uma janela; não areje suas roupas. Recentemente, também coloquei uma lâmpada de ferro ao lado de meus deuses domésticos; ao ouvir um barulho na porta, desci correndo e descobri que a lâmpada havia sido levada. Pensei que aquele que havia levado a lâmpada não havia feito nada de estranho. E então? Amanhã, disse eu, você encontrará uma lâmpada de barro, pois uma pessoa só perde o que tem. Eu perdi minha roupa. A razão é que você tinha uma roupa. Estou com dor de cabeça. Você tem dor nos chifres? Então, por que você está preocupado? Porque nós só perdemos as coisas que possuímos, só temos dores por causa das coisas que possuímos.

O que o tirano acorrentará? A perna. O que ele tirará? O pescoço. O que, então, ele não acorrentará e não tirará? A vontade. É por isso que os antigos ensinavam esta máxima: "Conhece-te a ti mesmo". Portanto, devemos nos exercitar em pequenas coisas e, começando por elas, prosseguir para as maiores. Estou com dor na cabeça. Não diga: "Ai de mim! Estou com dor no ouvido". Não diga: "Ai de mim!". E não estou dizendo que você não pode gemer, mas sim para não gemer interiormente. Se o seu escravo demorar a trazer um curativo, não grite, não se atormente e diga: "Todo mundo me odeia", porque quem não odiaria um homem assim? No futuro, confiando nessas opiniões, ande ereto, livre; não confie no tamanho de seu corpo, como um atleta, pois um homem não deve ser invencível como é um asno.

COMO DEVEMOS LUTAR CONTRA AS CIRCUNSTÂNCIAS

São as circunstâncias (dificuldades) que mostram o que as pessoas são. Portanto, quando uma dificuldade cair sobre você, lembre-se de que Deus, como um treinador de lutadores, combinou você com um jovem rude. Com que propósito? Você pode dizer: "Ora, para que eu me torne um conquistador olímpico". Isso não se consegue sem suor. Em minha opinião, nenhum ser humano teve uma dificuldade mais proveitosa do que a sua, se você decidir usá-la como um atleta faria com um jovem antagonista. Estamos agora enviando um batedor para Roma, mas ninguém envia um batedor covarde que, se apenas ouve um barulho e vê uma sombra em qualquer lugar, volta correndo aterrorizado e informa que o inimigo está próximo. Portanto, se você vier e nos contar: "É terrível a situação em Roma; terrível é a morte; terrível é o exílio; terrível é a calúnia; terrível é a pobreza; voem, meus amigos, o inimigo está próximo", responderemos: "Vá, profetize por si mesmo; cometemos apenas uma falha, a de ter enviado tal batedor".

Diógenes, que foi enviado como batedor antes de vocês, fez um relato diferente para nós. Ele diz que a morte não é um mal, pois tampouco é vil. Ele disse que a fama (reputação) é o barulho dos loucos. E o que esse espião disse sobre a dor, o prazer e a pobreza? Ele disse que estar nu é melhor do que qualquer manto roxo, e que dormir no chão nu é a cama mais macia; e ele deu como prova de cada coisa que afirmou sua coragem, sua tranquilidade, sua liberdade e a aparência saudável e compacta de seu corpo. Não há inimigo por perto, disse ele, tudo é paz. Como assim, Diógenes? "Veja", respondeu ele, "se fui atingido, se fui ferido, se fugi de algum homem". É assim que um batedor deve ser. Mas você vem até nós e nos diz uma coisa após a outra. Você não vai voltar e verá mais claramente quando tiver deixado de lado o medo?

SOBRE O MESMO

Se essas coisas são verdadeiras, e se não somos tolos e não estamos agindo com hipocrisia quando dizemos que o bem do ser humano está na vontade, e o mal também, e que tudo o mais não nos diz respeito, por que ainda estamos perturbados, por que ainda temos medo? As coisas com as quais temos nos ocupado não estão no poder de ninguém; e as coisas que estão no poder de outros, não nos importam. Que tipo de problema ainda temos?

Mas me dê instruções. Por que eu deveria lhe dar instruções? Zeus não lhe deu instruções? Ele não lhe deu o que é seu, livre de impedimentos e livre de obstáculos, e o que não é seu, sujeito a impedimentos e obstáculos? Que instruções, então, que tipo de ordens você trouxe quando veio dele? Mantenha por todos os meios o que é seu; não deseje o que pertence aos outros. A fidelidade (integridade) é sua, a vergonha virtuosa é sua. Quem, então, pode tirar essas coisas de você? Quem, além de você mesmo, o impedirá de as usar? Mas como você age? Quando você busca o que não é seu, você perde o que é seu. Tendo tais estímulos e ordens de Zeus, de que tipo você ainda me pede? Sou mais poderoso do que ele, sou mais digno de confiança? Mas se você observar isso, você quer mais alguma coisa? "Bem, mas ele não deu essas ordens", você dirá. Apresente suas razões, apresente essas provas dos filósofos, apresente o que você tem ouvido com frequência e apresente o que você mesmo tem dito, apresente o que você tem lido, apresente o que você tem meditado. Então, você verá que todas essas coisas são de Deus.

Se eu puser minha admiração no pobre corpo, entreguei-me a ser escravo; se em minhas pobres posses, também me faço escravo. Como se a serpente puxasse a cabeça, eu lhe diria para atacar a parte que ela guarda; e tenha certeza de que, seja qual for a parte que você escolher para guardar, ela será atacada por seu mestre. Lembrando-se disso, a quem você ainda bajulará ou temerá?

Mas eu gostaria de me sentar onde os senadores se sentam. Percebe que está se colocando em apuros, que está se apertando? Então, como poderei ver bem de qualquer outra forma no anfiteatro? Não seja um espectador, e você não será espremido. Por que você se dá ao trabalho? Ou espere um pouco e, quando o espetáculo terminar, sente-se no lugar reservado para os senadores e tome sol. Lembre-se desta verdade geral: somos nós que nos apertamos, que nos colocamos em apuros, isto é, nossas opiniões nos apertam e nos colocam em apuros. O que é ser insultado? Fique ao lado de uma pedra e a insulte, e o que você ganhará? Se, pois, uma pessoa ouvir como uma pedra, que proveito haverá para o injuriador? Mas, se o injuriador tiver como degrau (ou escada) a fraqueza daquele que é injuriado, então fará alguma coisa. Desnude-o. O que você quer dizer com isso? Pegue a roupa dele e a retire. Eu o insultei. Que isso lhe faça muito bem.

Essa era a prática de Sócrates, a razão pela qual ele sempre tinha uma face. Mas optamos por praticar e estudar qualquer coisa em vez de estudar os meios pelos quais seremos desimpedidos e livres. Você diz: "Os filósofos falam de paradoxos". Mas não há paradoxos nas outras artes? E o que é mais paradoxal do que furar o olho de uma pessoa para que ela possa ver? Se alguém dissesse isso a um indivíduo que desconhece a arte cirúrgica, ele não ridicularizaria o orador? Onde está o espanto, então, se na filosofia também muitas coisas que são verdadeiras parecem paradoxais para os inexperientes?

DE QUANTAS MANEIRAS AS APARÊNCIAS EXISTEM E QUAIS AUXÍLIOS DEVEMOS OFERECER CONTRA ELAS

Para nós, as aparências existem de quatro maneiras. Ou as coisas aparecem como são; ou não são, e sequer parecem ser; ou são, e não parecem ser; ou não são, e ainda assim parecem ser. Além disso, em todos esses casos, formar um julgamento correto (acertar o alvo) é o dever de uma pessoa instruída. Mas seja o que for que nos irrite (perturbe), devemos aplicar um remédio para isso. Se os sofismas de Pirro[47] e dos acadêmicos

---

47   Pirro (360 a.C.-270 a.C.) foi um filósofo grego, considerado o fundador da escola cética. Segundo Sócrates, um sofisma propõe apenas verdades relativas, na ausência de uma verdade absoluta. O dicionário *Michaelis* define o termo "sofisma" como "Argumento ou raciocínio deliberadamente enganoso, com aparência de verdadeiro, com o objetivo de enganar alguém; evasiva, falácia, torcedura".

são o que nos aborrece (incomoda), devemos aplicar o remédio a eles. Se é a persuasão das aparências, pela qual algumas coisas parecem ser boas, quando não o são, busquemos um remédio para isso. Se é o hábito que nos aborrece, devemos tentar buscar ajuda contra o hábito. Que ajuda, então, podemos encontrar contra o hábito? O hábito contrário. Você ouve os ignorantes dizerem: "Aquele infeliz está morto; seu pai e sua mãe estão dominados pela tristeza; ele foi eliminado por uma morte prematura e em uma terra estrangeira". Ouça a maneira contrária de falar. Afaste-se dessas expressões; oponha a um hábito o hábito contrário; ao sofisma oponha a razão e o exercício e a disciplina da razão; contra as aparências persuasivas (enganosas), devemos ter razões manifestas, limpas de todas as impurezas e prontas para serem usadas.

Quando a morte parecer um mal, devemos ter essa regra em prontidão, de que é adequado evitar coisas más e que a morte é uma coisa necessária. Pois o que devo fazer e de onde escaparei? Suponhamos que eu não seja Sarpédon, filho de Zeus, tampouco seja capaz de falar dessa maneira nobre. Eu irei e estou decidido a me comportar com bravura ou a dar a outro a oportunidade de fazê-lo se eu mesmo não conseguir fazer nada. Não vou invejar que outro faça algo nobre. Suponhamos que esteja acima de nosso poder agir assim. Não está em nosso poder raciocinar assim? Diga-me onde posso escapar da morte, descubra-me o país, mostre-me os homens a quem devo ir e que a morte não visita. Descubra para mim um amuleto contra a morte. Se eu não tiver um, o que você quer que eu faça? Não posso escapar da morte. Não escaparei do medo da morte, mas morrerei lamentando e tremendo? A origem da perturbação é esta: desejar algo que jamais vai acontecer. Portanto, se posso mudar as coisas externas de acordo com meu desejo, eu as mudo. Mas se não posso, estou pronto para arrancar os olhos daquele que me impede. Pois a natureza do ser humano é não suportar a privação do bem e não suportar a queda no mal. Então, finalmente, quando não sou capaz de mudar as circunstâncias nem de arrancar os olhos daquele que me impede, eu me sento e gemo, e abuso de quem posso, Zeus e o resto dos deuses. Se eles não se importarem comigo, o que são para mim? Sim, mas você será um homem ímpio. Em que aspecto, então, será pior para mim do que é agora? Para resumir, lembre-se de que, a menos que a piedade e seu interesse estejam na mesma coisa, a piedade não pode ser mantida em nenhuma pessoa. Essas coisas não parecem necessárias (verdadeiras)?

SOBRE CONSTÂNCIA (OU FIRMEZA)

Ser (de natureza) bom é uma certa vontade, ao passo que ser mau é um certo tipo de vontade. O que são, então, as coisas externas? Materiais para a vontade, com os quais a vontade, estando em contato, obterá seu bem ou seu mal. Como obterá o bem? Como ela obterá o bem? Se ela não admirar (supervalorizar) os materiais, porque as opiniões sobre os materiais, se forem corretas, tornam a vontade boa, mas as opiniões perversas e distorcidas tornam a vontade ruim. Deus estabeleceu essa lei. Ele diz: "Se você quiser ter algo bom, receba-o de você mesmo". Você diz: "Não, mas quero receber de outro". Não faça isso, mas receba de você mesmo. Portanto, quando o tirano me ameaça e me chama, eu pergunto: "A quem você ameaça?". Se ele disser: "Eu o acorrentarei", eu direi: "Você ameaça as minhas mãos e os meus pés". Se ele disser: "Vou cortar sua cabeça", eu respondo: "Você ameaça a minha cabeça". Se ele disser: "Vou jogá-lo na prisão", eu digo: "Você ameaça todo este pobre corpo". Se ele me ameaçar com o banimento, eu digo o mesmo. Então ele não o ameaça de forma alguma? Se eu achar que todas essas coisas não me dizem respeito, ele não me ameaça de forma alguma; mas se eu temer alguma delas, é a mim que ele ameaça. A quem, então, eu temo? O mestre de quê? O mestre das coisas que estão em meu poder? Esse mestre não existe. Será que temo o mestre das coisas que não estão em meu poder? E o que são essas coisas para mim?

Então, vocês, filósofos, nos ensinam a desprezar os reis? Espero que não. Quem de nós ensina a reivindicar contra eles o poder sobre as coisas que eles possuem? Pegue meu pobre corpo, pegue minha propriedade, pegue minha reputação, pegue aqueles que estão ao meu redor. Se eu aconselhar qualquer pessoa a reivindicar essas coisas, ela pode realmente me acusar. Sim, mas pretendo comandar suas opiniões também. E quem lhe deu esse poder? Como você pode conquistar a opinião de outro homem? Aplicando terror a ela, ele responde: "Eu a conquistarei". Você não sabe que a opinião conquista a si mesma e não é conquistada por outra? Mas nada mais pode vencer a vontade, exceto a própria vontade. Por essa razão também a lei de Deus é a mais poderosa e a mais justa, que é a seguinte: "Que o mais forte seja sempre superior ao mais fraco". Dez são mais fortes do que um. Para quê? Para acorrentar, para matar, para arrastar para onde quiserem, para tirar o que uma pessoa tem. Portanto, os dez vencem o um naquilo em que são mais fortes. Em que, então, os dez são mais fracos? Se um deles possui opiniões corretas e os outros não. Bem, então, os dez podem vencer nessa questão? Como isso é possível? Se fôssemos colocados em uma balança, o mais pesado não deveria baixar a balança em que se encontra?

Que estranho, então, que Sócrates tenha sido tratado dessa forma pelos atenienses. Escravo, por que você diz Sócrates? Fale da coisa como ela é. Como é estranho que o pobre corpo de Sócrates tenha sido levado e arrastado para a prisão por homens mais fortes, e que alguém tenha dado cicuta ao pobre corpo de Sócrates, e que ele tenha expirado a vida. Essas coisas parecem estranhas, parecem injustas, você culpa Deus por causa dessas coisas? Sócrates não tinha, então, um equivalente para essas coisas? Onde estava, então, para ele, a natureza do bem? A quem devemos dar ouvidos, a você ou a ele? E o que diz Sócrates? "Tito e Melito podem me matar, mas não podem me ferir". E mais, ele diz: "Se assim agrada a Deus, que assim seja".

Mostre-me que aquele que tem os princípios inferiores sobrepuja aquele que é superior em princípios. Você nunca demonstrará isso, sequer chegará perto de demonstrá-lo, pois esta é a lei da natureza e de Deus: o superior sempre sobrepujará o inferior. Em quê? Naquilo em que é superior. Um corpo é mais forte do que outro; muitos são mais fortes do que um; o ladrão é mais forte do que aquele que não é ladrão. Essa é a razão pela qual eu também perdi minha lâmpada, porque, quando estava acordado, o ladrão era superior a mim. Mas o homem comprou a lâmpada por este preço: por uma lâmpada ele se tornou um ladrão, um infiel e como um animal selvagem. Isso lhe pareceu um bom negócio. Que assim seja. Mas um homem me agarrou pela capa e está me levando para a praça pública; então outros gritam: "Filósofo, para que serviram suas opiniões?". E que sistema de filosofia ([grego: *eisagogaen*)] eu poderia ter feito de modo que, se um homem mais forte agarrasse minha capa, eu não fosse arrastado; que se dez homens me agarrassem e me jogassem na prisão, eu não fosse jogado lá dentro? Será que não aprendi mais nada? Aprendi a ver que tudo o que acontece, se for independente de minha vontade, não é nada para mim. Posso perguntar se você não ganhou com isso. Por que, então, você busca vantagem em qualquer outra coisa que não seja aquilo em que você aprendeu que há vantagem?

Você não deixará os pequenos argumentos ([grego: *logaria*]) sobre esses assuntos para os outros, para os preguiçosos, para que eles se sentem em um canto e recebam seu triste pagamento, ou resmunguem que ninguém lhes dá nada. Você não se apresentará e fará uso do que aprendeu? Não são esses pequenos argumentos que são procurados agora; os escritos dos estoicos estão cheios deles. O que, então, é o que se deseja? Uma pessoa que os aplique, alguém que, por seus atos, dê testemunho de suas palavras. Suponha, eu lhe peço, esse caráter, para que não possamos mais usar nas escolas os exemplos dos antigos, mas que possamos ter algum exemplo nosso.

A quem, então, pertence a contemplação dessas questões (indagações filosóficas)? Àquele que tem tempo livre, pois o ser humano é um animal que ama a contemplação. Mas é vergonhoso contemplar essas coisas como fazem os escravos fugitivos; deveríamos nos sentar, como em um teatro, livres de distração, e ouvir em um momento o ator trágico, em outro momento o tocador de alaúde; e não fazer como os escravos fazem. Assim que o escravo toma seu lugar, ele elogia o ator e, ao mesmo tempo, olha em volta; então, se alguém chama o nome de seu mestre, o escravo fica imediatamente assustado e perturbado. É vergonhoso para os filósofos contemplar assim as obras da natureza. O que é um mestre? O ser humano não é o senhor dos humanos, mas a morte é, e a vida, o prazer e a dor, porque se ele vier sem essas coisas, tragam César a mim e verão como sou firme. Mas quando ele vier com essas coisas, trovões e relâmpagos, e quando eu tiver medo deles, o que farei então, exceto reconhecer meu mestre como o escravo fugitivo? Mas enquanto eu tiver algum alívio desses terrores, como um escravo fugitivo fica no teatro, assim eu faço. Eu me banho, bebo, canto; mas tudo isso eu faço com terror e inquietação. Se eu me libertar de meus senhores, ou seja, daquelas coisas por meio das quais os senhores são formidáveis, que mais problemas terei, que senhor ainda terei?

Que devemos, pois, publicar essas coisas a todos as pessoas? Não, mas devemos nos acomodar aos ignorantes ([grego: *tois idiotais*]) e dizer: "Este homem me recomenda aquilo que ele acha bom para si mesmo. Eu o desculpo". Sócrates também desculpou o carcereiro que estava encarregado dele na prisão e que estava chorando quando Sócrates ia beber o veneno, e disse: "Como ele se lamenta generosamente por nós". Ele então perguntou ao carcereiro que, por essa razão, mandamos embora as mulheres? Não, mas ele disse isso aos seus amigos que puderam ouvir (entender), e ele tratou o carcereiro como uma criança.

A CONFIANÇA (CORAGEM) NÃO É INCONSISTENTE COM A CAUTELA

A opinião dos filósofos talvez pareça um paradoxo para alguns, mas ainda assim vamos examinar da melhor maneira possível se é verdade que é possível fazer tudo tanto com cautela quanto com confiança. A cautela parece ser contrária à confiança, e os contrários não são de modo algum consistentes. Se afirmássemos que devemos empregar cautela e confiança nas mesmas coisas, as pessoas poderiam justamente nos acusar de unir coisas que não podem ser unidas. Se essas coisas são verdadeiras, que têm sido frequentemente ditas e provadas, que a natureza do bem está no uso das aparências, e a natureza do mal da mesma forma, e que as coisas independentes de nossa vontade não admitem nem a natureza do mal nem a do bem, que paradoxo os filósofos afirmam se disserem que onde as coisas não dependem da vontade é aí que devemos empregar a confiança, mas onde elas dependem da vontade é preciso empregar a cautela? Se o mal consiste no mau exercício da vontade, a cautela só deve ser usada onde as coisas dependem da vontade. Mas se as coisas independentes da vontade e que não estão em nosso poder não são nada para nós, no que diz respeito a elas devemos empregar a confiança. Assim, seremos tanto cautelosos quanto confiantes, e de fato confiantes por causa de nossa cautela. Ao empregarmos cautela no que diz respeito às coisas que são realmente ruins, o resultado será que teremos confiança sobre as coisas que não o são.

    Estamos, então, na condição de pequenos animais quando eles fogem assustados dos caçadores. Para onde se voltam e em que buscam refúgio seguro? Eles se voltam para as redes, e assim perecem por confundir coisas que são objetos de medo com coisas que não deveriam temer. Assim também agimos. E em que casos tememos? Nas coisas que são independentes da vontade. Em que casos, ao contrário, nos comportamos com confiança, como se não houvesse perigo? Nas coisas que dependem da vontade. Então, ser enganado, ou agir precipitadamente, ou sem vergonha, ou com um desejo vil de buscar algo, não nos preocupa de forma alguma se apenas atingirmos o alvo nas coisas que são independentes de nossa vontade. Mas, onde há morte, exílio, dor ou infâmia, aí tentamos fugir, aí somos atingidos pelo terror. Portanto, como podemos esperar que aconteça com aqueles que erram nos assuntos mais importantes, convertemos a confiança natural (isto é, de acordo com a natureza) em audácia, desespero, imprudência, falta de vergonha. Convertemos a cautela e a modéstia naturais em covardia e mesquinhez, que são cheias de medo e confusão. Se uma pessoa transferir a cautela para as coisas nas quais a vontade pode ser exercida e para os atos da vontade, ela imediatamente, ao querer ser cautelosa, terá também o poder de evitar o que escolher. Mas se ela a transferir para as coisas que não estão em seu poder e vontade, e tentar evitar as coisas que estão no poder de outros, ela necessariamente temerá, ficará instável, ficará perturbada, porque a morte ou a dor não são formidáveis, mas sim o medo da dor ou da morte. Por essa razão, elogiamos o poeta, que disse: "Não é a morte que é má, mas sim uma morte vergonhosa".

    Portanto, a confiança (coragem) deve ser empregada contra a morte, e a cautela contra o medo da morte. Mas fazemos o contrário, e empregamos contra a morte a tentativa de escapar, e à nossa opinião sobre ela empregamos descuido, imprudência e indiferença. São coisas que

Sócrates costumava chamar de máscaras trágicas, pois, assim como as máscaras parecem terríveis e assustadoras para as crianças por causa da inexperiência, nós também somos afetados da mesma forma pelos eventos (as coisas que acontecem na vida), não por outra razão que as crianças são afetadas pelas máscaras. O que é uma criança? A ignorância. O que é uma criança? A falta de conhecimento. Quando uma criança sabe essas coisas, ela não é de forma alguma inferior a nós. O que é a morte? Uma máscara trágica. Vire-a e examine-a. Veja que ela não morde. O pobre corpo deve ser separado do espírito agora ou mais tarde, como foi separado dele antes. Por que, então, você está preocupado se ele for separado agora? Se não for separado agora, será separado depois. Por quê? Para que o período do Universo possa se completar, pois ele precisa do presente, do futuro e do passado. O que é a dor? Uma máscara. Vire-a e examine-a. A pobre carne é movida com aspereza, depois, ao contrário, com suavidade. Se isso não o satisfizer (agradar), a porta estará aberta; se o fizer, suportará (com as coisas). A porta deve estar aberta para todas as ocasiões, de modo a não termos problemas.

Qual é, então, o fruto dessas opiniões? É o que deveria ser o mais nobre e o mais adequado para aqueles que são realmente educados, a libertação da perturbação, a libertação do medo. Liberdade. Nessas questões não devemos acreditar nos muitos que dizem que somente as pessoas livres devem ser educadas, mas sim acreditar nos filósofos que dizem que somente as pessoas educadas são livres. Como isso acontece? Da seguinte maneira: a liberdade é algo mais do que o poder de viver como quisermos? Nada mais. Digam-me, então, vocês desejam viver no erro? Não queremos. Portanto, ninguém que vive no erro é livre. Vocês querem viver com medo? Desejam viver em tristeza? Desejam viver em perturbação? De forma alguma. Portanto, ninguém que esteja em um estado de medo, tristeza ou perturbação é livre; mas quem quer que seja libertado de tristezas, medos e perturbações, ao mesmo tempo também é libertado da servidão. Como, então, podemos continuar a acreditar em vocês, caríssimos legisladores, quando dizem que só permitimos que pessoas livres sejam educadas? Os filósofos dizem que não permitimos que ninguém seja livre, exceto os educados, ou seja, Deus não permite isso. Quando, então, uma pessoa se volta para o promotor como o próprio escravo, ele não fez nada? Ele fez alguma coisa. O quê? Ele virou seu escravo diante do promotor. Ele não fez mais nada? Sim. Ele também é obrigado a pagar por ele o imposto chamado vigésimo. Pois bem, o homem que passou por essa cerimônia não se tornou livre? Não mais do que se tornou livre de perturbações. Não é o dinheiro o seu senhor, ou uma moça ou um rapaz, ou algum tirano ou algum amigo do tirano? Então, por que se incomodam quando estão indo para alguma provação (perigo) desse tipo? É por essa razão que costumo dizer: estude e mantenha em prontidão esses princípios pelos quais você pode determinar com quais coisas você deve ser cauteloso, corajoso naquilo que não depende de sua vontade, cauteloso naquilo que depende dela.

TRANQUILIDADE (AUSÊNCIA DE PERTURBAÇÃO)

Considere que você esteja indo para o tribunal. O que deseja manter e o que deseja alcançar? Se você desejar manter uma vontade conforme a natureza, você terá toda a segurança, toda a facilidade, não terá problemas. Caso você deseje manter o que está em seu poder e é naturalmente livre, e se você estiver satisfeito com isso, o que mais lhe interessará? Quem é o dono de tais coisas? Quem as pode tirar? Se você optar por ser modesto e fiel, quem não permitirá que você seja assim? Se você escolher não ser restringido ou compelido, quem o obrigará a desejar o que você acha que não deve desejar? Quem o obrigará a evitar o que você acha que não deve evitar? Mas o que você diz? O juiz determinará contra você algo que parece formidável, mas se você também sofrer ao tentar evitá-lo, como ele pode fazer isso? Quando, então, a busca de objetos e a tentativa de os evitar estão em seu poder, o que mais lhe interessa? Que esse seja o seu prefácio, sua narrativa, sua confirmação, sua vitória, sua peroração, seu aplauso (ou a aprovação que você receberá).

Sócrates disse a alguém que o estava lembrando de se preparar para o julgamento: "Você não acha que eu tenho me preparado para isso durante toda a minha vida? Com que tipo de preparação? Eu mantive o que estava em meu poder. Como, então? Nunca fiz nada injusto, nem em minha vida privada nem em minha vida pública".

Mas se você deseja manter as coisas externas também, seu pobre corpo, sua pequena propriedade e sua pequena estima, eu o aconselho a fazer, a partir deste momento, toda a preparação possível, e então considerar tanto a natureza de seu juiz quanto a de seu adversário. Se for necessário abraçar os joelhos dele, abrace os joelhos dele; se for necessário chorar, chore; se for necessário gemer, geme. Pois, quando estiver submetido a coisas externas o que é seu, então seja escravo e não resista, e não escolha ser escravizado às vezes, e às vezes não escolha, mas com toda a mente seja um ou outro, ou livre ou escravo, ou instruído ou não instruído, ou um galo bem criado ou um galo mau, ou suporte ser espancado até morrer ou ceda imediatamente. Que não aconteça a você receber muitos açoites e, depois, ceder. Mas, se essas coisas são vulgares, determine-as imediatamente. Onde está a natureza do mal e do bem? É onde está a verdade, porque onde está a verdade e a natureza há cautela. Onde estiver a verdade haverá coragem.

Por essa razão, também é ridículo dizer: "Sugira-me algo (diga-me o que fazer)". O que devo sugerir a você? Bem, forme minha mente de modo que ela se adapte a qualquer evento. Ora, isso é exatamente o mesmo que se um indivíduo que desconhece as letras dissesse: "Diga-me o que escrever quando algum nome me for proposto". Se eu lhe disser para escrever Dion e, depois, outro vier e lhe propuser não o nome de Dion, mas o de Theon, o que será feito? O que ele escreverá? Mas se você tiver praticado a escrita, também estará preparado para escrever (ou fazer) qualquer coisa que seja necessária. Se não estiver, o que posso sugerir agora? Se as circunstâncias exigirem outra coisa, o que você dirá ou o que fará? Lembre-se, portanto, desse preceito geral e você não precisará de nenhuma sugestão. Mas, se você se interessar por coisas externas terá de andar para cima e para baixo em obediência à vontade de seu mestre. E quem é o mestre? Aquele que tem o poder sobre as coisas que você busca ganhar ou tenta evitar.

COMO A MAGNANIMIDADE É COMPATÍVEL COM O CUIDADO

As coisas em si (materiais) são indiferentes, mas o uso delas não é indiferente. Como, então, um ser humano deve preservar a firmeza e a tranquilidade e, ao mesmo tempo, ser cuidadoso e não ser imprudente nem negligente? Basta a ele imitar aqueles que jogam dados. Os contadores são indiferentes, e os dados são indiferentes. Como posso saber qual será o resultado? Usar com cuidado e destreza o lançamento dos dados, esse é o meu negócio. Assim, na vida, a principal tarefa também é esta: distinguir e separar as coisas, e dizer que as coisas externas não estão em seu poder. A vontade está em seu poder. Onde devo procurar o bom e o ruim? Dentro de mim, nas coisas que me pertencem. Mas naquilo que não lhe pertence, não chame nada de bom ou ruim, tampouco de lucro ou prejuízo ou de qualquer outra coisa do gênero.

O que acontece então? Devemos usar essas coisas de forma descuidada? De modo algum, pois isso, por outro lado, é ruim para a faculdade da vontade e, consequentemente, contra a natureza. Devemos agir com cuidado porque o uso não é indiferente, e também devemos agir com firmeza e sem perturbações porque o material é indiferente. Onde o material não é indiferente, nenhuma pessoa pode me impedir ou me obrigar. Onde posso ser impedido e compelido, a obtenção dessas coisas não está em meu poder nem é boa ou ruim, mas o uso é ruim ou bom, e o uso está em meu poder. No entanto, é difícil misturar e reunir essas duas coisas – o cuidado daquele que é afetado pelo assunto (ou pelas coisas que o cercam) e a firmeza daquele que não se importa com isso. No entanto, isso não é impossível e, se for, a felicidade é impossível. Devemos agir como agimos no caso de uma viagem. O que posso fazer? Posso escolher o capitão do navio, os marinheiros, o dia, a oportunidade. Então, vem uma tempestade. O que mais tenho para cuidar? Minha parte está feita. O negócio pertence a outro, o mestre. Mas o navio está afundando, o que devo fazer? Faço a única coisa que posso, sem me afogar de medo, tampouco gritar, muito menos culpar Deus, mas sabendo que o que foi produzido também deve perecer, pois não sou um ser imortal, mas um humano, uma parte do todo, como uma hora é uma parte do dia. Devo estar presente como a hora, e passado como a hora. Que diferença, então, faz para mim como eu morro, se por sufocamento ou por febre, pois devo passar por algum desses meios.

Como se diz que algumas coisas externas são de acordo com a natureza e outras contrárias à natureza? Isso é dito como poderia ser dito se estivéssemos separados da união (ou da sociedade). Para o pé, direi que é de acordo com a natureza que ele seja limpo, mas se você o considerar como um pé e como uma coisa não separada (independente), será conveniente que ele pise na lama e pise em espinhos e, às vezes, seja cortado para o bem de todo o corpo. Caso contrário, não será mais um pé. Também deveríamos pensar de alguma forma sobre nós mesmos. O que você é? Um ser humano. Se você se considera separado dos outros humanos, é natural que viva até a velhice, seja rico e tenha saúde. Mas se você se considera uma pessoa que seja parte de um determinado todo, é por causa desse todo que em um momento você deve ficar doente, em outro momento fazer uma viagem e correr perigo, e em outro momento passar necessidade e, em alguns casos, morrer prematuramente. Por que, então, você está preocupado? Não sabe que, assim como um pé não é mais um pé se for separado do corpo, você também não é mais um ser humano se for separado de outros humanos? O que é uma pessoa? Uma parte de um estado, primeiro daquele que consiste em deuses e humanos; depois daquele que é chamado próximo a ele, que é uma pequena imagem do estado universal. O que, então, deve ser levado a julgamento; deve outro ter febre, outro navegar no mar, outro morrer e outro ser condenado? Sim, pois é impossível em um universo de coisas como esse, entre tantos que vivem juntos, que tais coisas não aconteçam, algumas a um e outras a outros. É seu dever, então, já que está aqui, dizer o que deve ser dito, para organizar essas coisas como convém. Então, alguém diz: "Eu o acusarei de me fazer mal". Isso pode lhe fazer muito bem. Eu fiz a minha parte, e se você também fez a sua, deve prestar atenção nisso, pois há algum perigo de que isso também possa escapar à sua atenção.

DA INDIFERENÇA

A proposição hipotética é indiferente, uma vez que o julgamento sobre ela não é indiferente, mas é conhecimento ou opinião ou erro. Assim, a vida é indiferente, porque o uso não é indiferente. Quando alguém lhe disser que essas coisas também são indiferentes, não se torne negligente; e quando uma pessoa o convidar a ser cuidadoso (com essas coisas) não se torne abjeto e não fique admirado com as coisas materiais. E é bom que você conheça a própria preparação e poder, para que, nos assuntos em que não estiver preparado, possa ficar quieto e não se aborrecer, se outros tiverem vantagem sobre você. Também em silogismos afirmará ter vantagem sobre eles, e se os outros ficarem irritados com isso, você os consolará dizendo: "Eu os aprendi, e você não". Assim também, onde houver necessidade de qualquer prática, não busque o que é adquirido pela necessidade (de tal prática), mas ceda nessa questão àqueles que tiveram prática, e fique satisfeito com a firmeza da mente.

Vá e cumprimente uma determinada pessoa. Como? Não de forma mesquinha. Eu fiquei de fora, pois não aprendi a entrar pela janela; e quando encontro a porta fechada, tenho de voltar ou entrar pela janela. Mas ainda assim fale com ele. De que maneira? Não de forma mesquinha. Suponha que você não tenha conseguido o que queria. Isso era problema seu, e não dele? Por que, então, você reivindica o que pertence a outro? Lembre-se sempre do que é seu e do que pertence a outro, e você não será perturbado. Crisipo disse bem: "Enquanto as coisas futuras forem incertas, eu sempre me apego àquelas que são mais adaptadas à conservação do que é de acordo com a natureza, porque o próprio Deus me deu a faculdade de tal escolha. Mas se eu soubesse que estava destinado (na ordem das coisas) a ficar doente, eu até me moveria em direção a isso, assim como o pé, se tivesse inteligência, se moveria para ir para a lama. Por que se produzem espigas de milho? Não é para que se tornem secas? E não secam para serem colhidas? Elas não estão separadas da comunhão com outras coisas. Se, pois, tivessem percepção, porventura desejariam nunca ser colhidas? Mas isso é uma maldição para as espigas de milho, o fato de nunca serem colhidas. Portanto, devemos saber que, no caso das pessoas, também é uma maldição não morrer, da mesma forma que não amadurecer e não ser colhido. Como devemos ser colhidos e também sabemos que somos colhidos, ficamos irritados com isso em razão de não sabermos o que somos nem estudarmos o que pertence ao ser humano, como aqueles que estudaram cavalos sabem o que pertence aos cavalos. Crysantas[48], quando estava indo atacar o inimigo, se conteve quando ouviu a trombeta tocando uma retirada, porque lhe pareceu melhor obedecer à ordem do general do que seguir a própria inclinação. Mas nenhum de nós escolhe, mesmo quando a necessidade nos convoca, obedecê-la prontamente, mas, chorando e gemendo, sofremos o que sofremos, e os chamamos de "circunstâncias". Que tipo de circunstâncias? Se você der o nome de circunstâncias às coisas que estão ao seu redor, todas as coisas são circunstâncias, mas se você chamar as dificuldades por esse nome, que dificuldade há na morte daquilo que foi produzido? Aquilo que destrói é uma espada, ou uma roda, ou o mar, ou uma telha, ou um tirano. Por que você se importa com a maneira de descer ao Hades? Todos os caminhos são iguais. Mas se você ouvir a verdade, o caminho que o tirano lhe envia é mais curto. Um tirano nunca matou uma pessoa em seis meses, mas uma febre costuma durar um ano. Todas essas coisas são apenas sons e ruídos de nomes vazios.

O QUE É O INÍCIO DA FILOSOFIA

O início da filosofia, pelo menos para aquele que entra nela da maneira correta e pela porta, é a consciência da própria fraqueza e da incapacidade no que diz respeito às coisas necessárias, porque não viemos ao mundo com nenhuma noção natural de um triângulo retângulo, ou de um quarto de tom, ou mesmo de um meio-tom. Aprendemos cada uma dessas coisas por uma certa transmissão de acordo com a arte, razão pela qual aqueles que não as conhecem não pensam que as conhecem. No tocante ao bem e ao mal, ao belo e ao feio, ao que é próprio e ao que não é, à felicidade e ao infortúnio, ao próprio e ao impróprio, ao que devemos fazer e ao que não devemos

---

48 Segundo Xenofonte, era um homem com poderes mentais superiores, mas de estatura corporal diminuta.

fazer, quem já veio ao mundo sem ter uma ideia inata disso? Portanto, todos nós usamos esses nomes e nos esforçamos para adequar os preconceitos aos diversos casos (coisas) da seguinte forma: ele fez bem; ele não fez bem; ele fez como deveria, não como deveria; ele foi desafortunado, ele foi afortunado; ele é injusto, ele é justo. Quem não usa esses nomes? Quem entre nós adia o uso deles até que os tenha aprendido, como adia o uso das palavras sobre linhas (figuras geométricas) ou sons? E a causa disso é que viemos ao mundo já ensinados, por natureza, algumas coisas sobre esse assunto ([grego: *topon*]), e, com base nelas acrescentamos a elas a presunção ([grego: *oiaesin*]). Por que, diz alguém, não conheço o belo e o feio? Não tenho a noção disso? Você tem. Não a adapto às particularidades? Você tem. Então, não a adapto corretamente? Nisso reside toda a questão. A presunção é adicionada aqui, pois, baseando-se nessas coisas que são admitidas as pessoas procedem àquilo que é motivo de disputa por meio de uma adaptação inadequada. Se as pessoas possuíssem esse poder de adaptação além dessas coisas, o que as impediria de serem perfeitas? Mas agora, já que você pensa que adapta adequadamente os preconceitos aos particulares, diga-me de onde você tira isso (suponha que você o faça). Eu penso assim. Mas isso não parece ser assim para outro, e ele pensa que também faz uma adaptação adequada. Ou ele não pensa assim? Ele acha que sim. É possível, então, que vocês dois possam aplicar adequadamente os preconceitos a coisas sobre as quais têm opiniões contrárias? Não é possível. Então, você pode nos mostrar algo melhor para adaptar os preconceitos além do seu pensamento que você faz? O louco faz outras coisas além daquelas que lhe parecem corretas? Então esse critério também é suficiente para ele? Não é suficiente. Vamos a algo que é superior ao parecer ([grego: *tou dochein*]). O que é isso? Observe o início da filosofia, uma percepção da discordância dos seres humanos entre si, e uma investigação sobre a causa da discordância, e uma condenação e desconfiança daquilo que apenas "parece", e uma certa investigação daquilo que "parece" se "parece" corretamente, e uma descoberta de alguma regra ([grego: *chanonos*]), como descobrimos uma balança na determinação de pesos, e uma regra de carpinteiro (ou esquadro) no caso de coisas retas e tortas. Esse é o início da filosofia. Devemos dizer que todas as coisas que parecem corretas são corretas para todos? E como é possível que contradições possam ser corretas? Nem todas, então, mas todas as que nos parecem corretas. Por que mais para você do que as que parecem corretas para os sírios? Por que mais do que as que parecem corretas para os egípcios? Por que mais do que as que parecem corretas para mim ou para qualquer outra pessoa? De modo algum mais. O que, então, "parece" a toda pessoa não é suficiente para determinar o que "é" porque nem no caso de pesos ou medidas estamos satisfeitos com a simples aparência, mas em cada caso descobrimos uma certa regra. Nesse assunto, então, não há nenhuma regra superior ao que "parece"? E como é possível que as coisas mais necessárias entre os seres humanos não tenham nenhum sinal (marca) e sejam incapazes de serem descobertas? Existe alguma regra. E por que, então, não buscamos a regra e a descobrimos e, depois, a usamos sem variar dela, sequer estendendo o dedo sem ela? Pois isso, penso eu, é o que, quando descoberto, cura de sua loucura aqueles que usam a mera "aparência" como medida e fazem mau uso dela, de modo que, para o futuro, baseando-se em certas coisas (princípios) conhecidas e esclarecidas, podemos usar, no caso de coisas particulares, as concepções que estão claramente fixadas.

Qual é o assunto que nos é apresentado e sobre o qual estamos perguntando? O prazer (por exemplo). Submeta-o à regra, coloque-o na balança. O bem deve ser tal que seja adequado que tenhamos confiança nele? Sim. E em que devemos confiar? Deve ser. É adequado confiar em algo que é inseguro? Não. Então, o prazer é algo seguro? Não. Então, pegue-o e jogue-o fora da balança, e leve-o para longe do lugar das coisas boas. Mas se você não tiver uma visão aguçada e uma balança não for suficiente para você, traga outra. É adequado ficar exultante com o que é bom? Sim. É adequado, então, ficar entusiasmado com o prazer presente? Veja se você não diz que isso é adequado, mas se o fizer, não o considerarei digno sequer da balança. Assim, as coisas são testadas e pesadas quando as regras estão prontas. E filosofar é isso, examinar e confirmar as regras para, então, usá-las quando elas são conhecidas. Assim deve ser o comportamento de uma pessoa sábia e boa.

PARA AQUELES QUE PERSISTEM OBSTINADAMENTE NO QUE DETERMINARAM

Quando algumas pessoas ouvem as palavras de que um ser humano deve ser constante (firme), e que a vontade é naturalmente livre e não está sujeita à compulsão, mas que todas as outras coisas estão sujeitas a impedimentos, à escravidão, e estão no poder de outros, elas supõem que devem, sem desvio, permanecer em tudo o que determinaram. Mas, em primeiro lugar, o que foi determinado deve ser sólido (verdadeiro). Eu exijo tônus (tendões) no corpo tal como existe em um corpo atlético, mas se for claro para mim que você tem o tônus de uma pessoa frenética e se vangloria disso, eu lhe direi: "Procure o médico, porque isso não é tônus, mas atonia (deficiência no tônus correto)". De maneira diferente, algo do mesmo tipo é sentido por aqueles que ouvem esses discursos de maneira errada, como foi o caso de um de meus companheiros, que, sem motivo algum, resolveu morrer de fome. Fiquei sabendo disso quando já era o terceiro dia de sua abstinência de alimentos, e fui perguntar o que havia acontecido. "Eu resolvi", disse ele. "Mas ainda assim diga-me o que o levou a tomar essa decisão, porque se você tomou a decisão correta nós nos sentaremos com você e o ajudaremos a partir, mas se você tomou uma decisão irracional, mude de ideia". Devemos manter nossas determinações. "O que está fazendo?". Não devemos cumprir todas as nossas determinações, mas aquelas que são corretas, pois se agora você está convencido de que isso é correto, não mude de ideia, se achar conveniente, mas persista e diga: "Devemos cumprir nossas determinações". Não comece e não lance o alicerce em uma investigação sobre se a determinação é correta ou não, e assim construirá sobre ela firmeza e segurança. Se você lançar um alicerce podre e arruinado, seu pequeno e miserável edifício não cairá mais cedo, quanto mais fortes forem os materiais que você colocar sobre ele? Sem nenhuma razão, você nos tiraria da vida um homem que é um amigo e um companheiro, um cidadão da mesma cidade, tanto da grande quanto da pequena cidade? Então, enquanto cometem assassinato e destroem um homem que não fez nada de errado, vocês dizem que devem cumprir suas determinações? E se alguma vez lhe veio à cabeça a ideia de me matar, deveria cumprir suas determinações?

Esse homem foi persuadido com dificuldade a mudar de ideia. Mas é impossível convencer algumas pessoas no momento, de modo que parece que agora eu sei o que não sabia antes, o significado do dito comum, que diz que não se pode persuadir nem quebrar um tolo. Que nunca seja meu destino ter um tolo sábio como amigo, porque nada é mais intratável. "Estou determinado", diz o homem. Os loucos também estão, mas quanto mais firmemente eles formam um julgamento sobre coisas que não existem, mais remédios eles precisam. Você não agiria como um homem doente e chamaria o médico? Estou doente, mestre, ajude-me. Considere o que devo fazer: é meu dever o obedecer. Assim também é aqui. Não sei o que devo fazer, mas vim para aprender. Não é assim, mas fale-me de outras coisas. Sobre isso eu me determinei. Que outras coisas? O que é maior e mais útil do que você ser persuadido de que não é suficiente ter feito sua determinação e não a mudar? Esse é o tom (energia) da loucura, não da saúde. Eu morrerei, se você me obrigar a isso. O que aconteceu? Eu decidi, tive sorte de escapar e você não decidiu me matar. Não aceito dinheiro. Por quê? Eu decidi. Esteja certo de que, com o mesmo tom (energia) que você usa agora ao se recusar a aceitar, não há nada que o impeça de, em algum momento, inclinar-se sem razão para aceitar dinheiro e, então, dizer: "Eu decidi". Assim como em um corpo perturbado, sujeito a defluxos, o humor se inclina ora para umas partes, ora para outras, também uma alma doente não sabe para onde se inclinar. Se a essa inclinação e movimento for adicionado um tom (resolução obstinada), então o mal se torna impossível de ser ajudado e curado.

SOBRE O PODER DA FALA

Todo ser humano lerá um livro com mais prazer ou mesmo com mais facilidade se ele estiver escrito em caracteres mais claros. Portanto, toda pessoa também ouvirá mais prontamente o que é falado se isso for significado por palavras apropriadas e adequadas. Não devemos dizer, então, que não há faculdade de expressão, pois essa afirmação é característica de um ímpio e também de uma pessoa tímida. De um ímpio, porque ele menospreza os dons que vêm de Deus, como se quisesse tirar a mercadoria do poder da visão, da audição ou da visão. Porventura, para nada deu

Deus os olhos a vocês? E para nada lhes infundiu um espírito tão forte e tão hábil que possa alcançar grandes distâncias e modelar as formas das coisas que se veem? Que mensageiro é tão rápido e vigilante? E não é à toa que ele tornou a atmosfera adjacente tão eficaz e elástica que a visão penetra através da atmosfera que é, de certa forma, movida? E para nenhum propósito ele criou a luz, sem a presença da qual não haveria utilidade em nenhuma outra coisa?

    Não seja ingrato por essas dádivas nem se esqueça das coisas que lhes são superiores. Mas, de fato, pelo poder de ver e ouvir, e de fato pela própria vida, e pelas coisas que contribuem para sustentá-la, pelos frutos secos, pelo vinho e pelo azeite, dê graças a Deus. Mas lembre-se de que ele lhe deu algo melhor do que tudo isso, quero dizer, o poder de usá-los, prová-los e estimar o valor de cada um. O que é isso que dá informações sobre cada um desses poderes, sobre o valor de cada um deles? É cada faculdade em si? Você já ouviu a faculdade da visão dizer algo sobre si mesma? Ou a faculdade da audição? Ou o trigo, ou a cevada, ou um cavalo, ou um cachorro? Não. Mas eles são designados como ministros e escravos para servir à faculdade que tem o poder de fazer uso das aparências das coisas. E se você perguntar qual é o valor de cada coisa, a quem você pergunta? Quem lhe responde? Como, então, qualquer outra faculdade pode ser mais poderosa do que essa, que usa as demais como ministros e ela mesma prova cada uma delas e se pronuncia sobre elas? Qual delas sabe o que ela mesma é e qual é o próprio valor? Qual delas sabe quando deve ou não se empregar? Que faculdade é essa que abre e fecha os olhos e os desvia de objetos aos quais não deve aplicá-los e os aplica a outros objetos? É a faculdade da visão? Não, mas é a faculdade da vontade. Qual é a faculdade que fecha e abre os ouvidos? Qual é a faculdade que os torna curiosos e indagadores ou, ao contrário, insensíveis ao que é dito? Não é outra coisa senão a faculdade da vontade. Será que essa faculdade, então, vendo que está em meio a todas as outras faculdades que são cegas e mudas e incapazes de ver qualquer outra coisa, exceto os próprios atos para os quais foram designadas a fim de ministrar a essa (faculdade) e servi-la, mas somente essa faculdade vê com nitidez e ainda vê qual é o valor de cada uma das demais? Será que essa faculdade nos declarará que qualquer outra coisa é a melhor, ou que ela mesma é? E o que mais o olho faz quando está aberto além de ver? Se devemos olhar para a esposa de uma determinada pessoa, e de que maneira, quem nos diz? A faculdade da vontade. E se devemos ou não acreditar no que é dito e, se acreditarmos, se devemos ou não ser movidos por isso, quem nos diz? Não é a faculdade da vontade?

Mas se você me perguntar qual é a mais excelente de todas as coisas, o que devo dizer? Não posso dizer o poder de falar, mas o poder da vontade, quando é correto ([grego: *orthae*]). Pois é ela que usa a outra (a faculdade de falar) e todas as outras faculdades, tanto as pequenas quanto as grandes. Quando essa faculdade da vontade está correta uma pessoa que não é bom se torna boa, mas quando ela falha, o ser humano se torna mau. É por meio dela que somos infelizes, que somos afortunados, que culpamos uns aos outros, que nos alegramos uns com os outros. Em suma, é isso que se negligenciarmos gera infelicidade e, se cuidarmos cuidadosamente, gera felicidade.

Então, o que geralmente é feito? As pessoas geralmente agem como um viajante a caminho de próprio país, quando entram em uma boa pousada e, estando satisfeitas com ela, devem permanecer lá. Você se esqueceu do seu propósito? Você não estava viajando para essa pousada, mas estava passando por ela. Mas essa é uma pousada agradável. E quantas outras pousadas são agradáveis? Quantos prados são agradáveis? Mas apenas de passagem. O seu objetivo é este: retornar ao seu país, aliviar a ansiedade de seus parentes, cumprir os deveres de um cidadão, casar-se, gerar filhos, ocupar os cargos públicos habituais. Você não veio para escolher lugares mais agradáveis, mas para viver naqueles onde nasceu e dos quais se tornou cidadão. Algo do gênero ocorre no assunto que estamos considerando.

Uma vez que, com a ajuda da fala e da comunicação como a que você recebe aqui, você deve avançar para a perfeição, purificar sua vontade e corrigir a faculdade que faz uso das aparências das coisas, e uma vez que também é necessário que o ensino (entrega) de teoremas seja efetuado por um certo modo de expressão e com uma certa variedade e nitidez, algumas pessoas cativadas por essas mesmas coisas permanecem nelas, uma cativada pela expressão, outra por silogismos, outra novamente por sofismas, e outra ainda por alguma outra pousada ([grego: *paudocheiou*]) do gênero, e ali permanecem e se definham como se estivessem entre sereias.

Seu propósito (negócio) era tornar-se capaz de usar de acordo com a natureza as aparências apresentadas a você, em seus desejos para não ser frustrado, em sua aversão às coisas para não cair naquilo que você gostaria de evitar, para nunca não ter sorte (como se pode dizer), tampouco nunca ter má sorte, para ser livre, não impedido, não compelido, conformando-se à administração de Zeus, obedecendo-a, bem satisfeito com isso, não culpando ninguém, não acusando ninguém de culpa, capaz de toda a sua alma para proferir estes versos: "Guia-me, ó Zeus, e tu também, Destino".

QUAL É A MATÉRIA EM QUE UMA PESSOA BOA DEVE SER EMPREGADA E EM QUE DEVEMOS NOS EXERCITAR PRINCIPALMENTE

O material para o sábio e bom é a própria faculdade governante. O corpo é o material para o médico e para quem lubrifica as pessoas. A terra é o material para o agricultor. O negócio do sábio e bom é usar as aparências de acordo com a natureza. Assim como é da natureza de toda alma concordar com a verdade, discordar do falso e permanecer em suspense quanto ao que é incerto; assim como é de sua natureza ser movida para o desejo do bem e para a aversão do mal; e com relação ao que não é bom nem ruim, ela se sente indiferente. Assim como não é permitido ao cambista (banqueiro) rejeitar a moeda de César, tampouco ao vendedor de ervas, mas se você mostrar a moeda, quer ele escolha ou não, ele deve dar o que é vendido pela moeda, também é na questão da alma. Quando o bem aparece, ele imediatamente atrai a si mesmo, ao passo que o mal repele a si mesmo. Mas a alma nunca rejeitará a aparência manifesta do bem, assim como as pessoas não rejeitarão a moeda de César. Desse princípio depende todo movimento, tanto do ser humano quanto de Deus.

Contra (ou com relação a) esse tipo de coisa, o ser humano deve se exercitar principalmente. Assim que você sair pela manhã, examine cada pessoa que você vê, cada pessoa que você ouve; responda como a uma pergunta: "O que você viu?". Um homem ou uma mulher bonita? Aplique a regra. Isso é independente da vontade ou dependente? Independente. Retire-a. O que você viu? Um homem lamentando a morte de um filho. Aplique a regra. A morte é uma coisa independente da vontade. Leve-a embora. O procônsul já o conheceu? Aplique a regra. Que tipo de coisa é o escritório de um procônsul? Independente da vontade ou dependente dela? Independente. Tire isso também, porque isso não resiste a um exame. Jogue fora, porque isso não é nada para você.

Se praticássemos isso e nos exercitássemos nisso diariamente, de manhã à noite, algo de fato seria feito. Mas agora somos imediatamente pegos meio adormecidos por qualquer aparência, e só na escola, se é que alguma vez, somos despertados um pouco. Então, quando saímos, se vemos um homem se lamentando, dizemos: "Ele está perdido". Se vemos um cônsul, dizemos que ele está feliz. Se virmos um exilado, diremos que ele está infeliz. Se vemos um homem pobre, dizemos: "Ele é miserável; não tem nada para comer".

Devemos, portanto, erradicar essas opiniões ruins e, para isso, devemos direcionar todos os nossos esforços. Pois o que são o choro e a lamentação? A opinião. O que é má sorte? A opinião. O que é sedição civil, o que é opinião dividida, o que é culpa, o que é acusação, o que é impiedade, o que é bagatela? Todas essas coisas são opiniões, e nada mais, e opiniões sobre coisas independentes da vontade, como se fossem boas e ruins. Que uma pessoa transfira essas opiniões para coisas que dependem da vontade, e eu me comprometo com ela a ser firme e constante, qualquer que seja o estado das coisas ao seu redor. Tal como é um prato de água, tal é a alma. Tal como o raio de luz que incide sobre a água, assim são as aparências. Quando a água é movida, o raio também parece ser movido, mas não é movido. E quando uma pessoa é acometida de vertigem não são as artes e as virtudes que são confundidas, mas o espírito (o poder nervoso) no qual elas são impressionadas. Se o espírito for restaurado ao seu estado estável, essas coisas também serão restauradas.

PARA AQUELES QUE SE AFASTAM (DESISTEM) DE SEUS PROPÓSITOS

Considere as coisas que você propôs a si mesmo no início, as que você conseguiu e as que não conseguiu; e como você fica satisfeito quando se lembra de uma e fica triste com a outra; e se for possível, recupere as coisas em que você falhou. Não devemos nos encolher quando estivermos engajados no maior combate, mas devemos até receber golpes. Pois o combate que temos diante de nós não é a luta livre e o pancrácio[49], nos quais tanto os bem-sucedidos quanto os malsucedidos podem ter o maior mérito, ou podem ter pouco, e na verdade podem ser muito afortunados ou muito desafortunados. O combate é pela boa sorte e pela própria felicidade. Pois bem, mesmo que tenhamos renunciado à competição nessa questão (por boa sorte e felicidade), ninguém nos impede de renovar o combate novamente, e não somos obrigados a esperar por mais quatro anos para que os jogos em Olímpia voltem a acontecer. Assim que você se recuperar e se restabelecer, e empregar o mesmo zelo, poderá renovar o combate novamente; e se novamente renunciar a ele, poderá renová-lo novamente; e se uma vez obtiver a vitória, será como aquele que nunca renunciou ao combate. Somente não se habitue a fazer a mesma coisa (renunciar ao combate), comece a fazê-lo com prazer e, então, como um mau atleta, ande por aí depois de ser vencido em todo o circuito dos jogos como codornas que fugiram.

PARA AQUELES QUE TEMEM A NECESSIDADE

Não se envergonham de serem mais covardes e mais mesquinhos do que os escravos fugitivos? Como eles deixam seus senhores quando fogem? De que propriedades eles dependem e de que empregados domésticos eles dependem? Depois de roubar um pouco, o que é suficiente para os primeiros dias, eles não seguem em frente por terra ou por mar, inventando um método após o outro para manter suas vidas? E que escravo fugitivo já morreu de fome? Mas você tem medo de que as

---
49 Espécie de combate ou prova atlética dos gregos e romanos antigos, envolvendo elementos de luta livre, o vale-tudo da época, a modalidade mais violenta de luta.

coisas necessárias lhe faltem, e fica sem dormir à noite. Você é tão cego assim e não vê o caminho para o qual a falta de necessidades leva? Bem, para onde ela leva? Para o mesmo lugar para o qual a febre leva, ou uma pedra que cai sobre você, para a morte. Você mesmo não disse isso muitas vezes a seus companheiros? Não leu muito sobre esse assunto e não escreveu muito? Quantas vezes se gabou de que era fácil morrer?

Aprenda, então, primeiro quais são as coisas vergonhosas e, depois, diga-nos que é um filósofo. Mas, no momento, não permita isso, mesmo que outro homem o chame assim.

É vergonhoso para você aquilo que não é seu ato, aquilo de que você não é a causa, aquilo que veio a você por acidente, como uma dor de cabeça, como uma febre? Se seus pais eram pobres e deixaram suas propriedades para outros, e se enquanto viverem não o ajudarem em nada, isso é vergonhoso para você? Foi isso que você aprendeu com os filósofos? Você nunca ouviu dizer que aquilo que é vergonhoso deve ser censurado, e que aquilo que é censurável é digno de ser censurado? A quem você culpa por um ato que não é dele, que ele mesmo não fez? Foi você que fez seu pai ser como ele é, ou está em seu poder o melhorar? Esse poder foi dado a você? Pois bem, você deve desejar as coisas que não lhe são dadas, ou se envergonhar se não as conseguir? E você também foi acostumado, enquanto estudava Filosofia, a olhar para os outros e a não esperar nada de si mesmo? Então, lamentem, gemam e comam com medo de não terem comida amanhã. Tremam por seus pobres escravos, para que não roubem, para que não fujam, para que não morram. Portanto, vivam e continuem a viver, vocês que só de nome se aproximaram da filosofia e desonraram seus teoremas o máximo que puderam, mostrando que são inúteis e inúteis para aqueles que os adotam; vocês, que nunca buscaram a constância, a liberdade da perturbação e das paixões; vocês que não buscaram nenhuma pessoa por causa desse objetivo, mas muitas por causa de silogismos; vocês que nunca examinaram minuciosamente nenhuma dessas aparências por si mesmos. Sou capaz de suportar ou não sou capaz de suportar? O que me resta fazer? Mas como se todos os seus assuntos estivessem bem e seguros, você tem se apoiado no terceiro tópico, o das coisas inalteradas, a fim de que você possa possuir inalterado. O quê? Covardia, espírito mesquinho, a admiração dos ricos, o desejo sem atingir qualquer fim, e a evitação ([grego: *echchlisin*]) que falha na tentativa? Você tem se preocupado com a segurança nessas coisas.

Você não deveria ter obtido algo a mais com a razão e, depois, ter protegido isso com segurança? E quem você já viu construindo uma muralha ao redor e cercando-a com um muro? E que porteiro é colocado sem porta para vigiar? Mas você pratica para ser capaz de provar. O quê? Você pratica para não ser jogado como no mar por sofismas, e jogado por quê? Mostre-me primeiro o que você segura, o que você mede ou o que você pesa. Mostre-me a balança ou a medida, ou quanto tempo você continuará medindo o pó? Você não deveria demonstrar as coisas que fazem as pessoas felizes, que fazem que as coisas sigam para eles da maneira que desejam? Por que não devemos culpar ninguém, não devemos acusar ninguém e devemos concordar com a administração do Universo?

PARA AQUELES QUE DESEJAM PASSAR A VIDA COM TRANQUILIDADE

Lembrem-se de que não é apenas o desejo de poder e riqueza que nos torna mesquinhos e submissos aos outros, mas também o desejo de tranquilidade, de lazer, de viajar para o exterior e de aprender. Para falar claramente, qualquer que seja a coisa externa, o valor que atribuímos a ela nos coloca em sujeição aos outros. Qual é, então, a diferença entre desejar ser um senador ou não desejar; qual é a diferença entre desejar o poder ou contentar-se com uma posição privada; qual é a diferença entre dizer: "Sou infeliz, não tenho nada para fazer, mas estou preso aos meus livros como um cadáver"; ou dizer: "Sou infeliz, não tenho lazer para ler"? Assim como as saudações e o poder são coisas externas e independentes da vontade, o mesmo ocorre com um livro. Com que propósito você escolhe ler? Diga-me. Se você apenas direciona seu propósito para se divertir ou aprender algo, você é um sujeito tolo e incapaz de suportar o trabalho. Mas se você direciona a leitura para o fim adequado, que outra coisa é essa, senão uma vida tranquila e feliz ([grego: *eusoia*])? Mas se a leitura não lhe garante uma vida feliz e tranquila, qual é a utilidade dela? E o que é essa vida tranquila e feliz, que qualquer pessoa pode impedir, não digo César ou o amigo de César, mas um corvo, um flautista, uma febre e trinta mil outras coisas? Mas uma vida tranquila e feliz não contém nada tão certo quanto a continuidade e a ausência de obstáculos. Agora sou chamado para fazer algo, e irei com o propósito de observar as medidas (regras) que devo manter, de agir com modéstia, firmeza, sem desejo e aversão às coisas externas. Então, para que eu possa observar as pessoas, o que elas dizem, como elas se movem, e isso não com qualquer má disposição, ou para que eu possa ter algo para culpar ou ridicularizar. Eu me volto para mim mesmo e pergunto se eu também cometo as mesmas falhas. Como, então, deixarei de as cometer? Antigamente, eu também agia errado, mas agora não ajo mais, graças a Deus.

Qual é a razão disso? A razão é que nunca lemos com esse propósito, nunca escrevemos com esse propósito, de modo que possamos, em nossas ações, usar de maneira conforme à natureza as aparências que nos são apresentadas, mas terminamos nisso, em aprender o que é dito e em ser capaz de expô-lo a outro, em resolver um silogismo e em lidar com o silogismo hipotético. Por essa razão, onde está nosso estudo (propósito), aí está o impedimento. Você gostaria de ter por todos os meios as coisas que não estão em seu poder? Então, seja impedido, seja prejudicado, fracasse em seu propósito. Mas se lermos o que está escrito sobre ação (esforços, [grego: *hormae*]), não para que possamos ver o que é dito sobre ação, mas para que possamos agir bem; se lermos o que é dito sobre desejo e aversão (evitar coisas), a fim de que não falhemos em nossos desejos, tampouco caiamos naquilo que tentamos evitar. Se lermos o que é dito sobre o dever (*officium*), para que, lembrando-nos das relações (das coisas entre si), não façamos nada de forma irracional ou contrária a essas relações, não devemos nos aborrecer por sermos impedidos de fazer nossas leituras, mas devemos nos contentar em fazer os atos que são conformes (às relações), e não devemos contar com o que até agora estávamos acostumados a contar. Hoje, eu li tantos versos, escrevi tantos, mas (deveríamos dizer), hoje eu empreguei minha ação como é ensinado pelos filósofos, não empreguei meu desejo, usei a evitação ([grego:

echchlisei]) apenas com relação às coisas que estão dentro do poder de minha vontade. Não tive medo de tal pessoa, não fui persuadido pelas súplicas de outra, exerci minha paciência, minha abstinência, minha cooperação com os outros, e assim devemos agradecer a Deus pelo que devemos agradecer a ele.

Há apenas um caminho para a felicidade, e que esta regra esteja pronta tanto pela manhã quanto durante o dia e à noite: não olhar para as coisas que estão fora do poder de nossa vontade, pensar que nada é nosso, entregar todas as coisas à Divindade, à Fortuna, fazer deles os superintendentes dessas coisas, a quem Zeus também fez assim. Para uma pessoa observar apenas o que é seu, o que não pode ser impedida, e quando lemos, referir nossa leitura apenas a isso, e nossa escrita e nossa audição. Por essa razão, não posso chamar o ser humano de diligente, se ouço apenas isso, que ele lê e escreve; e mesmo que uma pessoa acrescente que lê a noite toda, não posso dizer isso, se ela não souber a que deve referir sua leitura. Mas se ela fizer isso (ler e escrever) por causa da reputação, eu digo que ela é uma amante da reputação. E se o fizer por dinheiro, digo que é uma amante do dinheiro, e não do trabalho, mas se o fizer por amor ao estudo, digo que é uma amante do trabalho.

Se uma pessoa o fizer por dinheiro, digo que é uma amante do dinheiro, não uma amante do trabalho; e se o fizer por amor ao aprendizado, digo que é uma amante do aprendizado. Mas, se ela submeter seu trabalho ao próprio poder de decisão, para que possa mantê-lo em um estado conforme a natureza e passar sua vida nesse estado, então eu digo que ela é uma pessoa diligente. Nunca elogie um ser humano por causa dessas coisas que são comuns a todos, mas por causa de suas opiniões (princípios); pois essas são as coisas que pertencem a cada um, que tornam suas ações ruins ou boas. Lembrando-se dessas regras, regozijem-se com o que está presente e contentem-se com as coisas que vêm a seu tempo. Se você vir algo que aprendeu e sobre o qual se perguntou ocorrendo em seu curso de vida (ou oportunamente aplicado por você aos atos da vida), regozije-se com isso. Se você tiver deixado de lado ou diminuído a má disposição e o hábito de injuriar; se tiver feito isso com o temperamento imprudente, palavras obscenas, pressa, lentidão; se não for movido pelo que era antes, e não da mesma forma que era antes, poderá celebrar um festival diariamente, hoje porque se comportou bem em um ato, e amanhã porque se comportou bem em outro. Essa é uma razão muito maior para fazer sacrifícios do que um cargo de cônsul ou o governo de uma província? Essas coisas vêm de você mesmo e dos deuses. Lembre-se disto: quem dá essas coisas, a quem e com que propósito. Se você se acalenta com esses pensamentos, ainda acha que faz alguma diferença onde será feliz, onde agradará a Deus? Os deuses não estão igualmente distantes de todos os lugares? Eles não veem de todos os lugares da mesma forma o que está acontecendo?

SOBRE A LIBERDADE DO MEDO

O que torna o tirano formidável? Os guardas, você diz, e suas espadas, e os homens do quarto de dormir, e aqueles que excluem os que querem entrar. Por que, então, se você levar um menino (criança) ao tirano, quando ele estiver com seus guardas, ele não terá medo; ou será que é porque a criança não entende essas coisas? Se um homem entende o que são os guardas e que eles têm espadas, e vai até o tirano com esse propósito, porque deseja morrer por causa de alguma circunstância e procura morrer facilmente pelas mãos de outro, ele tem medo dos guardas? Não, porque ele deseja aquilo que torna os guardas formidáveis. Se, então, um homem que não deseja morrer nem viver por todos os meios, mas apenas como lhe é permitido, aproxima-se do tirano, o que o impede de se aproximar do tirano sem medo? Nada. Se, então, um homem tem a mesma opinião sobre sua propriedade que o homem que citei tem sobre seu corpo; e também sobre seus filhos e sua esposa, e, em suma, está tão afetado por alguma loucura ou desespero que não se importa se os possui ou não, mas, como as crianças que estão brincando com conchas (brigam) por causa da brincadeira, mas não se preocupam com as conchas, assim também ele não dá valor aos materiais (coisas), mas valoriza o prazer que tem com eles e a ocupação, que tirano é então formidável para ele, ou que guardas ou que espadas?

O que impede um homem, que separou claramente (compreendeu) essas coisas, de viver com um coração leve e de carregar facilmente as rédeas, esperando calmamente tudo o que pode acontecer e suportando o que já aconteceu? Você gostaria que eu suportasse a pobreza? Venha e você saberá o que é a pobreza quando ela encontrar alguém que possa fazer bem o papel de um pobre. Você quer que eu tenha poder? Deixe-me ter poder, e também o incômodo dele. Bem, banimento? Para onde quer que eu vá, lá estará tudo bem para mim, porque aqui também, onde estou, não foi por causa do lugar que estava tudo bem para mim, mas por causa de minhas opiniões que levarei comigo, pois ninguém pode me privar delas. Minhas opiniões são apenas minhas e não podem ser tiradas de mim, e estou satisfeito enquanto as tenho, onde quer que eu esteja e o que quer que eu esteja fazendo. Agora é hora de morrer. Por que você diz morrer? Não faça nenhuma tragédia sobre o assunto, mas fale sobre ele como ele é. Agora é hora de a matéria (do corpo) ser dissolvida nas coisas das quais foi composta. E qual é a coisa formidável aqui? O que vai perecer das coisas que existem no Universo? Que coisa nova ou maravilhosa vai acontecer? É por essa razão que um tirano é formidável? É por essa razão que os guardas parecem ter espadas grandes e afiadas? Diga isso aos outros, mas eu já pensei em todas essas coisas. Nenhum homem tem poder sobre mim. Fui libertado. Conheço suas ordens, nenhum homem pode agora me conduzir como escravo. Tenho uma pessoa adequada para afirmar minha liberdade, tenho juízes adequados. (Eu digo) você não é o dono do meu corpo? O que isso significa para mim? Não é o senhor de minha propriedade? O que isso significa para mim? Não é o senhor do meu exílio ou das minhas correntes? Bem, de todas essas coisas e de todo o pobre corpo eu parto a seu pedido, quando você quiser. Faça uma prova de seu poder e saberá até onde ele vai.

Então, a quem ainda posso temer? Aqueles que estão no quarto de dormir? Para que eles não façam o quê? Que me excluam? Se descobrirem que desejo entrar, que me fechem. Por que, então, você vai até as portas? Porque acho que me convém, enquanto durar o jogo (esporte), participar dele. Como, então, você não fica de fora? Porque, a menos que alguém me permita entrar, eu não escolho entrar, mas sempre me contento com o que acontece, pois acho que o que Deus escolhe é melhor do que o que eu escolho. Eu me apegarei a ele como ministro e seguidor, porque tenho os mesmos movimentos (buscas) que ele tem, tenho os mesmos desejos. Em suma, tenho a mesma vontade ([grego: *sunthelo*]). Não há exclusão para mim, mas para aqueles que querem forçar sua entrada. Por que, então, não forço minha entrada? Porque sei que nada de bom é distribuído dentro de casa para aqueles que entram. Mas quando ouço alguém ser chamado de afortunado por ter sido homenageado por César, eu pergunto: "O que ele ganha com isso?". Uma província (o governo de uma província). Será que ele também obtém uma opinião como deveria? O cargo de prefeito. Será que ele também obtém o poder de usar bem o seu cargo? Por que ainda me esforço para entrar (nos aposentos de César)? Se um homem espalhar figos secos e nozes, as crianças se apoderarem deles e brigarem entre si. Os homens não o fazem, pois os consideram uma coisa pequena. Mas se um homem jogar conchas, nem mesmo as crianças as pegarão. As províncias são distribuídas. Que as crianças olhem para isso. O dinheiro é distribuído. Que as crianças se atentem a isso. Distribuem-se prefeituras, consulados. Que as crianças lutem por eles, que sejam excluídas, espancadas, beijem as mãos do doador, dos escravos, mas para mim são apenas figos secos e nozes. E daí? Se você não conseguir obtê-los enquanto César os estiver espalhando não se preocupe. Se um figo seco cair em seu colo, pegue-o e coma-o, pois até agora você pode valorizar até um figo. Mas se eu me abaixar e virar outro, ou for virado por outro, e lisonjear aqueles que entraram na câmara (de César), nem um figo seco vale o trabalho, tampouco qualquer outra coisa das coisas que não são boas, que os filósofos me persuadiram a não considerar boas.

QUE COISAS DEVEMOS DESPREZAR E QUE COISAS DEVEMOS VALORIZAR

As dificuldades de todos os seres humanos são relacionadas a coisas externas, seu desamparo é externo. O que devo fazer? Como vai ser? Como vai ser? Será que isso vai acontecer? Será que aquilo vai acontecer? Todas essas são as palavras daqueles que estão se voltando para coisas que não estão dentro do poder da vontade. Quem questiona: "Como não concordarei com o que é falso?". "Como não me afastarei da verdade?". Se alguém for de tal modo bem disposto que esteja ansioso por essas coisas, eu o lembrarei disto: "Por que você está ansioso?". A coisa está em seu poder, tenha certeza, não seja precipitado em concordar antes de aplicar a regra natural. Por outro lado, se uma pessoa estiver ansiosa (inquieta) com o desejo, para que ela não falhe em seu propósito e não atinja seu fim, e no que diz respeito a evitar coisas, para que ela não caia naquilo que gostaria de evitar, eu primeiro a beijarei (amarei), porque ela joga fora as coisas pelas quais os outros estão agitados (outros desejam) e seus medos, e emprega seus pensamentos nos próprios assuntos e em sua condição. Então eu lhe direi: Se você não optar por desejar aquilo que não conseguirá obter, tampouco tentar evitar aquilo em que cairá, não deseje nada que pertença a (que esteja em poder de) outros, muito menos tente evitar nenhuma das coisas que não estejam em seu poder. Se você não observar essa regra, necessariamente falhará em seus desejos e cairá naquilo que gostaria de evitar. Qual é a dificuldade aqui? Onde há espaço para as perguntas "Como será?" e "Acontecerá isso ou aquilo?".

Ora, o que vai acontecer não é independente da vontade? Sim. E a natureza do bem e do mal não está nas coisas que estão dentro do poder da vontade? Sim. Está em seu poder, então, tratar de acordo com a natureza tudo o que acontece? Alguém pode o impedir? Ninguém. Então, não me pergunte mais: "Como será?", pois, seja como for, você se livrará bem disso, e o resultado para você será afortunado. O que teria sido de Hércules se ele dissesse: "Como não me aparecerá um grande leão, ou um grande javali, ou homens selvagens?". E o que lhe importa isso? Se aparecer um grande javali, você lutará uma luta maior; se aparecerem homens maus, você livrará a terra dos maus. Suponha, então, que eu perca minha vida dessa forma. Você morrerá como um homem bom, fazendo um ato nobre. Pois, como ele certamente morrerá, é necessário que um ser humano seja encontrado fazendo alguma coisa, seja trabalhando como lavrador, seja cavando, seja negociando, seja servindo em um consulado, seja sofrendo de indigestão ou de diarreia. Como, então, você gostaria de estar quando for encontrado pela morte? Eu, por minha vez, gostaria de ser encontrado fazendo algo que pertence a um homem, benéfico, adequado ao interesse geral, nobre. Mas se eu não puder ser encontrado fazendo coisas tão grandiosas, eu gostaria de ser encontrado fazendo pelo menos aquilo que não posso ser impedido de fazer, aquilo que me é permitido fazer, corrigindo a mim mesmo, cultivando a faculdade que faz uso das aparências, trabalhando para a liberdade dos afetos (trabalhando para a tranquilidade da mente); dando às relações da vida o que lhes é devido. Se eu for bem-sucedido até aqui, também (serei encontrado) tocando (avançando para) o terceiro tópico (ou cabeça), segurança na formação de julgamentos sobre as coisas. Se a morte me surpreender quando eu estiver ocupado com essas coisas, é suficiente que eu possa estender minhas mãos a Deus e dizer: "Não negligenciei os meios que recebi de ti para ver tua administração (do mundo) e segui-la; não te desonrei com meus atos; vê como usei minhas percepções, vê como usei meus preconceitos; alguma vez te culpei? Por ter me dado a vida, eu lhe agradeço pelo que me deu. Desde que eu tenha usado as coisas que são tuas, estou satisfeito. Pegue-as de volta e coloque-as onde quiser, pois todas as coisas eram suas, você as deu a mim". Não é suficiente partir nesse estado de espírito? Que vida é melhor e mais digna do que a de uma pessoa que está nesse estado de espírito? Que fim pode ser mais feliz?

O PENSAMENTO DE MARCO AURÉLIO, IMPERADOR DE ROMA[50]
ESBOÇO BIOGRÁFICO DE MARCO AURÉLIO

Marco Aurélio (Marcus Aurelius Antoninus)[51] nasceu em Roma, no ano 121 d.C., em 26 de abril. Seu pai, Annius Verus, morreu enquanto ele era pretor. Sua mãe era Domitia Calvilla, também chamada Lucilla. O imperador T. Antoninus Pius casou-se com Annia Galeria Faustina, irmã de Annius Verus, e consequentemente era tio de Marco Aurélio. Quando Adriano adotou Antonino Pio e o declarou seu sucessor no Império, Antonino Pio adotou tanto L. Ceionius Commodus, filho de Aelius Caesar, quanto Marco Aurélio, cujo nome original era M. Annius Verus. Antonino adotou o nome de M. Aelius Aurelius Verus, ao qual foi acrescentado o título de César em 139 d.C. O nome Aelius pertencia à família de Adriano, e Aurelius era o nome de Antonino Pio. Quando Marco Aurélio se tornou Augusto, ele abandonou o nome de Verus e adotou o nome de Antoninus. Assim, ele é geralmente chamado de Marcus Aurelius Antoninus, ou simplesmente M. Antoninus.

O jovem foi educado com muito cuidado. Ele agradecia aos deuses por ter tido bons avós, bons pais, uma boa irmã, bons professores, bons companheiros, bons parentes e amigos, quase tudo de bom. Ele teve a feliz sorte de testemunhar o exemplo de seu tio e pai adotivo Antoninus Pius, e registrou em suas palavras as virtudes do excelente homem e governante prudente. Como muitos jovens romanos, ele tentou a poesia e estudou Retórica. Herodes Atticus e M. Cornelius Fronto foram seus

---

50 Título original: *Thoughts of Marcus Aurelius Antoninus* – Autor: Imperador de Roma Marco Aurélio – Tradução: George Long. Tradução: Murilo Oliveira de Castro Coelho.
51 Nota do tradutor: Utilizamos o nome "Marco Aurélio", deixando os demais registros de nomes no original, conforme foram grafados por George Long.

professores de Eloquência. Há cartas existentes entre Fronto e Marcus, que mostram a grande afeição do aluno pelo mestre e as grandes esperanças do mestre em relação a seu diligente aluno. Marco Aurélio menciona Fronto entre aqueles a quem ele atribui sua educação.

Quando tinha onze anos de idade, assumiu a vestimenta dos filósofos, algo simples e grosseiro, tornou-se um estudante aplicado e levou uma vida muito laboriosa e abstêmia, chegando a prejudicar sua saúde. Por fim, abandonou a poesia e a retórica em favor da filosofia e se filiou à seita dos estoicos. Mas não negligenciou o estudo da lei, que foi uma preparação útil para o alto cargo que ele posteriormente passaria a ocupar. Seu professor foi L. Volusianus Maecianus, um jurista ilustre. Devemos supor que ele aprendeu a disciplina romana das armas, que era uma parte necessária da educação de um homem que mais tarde lideraria suas tropas na batalha contra uma raça guerreira.

Marco Aurélio registrou em seu primeiro livro os nomes de seus professores e as obrigações que ele tinha para com cada um deles. A maneira pela qual ele fala do que aprendeu com eles pode parecer vaidade ou autoelogio se olharmos descuidadamente para a maneira como se expressou, mas se alguém tirar essa conclusão, estará enganado. Marco Aurélio pretendia comemorar os méritos de seus vários professores, o que eles ensinaram e o que um aluno poderia aprender com eles. Além disso, seu livro, assim como os outros onze, era para uso próprio e, se pudermos confiar na nota no final do primeiro livro, ele foi escrito durante uma das campanhas de Marco Aurélio contra os Quadi[52], em um momento em que a comemoração das virtudes de seus ilustres professores poderia lembrá-lo de suas lições e dos usos práticos que ele poderia obter delas.

---

52 Povo contra o qual Marco Aurélio teve de lutar nas chamadas nas Guerras Marcomanoicas a fim de defender a fronteira norte, uma das mais perigosas do Império, ameaçadas pelos Quadi, Sármatas e povos germânicos. Em 173, os romanos fizeram campanha contra os Quadi, que haviam quebrado o tratado e ajudado seus parentes, e os derrotaram e subjugaram. Durante essa campanha, ocorreu um incidente famoso, o chamado "milagre da chuva", que mais tarde foi retratado na coluna de Marco Aurélio e em moedas. De acordo com Cassius Dio (LXXII, 8-10), a legião XII Fulminata foi cercada por uma força Quadi superior e quase foi forçada a se render por causa do calor e da sede. No entanto, eles foram salvos por uma chuva repentina, que refrescou os romanos, enquanto um raio atingiu os Quadi.

Entre seus professores de filosofia estava Sextus de Cheroneia, neto de Plutarco. O que ele aprendeu com esse excelente homem é contado por ele mesmo. Seu professor favorito era Q. Junius Rusticus, um filósofo e também um homem de bom senso prático em assuntos públicos. Rusticus foi o conselheiro de Marco Aurélio depois que ele se tornou imperador. Os jovens destinados a cargos elevados não costumam ser afortunados com relação àqueles que os cercam, seus companheiros e professores, e não conheço nenhum exemplo de um jovem príncipe que tenha tido uma educação que possa ser comparada à de Marco Aurélio. Dificilmente se reunirá novamente um corpo de professores tão distinto por seus conhecimentos e seu caráter. Já quanto ao aluno nunca mais teremos um como ele.

Adriano morreu em julho de 138 d.C. e foi sucedido por Antonino Pio. Antonino casou-se com Faustina, sua prima, filha de Pio, provavelmente por volta de 146 d.C., pois teve uma filha nascida em 147. Ele recebeu de seu pai adotivo o título de César e foi associado a ele na administração do Estado. O pai e o filho adotivo viviam juntos em perfeita amizade e confiança. Marco Aurélio era um filho obediente, e o imperador Pio o amava e estimava.

Antonino Pio morreu em março do ano 161 d.C. Diz-se que o Senado insistiu para que Marco Aurélio assumisse a administração exclusiva do Império, mas ele associou a si mesmo o outro filho adotivo de Pio, L. Ceionius Commodus, geralmente chamado de L. Verus. Assim, Roma teve pela primeira vez dois imperadores. Verus era um homem indolente e de prazeres, indigno de sua posição. No entanto, Marco Aurélio o suportou, e diz-se que Verus teve bom senso suficiente para prestar ao seu colega o respeito devido ao seu caráter. Um imperador virtuoso e um parceiro frouxo viviam juntos em paz, e sua aliança foi fortalecida quando Marco Aurélio deu a Verus sua filha Lucilla como esposa.

O reinado de Marco Aurélio foi primeiramente conturbado por uma guerra parta, na qual Verus foi enviado para comandar, mas ele não fez nada, e o sucesso obtido pelos romanos na Armênia, no Eufrates e no Tigre ocorreu em função da destreza de seus generais. Essa guerra da Pártia terminou em 165 d.C. Marco Aurélio e Verus tiveram um triunfo

(166 d.C.) pelas vitórias no Oriente. Seguiu-se uma peste que matou um grande número de pessoas em Roma e na Itália e se espalhou para o oeste da Europa.

O norte da Itália também foi ameaçado pelos povos rudes além dos Alpes, desde as fronteiras da Gália até o lado oriental do Adriático. Esses bárbaros tentaram invadir a Itália, como as nações germânicas haviam tentado anos antes, e o resto da vida de Marco Aurélio, com alguns intervalos, foi empregado na expulsão dos invasores. Em 169, Verus morreu repentinamente, e Marco Aurélio administrou o estado sozinho.

Durante as guerras germânicas, Marco Aurélio residiu por três anos no Danúbio, em Carnuntum. Os marcomanos foram expulsos da Panônia e quase destruídos em sua retirada pelo Danúbio. Em 174 d.C., o imperador obteve uma grande vitória sobre os Quadi.

Em 175 d.C., Avidius Cassius, um corajoso e habilidoso comandante romano que estava à frente das tropas na Ásia, revoltou-se e se declarou Augusto. Mas Cássio foi assassinado por alguns de seus oficiais, e assim a rebelião chegou ao fim. Marco Aurélio demonstrou sua humanidade ao tratar a família e os partidários de Cássio, e sua carta ao Senado, na qual recomendava misericórdia, ainda existe.

Marco Aurélio partiu para o Oriente ao saber da revolta de Cássio. Embora pareça ter retornado a Roma em 174 d.C., ele voltou para continuar a guerra contra os germânicos, e é provável que tenha marchado diretamente para o Oriente por causa da guerra alemã. Sua esposa Faustina, que o acompanhou à Ásia, morreu repentinamente no sopé do Touro, para grande tristeza do marido. Capitolino, que escreveu a vida de Marco Aurélio, e também Dion Cássio, acusam a imperatriz de escandalosa infidelidade ao marido e de abominável lascívia. Mas Capitolino diz que Marco Aurélio não sabia disso ou fingia não saber. Nada é tão comum quanto esses relatos maliciosos em todas as épocas, e a história da Roma imperial está repleta deles. Marco Aurélio amava sua esposa, e ele diz que ela era "obediente, afetuosa e simples". O mesmo escândalo havia sido espalhado sobre a mãe de Faustina, a esposa de Antonino Pio, e mesmo assim ele também estava perfeitamente satisfeito com sua esposa. Antonino Pio disse após a morte dela, em uma carta a Fronto, que preferia ter vivido no exílio com sua esposa do que em seu palácio em Roma sem ela. Não há muitos homens que dariam a suas esposas um caráter melhor do que esses dois imperadores. Capitolino escreveu na época de Diocleciano. Ele pode ter tido a intenção de dizer a verdade, mas é um biógrafo pobre e fraco. Dion Cassius, o mais maligno dos historiadores, sempre relata, e talvez tenha acreditado, em qualquer escândalo contra alguém.

Marco Aurélio continuou sua viagem à Síria e ao Egito e, em seu retorno à Itália por Atenas, foi iniciado nos mistérios eleusinos[53]. Era prática do imperador seguir os ritos estabelecidos da época e realizar cerimônias religiosas com a devida solenidade. Não podemos concluir disso que ele era um homem supersticioso, embora talvez pudéssemos fazê-lo se seu livro não mostrasse que ele não era. Mas esse é apenas um entre muitos exemplos de que os atos públicos de um governante nem sempre comprovam suas opiniões reais. Um governador prudente não se oporá de forma grosseira sequer às superstições de seu povo e, embora deseje que eles sejam mais sábios, saberá que não pode torná-los sábios ofendendo seus preconceitos.

Marco Aurélio e seu filho Cômodo entraram em Roma em triunfo, talvez por algumas vitórias alemãs, no dia 23 de dezembro de 176 d.C. No ano seguinte, Commodus foi associado a seu pai no Império e recebeu o nome de Augustus. Esse ano de 177 d.C. é memorável na história eclesiástica. Átalo e outros foram condenados à morte em Lyon por sua adesão à religião cristã. A evidência dessa perseguição é uma carta preservada por Eusébio. A carta é dos cristãos de Viena e Lugdunum, na Gália (Viena e Lyon), para seus irmãos cristãos na Ásia e na Frígia, a qual foi preservada talvez quase inteira. Ela contém uma descrição mui-

---

53 "Os Mistérios de Elêusis eram cerimônias de iniciação, com algum ritual pessoal a ser executado pelo novo participante. O culto era complexo, desenvolvido em vários dias. Há fragmentos de informações que permitem apenas perceber relances da celebração", diz a arqueóloga Elaine Veloso Hirata, da Universidade de São Paulo (O que era o culto grego secreto, os Mistérios de Elêusis? **Superinteressante**, 18 abr. 2011. Disponível em: https://super.abril.com.br/mundo-estranho/o-que-era-o-culto-grego-secreto-os-misterios-de-eleusis. Acesso em: 3 out. 2023).

to particular das torturas infligidas aos cristãos na Gália e afirma que, enquanto a perseguição estava ocorrendo, Átalo, um cristão e cidadão romano, foi exigido em voz alta pela população e levado ao anfiteatro. Mas o governador ordenou que ele fosse reservado, com os outros que estavam na prisão, até que recebesse instruções do imperador. Muitos haviam sido torturados antes que o governador pensasse em recorrer a Marco Aurélio. O decreto imperial, diz a carta, era de que os cristãos deveriam ser punidos, a menos que negassem sua fé, motivo pelo qual deveriam ser libertados. Com isso, o trabalho recomeçou. Os cristãos que eram cidadãos romanos foram decapitados, ao passo que os demais foram expostos às feras no anfiteatro. Alguns escritores modernos de história eclesiástica, quando usam essa carta, não dizem nada sobre as histórias dos sofrimentos dos mártires. Sanctus, como diz a carta, foi queimado com placas de ferro quente até que seu corpo ficasse dolorido e perdesse toda a forma humana, mas ao ser colocado na forca recuperou sua aparência anterior sob a tortura, que foi, portanto, uma cura em vez de uma punição. Depois disso, foi dilacerado por feras, colocado em uma cadeira de ferro e assado. Finalmente, ele morreu.

A carta é uma prova. O escritor, seja ele quem for que escreveu em nome dos cristãos gauleses, é nossa evidência tanto para as circunstâncias comuns quanto para as extraordinárias da história, e não podemos aceitar sua evidência para uma parte e rejeitar a outra. Frequentemente recebemos pequenas evidências como prova de algo que acreditamos estar dentro dos limites da probabilidade ou possibilidade, e rejeitamos exatamente a mesma evidência quando o fato a que ela se refere parece muito improvável ou impossível. Mas esse é um método falso de investigação, embora seja seguido por alguns escritores modernos, que selecionam o que gostam em uma história e rejeitam o restante das evidências ou, se não as rejeitam, as suprimem desonestamente. Uma pessoa só pode agir consistentemente aceitando toda essa carta ou a rejeitando, e não podemos culpá-la por isso. Mas aquele que a rejeita ainda pode admitir que tal carta pode ser baseada em fatos reais, e ele faria essa admissão como a maneira mais provável de explicar a existência da carta. No entanto, como ele supõe, o escritor declarou algumas coisas falsamente, ele não pode dizer qual parte de sua história é digna de crédito.

A guerra na fronteira norte parece ter sido ininterrupta durante a visita de Marco Aurélio ao Oriente e, em seu retorno, o imperador novamente deixou Roma para se opor aos bárbaros. O povo germânico foi derrotado em uma grande batalha em 179 d.C. Durante essa campanha, o imperador foi acometido por uma doença contagiosa, da qual morreu no acampamento de Sirmium, na Baixa Panônia, mas em Vindebona (Viena), de acordo com outras autoridades, no dia 17 de março de 180 d.C., no quinquagésimo nono ano de sua idade. Seu filho Commodus estava com ele. O corpo, ou provavelmente as cinzas, do imperador foi levado para Roma, e ele recebeu a honra da deificação. Aqueles que podiam pagar por isso tinham sua estátua ou busto. Quando Capitolino escreveu, muitas pessoas ainda tinham estátuas de Marco Aurélio entre os *Dei Penates* ou divindades domésticas, na mitologia romana. De certa forma, ele foi transformado em um santo. Commodus erigiu em memória de seu pai a coluna Antonina, que hoje se encontra na Piazza Colonna, em Roma. Os relevos em espiral, colocados em uma linha espiral ao redor da haste, comemoram as vitórias de Marco Aurélio sobre os marcomanos e os Quadi, e a chuva milagrosa que refrescou os soldados romanos e desanimou seus inimigos. A estátua de Marco Aurélio foi colocada no capitel da coluna, mas foi removida em algum momento desconhecido, e uma estátua de bronze de São Paulo foi colocada no lugar pelo papa Sisto V.

As evidências históricas da época de Marco Aurélio são muito deficientes, e algumas das que restaram não são confiáveis. A mais curiosa é a história sobre o milagre que aconteceu em 174 d.C., durante a guerra com os Quadi. O exército romano estava correndo o risco de morrer de sede, mas uma tempestade repentina os encharcou de chuva, enquanto lançava fogo e granizo sobre seus inimigos, e os romanos obtiveram uma grande vitória. Todas as autoridades que falam sobre a batalha também falam sobre o milagre. Os escritores gentios atribuem o fato a seus deuses, e os cristãos, à intercessão da legião cristã no exército do imperador. Para confirmar a declaração cristã, acrescenta-se que o imperador deu o título de "trovejante" a essa legião, mas Dacier e outros, que mantêm o relato cristão do milagre, admitem que esse título de trovejante ou relâmpago não foi dado a essa legião porque os Quadi foram atingidos por um raio, mas porque havia uma figura de raio em seus escudos, e que esse título da legião existia na época de Augusto. Scaliger também observou que a legião era chamada de Trovejante antes do reinado de Marco Aurélio. Aprendemos isso com Dion Cassius (Lib. 55, c. 23, e a nota de Reimarus), que enumera todas as legiões da época de Augusto. O nome trovejante ou relâmpago também aparece em uma inscrição do reinado de Trajano, que foi encontrada em Trieste. Eusébio de Cesareia, ao relatar o milagre, cita Apolinário, bispo de Hierápolis, como autoridade para esse nome ter sido dado à legião de Melitene pelo imperador, em consequência do sucesso que ele obteve por meio de suas orações, o que nos permite estimar o valor do testemunho de Apolinário. Eusébio não diz em que livro de Apolinário ocorre a declaração. Dion diz que a Legião Trovejante estava estacionada na Capadócia na época de Augusto. Valesius também observa que na *Notitia do Imperium Romanum* é mencionada, sob o comandante da Armênia, a *Praefectura* da décima segunda legião chamada Fulminata, de Melitene. Essa posição na Armênia concorda com o que Dion diz sobre sua posição na Capadócia. Assim, Valesius conclui que Melitene não era o nome da legião, mas da cidade em que ela estava estacionada. Melitene também era o nome do distrito em que essa cidade estava situada. Segundo ele, as legiões não levavam o nome do local onde estavam em serviço, mas do país em que foram criadas e, portanto, o que Eusébio diz sobre Melitene não parece provável para ele. No entanto, Valesius, com base na autoridade de Apolinário e Tertuliano, acreditava que o milagre foi realizado por meio das orações dos soldados cristãos do exército do imperador. Rufino não dá o nome de Melitene a essa legião, diz Valesius, e provavelmente ele o omitiu de propósito, porque sabia que Melitene era o nome de uma cidade na Armênia Menor, onde a legião estava estacionada em sua época.

Diz-se que o imperador fez um relatório de sua vitória ao Senado, o que podemos acreditar, pois essa era a prática, mas não sabemos o que ele disse em sua carta, pois ela não existe. Dacier supõe que a carta do imperador foi propositalmente destruída pelo Senado ou pelos inimigos do cristianismo, para que um testemunho tão honroso dos cristãos e de sua religião não fosse perpetuado. O crítico, no entanto, não viu que ele se contradiz quando nos conta o significado da carta, pois ele diz que ela foi destruída, e mesmo Eusébio não conseguiu encontrar seu paradeiro. Mas existe uma carta em grego endereçada por Marco Aurélio ao povo romano e ao sagrado Senado após essa memorável vitória. Às vezes, ela é impressa após a primeira Apologia de Justino, mas não tem nenhuma relação com as apologias. Essa carta é uma das falsificações mais estúpidas dentre as muitas que existem, e sequer pode ser baseada no relatório genuíno de Marco Aurélio ao Senado. Se fosse genuína, ela livraria o imperador da acusação de perseguir homens por serem cristãos, pois ele diz nessa carta falsa que se um homem acusar outro apenas de ser cristão, e o acusado confessar, e não houver mais nada contra ele, ele deve ser libertado. Com esse acréscimo monstruoso, feito por um homem inconcebivelmente ignorante, que o informante deve ser queimado vivo.

Durante o período de Antonino Pio e Marco Aurélio, surgiu a primeira Apologia de Justino e, sob o comando de Marco Aurélio, a *Oração de Taciano* contra os gregos, que foi um ataque feroz às religiões estabelecidas; O discurso de Atenágoras a Marco Aurélio em nome dos cristãos, e a *Apologia de Melito*, bispo de Sardes, também dirigida ao imperador, e a de Apolinário. A primeira *Apologia de Justino* é dirigida a T. Antoninus Pius e seus dois filhos adotivos, M. Antoninus e L. Verus, mas não sabemos se eles a leram[54]. A segunda *Apologia de Justino* é intitulada "Ao Senado romano", mas essa inscrição é de algum copista. No primeiro capítulo, Justino se dirige aos romanos. No segundo capítulo, ele fala de um caso que havia acontecido recentemente na época de M. Antoninus e L. Verus, ao que parece. Verus, ao que parece, e ele também se dirige diretamente ao imperador, dizendo sobre uma certa mulher: "Ela dirigiu uma petição a ti, imperador, e tu atendeste à petição". Em outras passagens, o escritor se dirige aos dois imperadores, o que nos leva a concluir que a *Apologia* foi dirigida a eles. Eusébio (iv, 18) afirma que a segunda *Apologia* foi dirigida ao sucessor de Antonino Pio, e o nomeia Antonino Verus, que significa M. Antoninus. Em uma passagem dessa segunda *Apologia* (c. 8), Justino, ou o escritor, seja ele quem for, diz que mesmo

---

54 Nota de George Long – "Orósio (vii, 14) diz que Justino, o filósofo, apresentou a Antônio Pio seu trabalho em defesa da religião cristã e o tornou misericordioso com os cristãos".

os homens que seguiam as doutrinas estoicas, quando ordenavam suas vidas de acordo com a razão ética, eram odiados e assassinados, como Heráclito, Musônio em sua época e outros, pois todos aqueles que de alguma forma se esforçavam para viver de acordo com a razão e evitavam a maldade eram sempre odiados, e isso era o efeito do trabalho dos demônios.

Diz-se que o próprio Justino foi condenado à morte em Roma, porque se recusou a sacrificar aos deuses. Não pode ter sido no reinado de Adriano, como afirma uma autoridade, tampouco no tempo de Antonino Pio, se a segunda Apologia foi escrita no tempo de Marco Aurélio. Há evidências de que esse evento ocorreu sob Marco Aurélio e L. Verus, quando Rusticus era o prefeito da cidade.

A perseguição que Policarpo[55] sofreu em Esmirna aconteceu na época de Marco Aurélio. A evidência disso é a carta da igreja de Esmirna às igrejas de Filomélio e às outras igrejas cristãs, e ela é preservada por Eusébio. Mas os críticos não concordam quanto à época da morte de Policarpo, diferindo nos dois extremos em um total de doze anos. As circunstâncias do martírio de Policarpo foram acompanhadas de milagres, um dos quais Eusébio (iv. 15) omitiu, mas aparece na versão latina mais antiga da carta, que Usher publicou, e supõe-se que essa versão

---

55 Durante a perseguição de Marco Aurélio, Policarpo teve uma visão do martírio que o esperava, três dias antes de ser preso. Avisou aos amigos que seria morto pelo fogo. Estava em oração quando foi preso e levado ao tribunal. Diante da insistência do procônsul Estácio Quadrado para que renegasse a Cristo, Policarpo disse: "Eu tenho servido Cristo por 86 anos e ele nunca me fez nada de mal. Como posso blasfemar contra meu Redentor? Ouça bem claro: eu sou cristão"! Foi condenado e ele mesmo subiu na fogueira e testemunhou para o povo: "Sede bendito para sempre, ó Senhor; que o vosso nome adorável seja glorificado por todos os séculos". Mas a profecia de Policarpo não se cumpriu: contam os escritos que, mesmo com a fogueira queimando sob ele e à sua volta, o fogo não o atingiu. Os carrascos foram obrigados a matá-lo à espada, depois quando o seu corpo foi queimado exalou um odor de pão cozido. Os discípulos recolheram o restante de seus ossos que colocaram numa sepultura apropriada. O martírio de Policarpo foi descrito um ano depois de sua morte, em uma carta datada de 23 de fevereiro de 156, enviada pela igreja de Esmirna à igreja de Filomélio. Trata-se do registro mais antigo do martirológio cristão existente (São Policarpo de Esmirna. **Catedral de Santo Antônio**, Osaco (SP), 23 fev. 2018. Disponível em: https://catedraldeosasco.com.br/sao-policarpo-de-esmirna-2.html. Acesso em: 3 out. 2023).

tenha sido feita não muito tempo depois da época de Eusébio. O aviso no final da carta afirma que ela foi transcrita por Caius com base na cópia de Irineu, o discípulo de Policarpo, então transcrita por Sócrates em Corinto. "Depois disso, eu, Pionius, novamente a escrevi tomando com base a cópia acima mencionada, tendo-a procurado pela revelação de Policarpo, que me direcionou a ela". A história do martírio de Policarpo é embelezada com circunstâncias milagrosas que alguns escritores modernos da história eclesiástica tomam a liberdade de omitir.

De modo a formar uma noção adequada da condição dos cristãos sob o reinado de Marco Aurélio devemos voltar ao tempo de Trajano. Quando o jovem Plínio era governador da Bitínia, os cristãos eram numerosos naquela região, e os adoradores da antiga religião estavam caindo. Os templos estavam abandonados, os festivais eram negligenciados e não havia compradores de vítimas para sacrifícios. Aqueles que estavam interessados na manutenção da antiga religião descobriram que seus lucros estavam em perigo. Cristãos de ambos os sexos e de todas as idades foram levados à presença do governador, que não sabia o que fazer com eles. Ele não podia chegar a outra conclusão senão a de que aqueles que se confessavam cristãos e perseveravam em sua religião deveriam ser punidos, se não fosse por outra coisa, por sua obstinação invencível. Ele não encontrou nenhum crime provado contra os cristãos e só pôde caracterizar sua religião como uma superstição depravada e extravagante, que poderia ser interrompida se fosse dada ao povo a oportunidade de se retratar. Plínio escreveu isso em uma carta a Trajano. Ele pediu as orientações do imperador, pois não sabia o que fazer. Ele observou que nunca havia se envolvido em investigações judiciais sobre os cristãos e que, portanto, não sabia o que investigar, ou até onde investigar e punir. Isso prova que não era algo novo examinar a profissão de cristão de um homem e puni-lo por isso[56].

---

56 Nota de George Long – "Orósio (vii. 12) fala da perseguição de Trajano aos cristãos, e do pedido de Plínio a ele, que levou o imperador a mitigar sua severidade. A punição da lei mosaica para aqueles que tentavam seduzir os judeus a seguir novos deuses era a morte. Se um homem fosse secretamente seduzido a essa nova adoração, ele deveria matar o sedutor, mesmo que o sedutor fosse irmão, filho, filha, esposa ou amigo. (Deuteronômio, 8)".

CAFÉ COM OS ESTOICOS

A resolução de Trajano ainda existe. Ele aprovou o julgamento do governador sobre o assunto, mas disse que nenhuma busca deveria ser feita pelos cristãos. Se um homem fosse acusado da nova religião e condenado, ele não deveria ser punido se afirmasse que não era cristão e confirmasse sua negação mostrando sua reverência aos deuses pagãos. Ele acrescentou que não se deveria dar atenção a informações anônimas, pois tais coisas eram um mau exemplo. Trajano era um homem brando e sensível, e ambos os motivos, misericórdia e política, provavelmente também o induziram a dar a menor atenção possível aos cristãos, para deixá-los viver em paz, se possível. A resolução de Trajano é o primeiro ato legislativo do chefe do Estado romano com referência ao cristianismo de que se tem conhecimento. Não parece que os cristãos tenham sofrido mais perturbações durante seu reinado. O martírio de Inácio por ordem do próprio Trajano não é universalmente admitido como um fato histórico[57].

Na época de Adriano, não era mais possível para o governo romano ignorar o grande aumento de cristãos e a hostilidade do povo em relação a eles. Se os governadores das províncias estavam dispostos a deixá-los

---

57 De acordo com a opinião geral dos historiadores, o imperador Trajano, em seu caminho para a guerra da Pártia, no ano 107, visitou Antióquia. Por que causa é difícil dizer, mas aparentemente os cristãos foram ameaçados de perseguição por suas ordens. Inácio, portanto, preocupado pela igreja em Antióquia, desejou ser introduzido à presença de Trajano. Seu grande objetivo era prevenir, se possível, a perseguição ameaçada. Com esse objetivo em vista, ele apresentou ao imperador o verdadeiro caráter e condição dos cristãos, e se ofereceu a si mesmo para sofrer no lugar deles [...] O martírio de Inácio teve justamente o efeito oposto. Notícias sobre sua sentença e sobre sua rota se disseminaram amplamente, e representantes das igrejas das proximidades foram enviados para encontrá-lo em pontos convenientes durante a viagem. Ele foi, então, saudado e encorajado com calorosas felicitações de seus irmãos; e eles, em troca, se alegraram em ver o venerável bispo e em receber sua bênção de despedida. Muitos dos santos se sentiriam encorajados a enfrentar, e até mesmo a desejar, uma morte de mártir e uma coroa de mártir. Dentre os que o encontraram pelo caminho estavam Policarpo, bispo de Esmirna que, assim como Inácio, tinha sido um discípulo do apóstolo João, e estava também destinado a ser um mártir pelo Evangelho. Mas além desses encontros pessoais, dizem que ele escreveu sete cartas durante essa viagem, que foram preservadas pela providência divina e chegaram até nós. Sempre houve grande interesse, e ainda há, nessas cartas (O Martírio de Inácio. **História da Igreja**, s.d. Disponível em: https://leituracrista.com/livros/a-historia-da-igreja/roma_e_seus_governantes_64_dc__177_dc/o_martirio_de_inacio.html. Acesso em: 3 out. 2023).

em paz, não podiam resistir ao fanatismo da comunidade pagã, que considerava os cristãos ateus. Os judeus também, que se estabeleceram em todo o Império romano, eram tão hostis aos cristãos quanto os gentios. Na época de Adriano, tiveram início as *Apologias Cristãs*, que mostram claramente qual era o sentimento popular em relação aos cristãos. Um rescrito de Adriano para Minucius Fundanus, o procônsul da Ásia, que se encontra no final da primeira *Apologia de Justino*, instruía o governador que as pessoas inocentes não deviam ser perturbadas, e não se devia permitir que falsos acusadores extorquissem dinheiro delas. As acusações contra os cristãos deviam ser feitas na devida forma, e não era permitido dar atenção aos clamores populares. Quando os cristãos eram regularmente processados e condenados por atos ilegais, eles deviam ser punidos de acordo com seus méritos, e os falsos acusadores também deviam ser punidos. Diz-se que Antoninus Pius publicou novos escritos com o mesmo efeito. Os termos de Adriano parecem muito favoráveis aos cristãos, mas se o entendermos nesse sentido, de que eles deveriam apenas ser punidos como as outras pessoas por atos ilegais, ele não teria sentido, pois isso poderia ter sido feito sem pedir o conselho do imperador. O verdadeiro propósito da nova resolução era de que os cristãos deveriam ser punidos se persistissem em sua crença e não provassem sua renúncia a ela reconhecendo a religião pagã. Essa era a regra de Trajano, e não temos razão para supor que Adriano concedeu mais aos cristãos do que Trajano. Também está impresso no final da primeira *Apologia de Justino* uma resolução de Antonino Pio para a Comuna e também está em Eusébio (iv. 13). A data dessa resolução é o terceiro consulado de Antonino Pio, a qual declara que os cristãos – pois se trata deles, embora o nome "cristãos" não ocorra – não deveriam ser perturbados a menos que estivessem tentando algo contra o governo romano, bem como que nenhum homem deveria ser punido simplesmente por ser cristão. Mas essa resolução foi adulterada. Qualquer pessoa moderadamente familiarizada com a história romana verá, pelo estilo e pelo teor, que se trata de uma falsificação desajeitada.

Na época de Marco Aurélio, a oposição entre a antiga e a nova crença era ainda mais forte, e os adeptos da religião pagã incitavam os detentores de autoridade a uma resistência mais regular às invasões da fé cristã.

Melito, em sua *Apologia* a Marco Aurélio, representa os cristãos da Ásia como perseguidos sob novas ordens imperiais. Segundo ele, informantes desavergonhados, homens ávidos pela propriedade alheia, usaram essas ordens como meio de roubar aqueles que não estavam fazendo mal algum. Ele duvida que um imperador justo pudesse ter ordenado algo tão injusto, bem como se a última ordem não fosse realmente do imperador, os cristãos imploravam para que ele não os entregasse a seus inimigos. Concluímos disso que havia pelo menos reescritos imperiais ou ordenamentos de Marco Aurélio que se tornaram a base dessas perseguições. O fato de ser cristão era agora um crime e punido, a menos que o acusado negasse sua religião. Depois vieram as perseguições em Esmirna, que alguns críticos modernos colocam em 167 d.C., dez anos antes da perseguição de Lyon. Os governadores das províncias sob o reinado de Marco Aurélio poderiam ter encontrado o suficiente, mesmo na resolução de Trajano, para garantir a punição dos cristãos, e o fanatismo do povo os levaria à perseguição, mesmo que não quisessem. Mas, além do fato de os cristãos rejeitarem todas as cerimônias pagãs, não devemos esquecer de que eles afirmam claramente que todas as religiões pagãs eram falsas. Assim, os cristãos declararam guerra contra os ritos pagãos, e não é necessário observar que essa foi uma declaração de hostilidade contra o governo romano, que tolerava todas as várias formas de superstição que existiam no Império e não podia tolerar consistentemente outra religião, que declarava que todas as outras eram falsas e que todas as esplêndidas cerimônias do Império eram apenas uma adoração aos demônios.

Se tivéssemos uma verdadeira história eclesiástica, deveríamos saber como os imperadores romanos tentaram controlar a nova religião, como eles aplicaram seu princípio de punir finalmente os cristãos, simplesmente como cristãos, o que Justino, em sua *Apologia*, afirma que eles fizeram, e não tenho dúvidas de que ele diz a verdade, até a que ponto o clamor popular e os tumultos foram nessa questão, e até a que ponto muitos cristãos fanáticos e ignorantes – pois havia muitos deles – contribuíram para excitar o fanatismo do outro lado e para acirrar a disputa entre o governo romano e a nova religião. Nossas histórias eclesiásticas existentes são manifestamente falsificadas, e o que elas contêm de verdade é grosseiramente exagerado; mas o fato é certo que, na época de

Marco Aurélio as populações pagãs estavam em franca hostilidade contra os cristãos e que, sob o governo de Marco Aurélio, pessoas eram condenados à morte por serem cristãs. Eusébio, no prefácio de seu quinto livro, observa que no décimo sétimo ano do reinado de Marco Aurélio, em algumas partes do mundo, a perseguição aos cristãos tornou-se mais violenta, e que ela partia da população das cidades, acrescentando ainda, em seu estilo habitual de exagero, que podemos inferir do que aconteceu em uma única nação que miríades de mártires foram feitos na terra habitável. A nação à qual ele faz alusão é a Gália, e ele então passa a dar a carta das igrejas de Viena e Lugdunum. É provável que ele tenha identificado a verdadeira causa das perseguições, o fanatismo da população, e que tanto os governadores quanto o imperador tiveram muitos problemas com esses distúrbios. Até a que ponto Marco Aurélio estava ciente desses procedimentos cruéis, não sabemos, pois os registros históricos de seu reinado são muito deficientes. Ele não criou a regra contra os cristãos, pois Trajano fez isso, e se admitirmos que ele estaria disposto a deixar os cristãos em paz não podemos afirmar que isso estava em seu poder, pois seria um grande erro supor que Marco Aurélio tivesse a autoridade ilimitada que alguns soberanos modernos tiveram. Seu poder era limitado por certas formas constitucionais, pelo Senado e pelos precedentes de seus predecessores. Não podemos admitir que tal homem tenha sido um perseguidor ativo, pois não há evidências de que o tenha sido, embora seja certo que ele não tinha uma boa opinião dos cristãos, como se depreende de suas palavras. Mas ele não sabia nada sobre eles, exceto sua hostilidade à religião romana, e provavelmente pensava que eles eram perigosos para o Estado, apesar das profissões, falsas ou verdadeiras, de alguns dos apologistas. Já disse tudo isso, porque seria injusto não declarar tudo o que pode ser argumentado contra um homem que seus contemporâneos e as eras subsequentes veneraram como modelo de virtude e benevolência. Se eu admitisse a genuinidade de alguns documentos, ele estaria completamente livre da acusação de ter permitido quaisquer perseguições, mas como busco a verdade e tenho certeza de que são falsos, deixo que o imperador arque com a culpa que lhe cabe. Acrescento que é bastante certo que Marco Aurélio não derivou nenhum de seus princípios éticos de uma religião da qual nada sabia.

Não há dúvida de que as *Reflexões do Imperador* – ou suas *Meditações*, como são geralmente chamadas – são uma obra genuína. No primeiro livro, ele fala de si mesmo, de sua família e de seus professores; e em outros livros ele menciona a si mesmo. Suidas[58] (v. Μάρκος) observa uma obra de Marco Aurélio em doze livros, que ele chama de "conduta de sua própria vida", em que cita o livro sob várias palavras em seu *Dicionário*, dando o nome do imperador, mas não o título da obra. Suidas também citou passagens de Marco Aurélio sem mencionar o nome do imperador. O verdadeiro título da obra é desconhecido. Xylander, que publicou a primeira edição desse livro (Zurique, 1558, v. 8, com uma versão em latim), usou um manuscrito que continha os doze livros, mas não se sabe onde o manuscrito está agora. O único outro manuscrito completo que se sabe existir está na biblioteca do Vaticano, mas não tem título nem inscrições dos vários livros. O décimo primeiro tem apenas a inscrição Μάρκου αὐτοκράτορος marcada com um asterisco. Os outros manuscritos do Vaticano e os três florentinos contêm apenas trechos do livro do imperador. Todos os títulos dos trechos quase concordam com o que Xylander prefixou em sua edição, Μάρκου Ἀντωνίνου Αὐτοκράτορος τῶν εἰς ἑαυτὸν βιβλία ιβ. Esse título foi usado por todos os editores subsequentes. Não podemos dizer se Marco Aurélio dividiu sua obra em livros

---

58 A primeira menção clara às *Meditações* de Marco Aurélio na Antiguidade foi feita por Themistius, no século IV d.C., que as chamou de "preceitos" (*parangelmata*) de Marco. No ano 900, o dicionário de Suidas as chamou de "guia ou direção" (*agôgê*), ao passo que o bispo Arethas, do século X, as chamou de "os [escritos] para si mesmo" (*ta eis heauton*). Atualmente, os estudiosos geralmente concordam (Cf. BRUNT, P. A. Marcus Aurelius in his Meditations. **Journal of Roman Studies**, v. 64, n. 1, p. 1-20, 1974) que Marco Aurélio escreveu para o próprio aprimoramento moral, para se lembrar e tornar concretas as doutrinas estoicas pelas quais ele queria viver, como a de que o mundo é governado pela Providência; que a felicidade está na virtude, que está totalmente em seu poder, bem como de que não se deve ficar com raiva de seus companheiros, mas sim considerá-los irmãos em razão de serem descendentes do mesmo Deus. Embora não tenhamos outros exemplos desse tipo de escrita privada da Antiguidade, temos o conselho de Epiteto de escrever (bem como ensaiar) diariamente os tipos de respostas que devemos ter às situações que encontramos, para que possamos tê-las à mão (*procheiron*) quando as circunstâncias exigirem. Marco Aurélio descreve os próprios escritos como suportes (*parastêmata*, iii., 11), registros (*parapêgmata*, ix. 3.2) e regras (*kanones*, v. 22, x. 2) (MARCUS Aurelius. **Stanford Encyclopedia of Philosophy**, 29 nov. 2010. Disponível em: https://plato.stanford.edu/entries/marcus-aurelius/. Acesso em: 9 out. 2023).

ou se outra pessoa o fez. Se as inscrições no final do primeiro e do segundo livros forem genuínas, ele mesmo pode ter feito a divisão.

É evidente que o imperador escrevia seus pensamentos ou reflexões conforme as ocasiões surgiam e, como eram destinados ao próprio uso, não é improvável conjecturar que ele tenha deixado uma cópia completa escrita por sua mão, pois não é provável que um homem tão diligente usasse o trabalho de um transcritor para tal propósito e expusesse seus pensamentos mais secretos a qualquer outro olhar. Ele também pode ter destinado o livro a seu filho Commodus, que, no entanto, não tinha gosto pela filosofia de seu pai. Alguma mão cuidadosa preservou o precioso volume, e uma obra de Marco Aurélio é mencionada por outros escritores tardios além de Suidas.

Muitos críticos se debruçaram sobre o texto de Antonino. A edição mais completa é a de Thomas Gataker (1652, t. 4). A segunda edição de Gataker foi supervisionada por George Stanhope (1697, t. 4). Há também uma edição de 1704. Gataker fez e sugeriu muitas boas correções, e também fez uma nova versão em latim, que não é um exemplar muito bom de latim, mas geralmente expressa o sentido do original, e muitas vezes melhor do que algumas das traduções mais recentes. Ele acrescentou na margem oposta a cada parágrafo referências a outras passagens paralelas; e escreveu um comentário, um dos mais completos que já foram escritos sobre qualquer autor antigo. Esse comentário contém a exposição do editor das passagens mais difíceis e citações de todos os escritores gregos e romanos para ilustrar o texto. É um monumento maravilhoso de aprendizado e trabalho, e certamente nenhum inglês fez algo parecido. No final de seu prefácio, o editor diz que o escreveu em Rotherhithe, perto de Londres, em um inverno rigoroso, quando estava no septuagésimo oitavo ano de sua idade, em 1651 – uma época em que Milton, Selden e outros grandes homens da época da Commonwealth estavam vivos; e o grande estudioso francês Saumaise (Salmasius), com quem Gataker se correspondeu e recebeu ajuda dele para sua edição de Marco Aurélio. O teste grego também foi editado por J. M. Schultz, Leipzig, 1802, v. 8; e pelo erudito grego

Adamantinus Corais (Paris, 1816, v 8). O texto de Schultz foi republicado por Tauchnitz, em 1821.

Há traduções em inglês, alemão, francês, italiano e espanhol de Marco Aurélio, e pode haver outras. Não vi todas as traduções em inglês. Há uma de Jeremy Collier (1702, v. 8), uma cópia muito grosseira e vulgar do original. A última tradução francesa de Alexis Pierron, na coleção de Charpentier, é melhor do que a de Dacier, que foi homenageada com uma versão italiana (Udine, 1772). Há uma versão italiana (1675), que eu não vi. É de um cardeal. "Um homem ilustre na igreja, o cardeal Francisco Barberini, o velho, sobrinho do papa Urbano VIII, ocupou os últimos anos de sua vida traduzindo para sua língua nativa os pensamentos do imperador romano, a fim de difundir entre os fiéis as sementes fertilizantes e vivificantes. Ele dedicou essa tradução à sua alma, para torná-la, como ele diz em seu estilo enérgico, mais vermelha do que sua púrpura à vista das virtudes desse gentio" (*Pierron*, Prefácio).

Fiz esta tradução em intervalos, depois de ter usado o livro por muitos anos. Ela foi feita do grego, mas nem sempre segui um único texto, e ocasionalmente comparei outras versões com a minha. Fiz essa tradução para meu uso, porque achei que valia a pena o trabalho, mas ela também pode ser útil para outras pessoas e, portanto, decidi imprimi-la. Como o original às vezes é muito difícil de entender e ainda mais difícil de traduzir, não é possível que eu tenha sempre evitado erros. Mas acredito que nem sempre deixei de entender o significado, e aqueles que se derem ao trabalho de comparar a tradução com o original não devem concluir apressadamente que estou errado, caso não concordem comigo. Algumas passagens dão o significado, embora à primeira vista possam não parecer; e quando discordo dos tradutores, acho que em alguns lugares eles estão errados, e em outros tenho certeza de que estão. Eu poderia ter tornado a linguagem mais fácil e fluida, mas preferi um estilo mais rude por ser mais adequado para expressar o caráter do original. Às vezes, a obscuridade que pode aparecer na versão é uma cópia fiel da obscuridade do grego. Se algum dia eu revisar esta versão, terei o prazer de fazer uso de quaisquer correções que possam ser sugeridas. Se não dei as melhores palavras para o grego, fiz o melhor que pude, e no texto sempre dei a mesma tradução para a mesma palavra.

O último reflexo da filosofia estoica que observei está no *Comentário de Simplício* sobre o *Enchiridion* de Epiteto. Simplício não era cristão, e não era provável que um homem assim se convertesse em uma época em que o cristianismo estava grosseiramente corrompido. Mas ele era um homem realmente religioso, e conclui seu comentário com uma oração à Divindade que nenhum cristão poderia melhorar. Da época de Zenão a Simplício, um período de cerca de novecentos anos, a filosofia estoica formou o caráter de alguns dos melhores e maiores homens. Finalmente, ela se extinguiu e não ouvimos mais falar dela até o renascimento das letras na Itália. Angelo Poliziano encontrou dois manuscritos muito imprecisos e incompletos do *Enchiridion* de Epiteto, que ele traduziu para o latim e dedicou a seu grande patrono Lorenzo de Medici, em cuja coleção havia encontrado o livro. A versão de Poliziano foi impressa na primeira edição de Bâle do *Enchiridion*, em 1531 d.C. (*apud And. Cratandrum*). Poliziano recomenda o *Enchiridion* a Lorenzo como uma obra adequada ao seu temperamento e útil nas dificuldades que o cercavam.

Epiteto e Marco Aurélio têm tido leitores desde que foram impressos pela primeira vez. O pequeno livro de Marco Aurélio foi o companheiro de alguns grandes homens. *A Arte da Guerra*, de Maquiavel, e *Marco Antônio* foram os dois livros usados quando ele era jovem pelo capitão John Smith, e ele não poderia ter encontrado dois escritores mais adequados para formar o caráter de um soldado e de um homem. Smith é quase desconhecido e esquecido na Inglaterra, seu país natal, mas não na América, onde ele salvou a jovem colônia da Virgínia. Ele foi grande em sua mente heroica e em seus feitos com armas, mas foi ainda maior na nobreza de seu caráter. Pois a grandeza de um homem não está na riqueza e na posição, como acreditam os vulgares, muito menos em sua capacidade intelectual, que muitas vezes está associada ao caráter moral mais mesquinho, ao servilismo mais abjeto em relação aos que ocupam posições elevadas e à arrogância no que diz respeito aos pobres e humildes. Mas a verdadeira grandeza de um homem está na consciência de um objetivo honesto na vida, baseado em uma avaliação justa de si mesmo e de tudo o mais, em um autoexame frequente e em uma obediência constante à regra que ele sabe ser correta, sem se preocupar, como o imperador diz que ele não deveria, com o que os outros possam pensar ou dizer, ou se eles fazem ou não fazem o que ele pensa, diz e faz.

A FILOSOFIA DE MARCO AURÉLIO[59]

Já foi dito que a filosofia estoica mostrou seu real valor quando passou da Grécia para Roma. As doutrinas de Zenão e de seus sucessores eram bem adequadas à gravidade e ao bom senso prático dos romanos. Mesmo no período republicano temos um exemplo de um homem, M. Cato Uticensis, que viveu a vida de um estoico e morreu consistentemente com as opiniões que professava. Ele era um homem, diz Cícero, que abraçou a filosofia estoica por convicção, e não com o propósito de uma discussão vã, como a maioria fazia, mas para tornar sua vida compatível com os preceitos estoicos. Nos tempos miseráveis, desde a morte de Augusto até o assassinato de Domiciano, não havia nada além da filosofia estoica que pudesse consolar e apoiar os seguidores da antiga religião sob a tirania imperial e em meio à corrupção universal. Mesmo assim, havia mentes nobres que podiam ousar e resistir, sustentadas por uma boa consciência e uma ideia elevada dos propósitos da existência do ser humano, tais como Paetus Thrasae, Helvidius Priscus, Cornutus, C. Musonius Rufus[60], e os poetas Pérsio e Juvenal, cuja linguagem enérgica e pensamentos viris podem ser tão instrutivos para nós agora quanto podem ter sido para seus contemporâneos. Pérsio morreu durante o sangrento reinado de Nero, mas Juvenal teve a sorte de sobreviver ao tirano Domiciano e ver os melhores tempos de Nerva, Trajano e Adriano[61].

---

59 As notas do capítulo "Filosofia de Marco Aurélio" são todas compostas por George Long, traduzidas por Murilo Oliveira de Castro Coelho.
60 Omiti Sêneca, o preceptor de Nero. Ele era, de certa forma, um estoico, e disse muitas coisas boas de uma maneira muito refinada. Há um julgamento de Gellius sobre Sêneca, ou melhor, uma declaração do que algumas pessoas pensavam de sua filosofia, e não é favorável. Seus escritos e sua vida devem ser considerados em conjunto, e não tenho mais nada a dizer sobre ele aqui.
61 Ribbeck se esforçou para provar que essas sátiras, que contêm preceitos filosóficos, não são obra do verdadeiro, mas de um falso Juvenal, um declamador. Ainda assim, os versos existem e foram escritos por alguém que estava familiarizado com as doutrinas estoicas.

Seus melhores preceitos são derivados da escola estoica, e são reforçados em seus melhores versos pelo vigor incomparável da língua latina.

Os dois melhores expositores da filosofia estoica posterior foram um escravo grego e um imperador romano. Epiteto, um grego frígio que foi levado a Roma não sabemos como, mas lá foi escravizado e, depois, liberto de um senhor indigno, de nome Epafrodito, ele próprio um liberto e favorito de Nero. Epiteto pode ter sido um ouvinte de C. Musonius Rufus enquanto ainda era escravo, mas dificilmente poderia ter sido um professor antes de ser libertado. Ele foi um dos filósofos que a ordem de Domiciano baniu de Roma. Ele se retirou para Nicópolis, no Épiro, e pode ter morrido lá. Como outros grandes mestres, ele não escreveu nada, e estamos em dívida com seu grato aluno Arriano pelo que temos dos discursos de Epiteto. Arriano escreveu oito livros sobre os discursos de Epiteto, dos quais restam apenas quatro e alguns fragmentos. Temos também o pequeno *Enchiridion* ou *Manual*, que trata dos principais preceitos de Epiteto, escrito por Arriano. Esse é um valioso comentário sobre o *Enchiridion* feito por Simplício, que viveu na época do imperador Justiniano.

De fato, as doutrinas de Epiteto e Marco Aurélio são as mesmas, e Epiteto é a melhor autoridade para a explicação da linguagem filosófica de Marco Aurélio e para a exposição de suas opiniões. Mas o método dos dois filósofos é totalmente diferente. Epiteto se dirigia a seus ouvintes em um discurso contínuo e de maneira familiar e simples, ao passo que Marco Aurélio escrevia suas reflexões apenas para o próprio uso, em parágrafos curtos e desconexos, muitas vezes obscuros.

Os estoicos faziam três divisões da filosofia: física, ética e lógica. Essa divisão, segundo Diógenes, foi feita por Zenão de Cítio, o fundador da seita estoica, e por Crisipo, mas esses filósofos colocaram as três divisões na seguinte ordem: lógica, física, ética. Parece, entretanto, que essa divisão foi feita antes da época de Zenão e reconhecida por Platão, como observa Cícero. Lógica não é sinônimo do nosso termo "lógica" no sentido mais restrito dessa palavra.

Cleantes, um estoico, subdividiu as três divisões e fez seis, a saber: dialética e retórica, incluídas na lógica; ética e política; física e teologia. Essa divisão era meramente para uso prático, pois toda a filosofia é uma só. Mesmo entre os primeiros estoicos a lógica ou a dialética não ocupa o mesmo lugar como para Platão. Ela é considerada apenas um instrumento que deve ser usado para as outras divisões da filosofia. Uma exposição das primeiras doutrinas estoicas e de suas modificações exigiria um volume. Meu objetivo é explicar apenas as opiniões de Marco Aurélio que possam ser coletadas de seu livro.

De acordo com a subdivisão de Cleantes, a física e a teologia andam juntas, ou seja, o estudo da natureza das coisas e o estudo da natureza da divindade, na medida em que o ser humano pode compreender a divindade e seu governo do Universo. Essa divisão ou subdivisão não é formalmente adotada por Marco Aurélio, pois, como observado, não há método em seu livro, mas sim está virtualmente contida nele.

Cleantes também conecta a ética e a política, ou o estudo dos princípios da moral e o estudo da constituição da sociedade civil, e, sem dúvida, ele fez bem em subdividir a ética em duas partes.

Ética no sentido mais restrito, e política, pois, embora as duas estejam intimamente conectadas, elas também são muito distintas, e muitas questões só podem ser adequadamente discutidas observando-se cuidadosamente a distinção. Marco Aurélio não trata da política. Seu assunto é a ética, e a ética em sua aplicação prática à própria conduta na vida como homem e como governador. Sua ética está fundamentada em suas doutrinas sobre a natureza do ser humano, a natureza universal e a relação de cada pessoa com tudo o mais. Portanto, ela está íntima e inseparavelmente conectada à física, ou a natureza das coisas, bem como à teologia, ou a natureza da divindade. Ele nos aconselha a examinar bem todas as impressões em nossas mentes e a formar um julgamento correto delas, a tirar conclusões justas e a investigar os significados das palavras e, assim, aplicar a dialética. Entretanto, ele não faz nenhuma tentativa de expor a dialética, e sua filosofia é, em essência, puramente moral e prática. Ele diz: "Constantemente e, se possível, por ocasião de cada impressão na alma, aplique a ela os princípios da física, da ética e da dialética", o que é apenas outra maneira de nos dizer para examinar a impressão de todas as maneiras possíveis. Em outra passagem ele diz: "Aos auxílios que foram mencionados, que este ainda seja acrescentado: faça para si mesmo uma definição ou descrição do objeto que lhe é apresentado, de modo a ver distintamente que tipo de coisa ele é em sua substância, em sua nudez, em sua completa totalidade, e diga a si mesmo seu nome próprio e os nomes das coisas das quais foi composto e nas quais será resolvido".

Tal exame implica o uso da dialética, que Marco Aurélio empregou como meio de estabelecer seus princípios físicos, teológicos e éticos.

Há várias exposições dos princípios físicos, teológicos e éticos contidos na obra de Marco Aurélio, mais exposições do que eu já li. Ritter (*Geschichte der Philosophie*, iv. p. 241), depois de explicar as doutrinas de Epiteto, trata de forma muito breve e insuficiente as de Marco Aurélio. Mas ele se refere a um pequeno ensaio, no qual o trabalho é mais bem feito (*Commentariis. Scriptio Philologica*. Instituit Nicolaus Bachius, Lipsiae, 1826). Há também um ensaio sobre os princípios filosóficos de Marco Aurélio por J. M. Schultz, colocado no final de sua tradução alemã de *Antoninus* (Schleswig, 1799). Com a ajuda desses dois ensaios úteis e de seu estudo diligente, uma pessoa pode formar uma noção suficiente dos princípios de Marco Aurélio, mas achará mais difícil expô-los a outros. Além da falta de arranjo no original e de conexão entre os numerosos parágrafos, a corrupção do texto, a obscuridade da linguagem e do estilo e, às vezes, talvez a confusão nas próprias ideias do escritor – além de tudo isso, há ocasionalmente uma aparente contradição nos pensamentos do imperador, como se seus princípios estivessem às vezes instáveis, como se a dúvida às vezes obscurecesse sua mente. Um homem que leva uma vida de tranquilidade e reflexão, que não se perturba em casa e não se envolve com os assuntos do mundo, pode manter sua mente tranquila e seus pensamentos em um curso uniforme. Mas esse homem não foi testado.

Toda a sua filosofia ética e sua virtude passiva podem se tornar palavras vãs, se ele for exposto às rudes realidades da existência humana. Belos pensamentos e dissertações morais de pessoas que não trabalharam e sofreram podem ser lidos, mas serão esquecidos. Nenhuma religião ou filosofia ética tem valor algum se o professor não tiver vivido a "vida de um apóstolo" e não estiver pronto para morrer "a morte de um mártir".

"Não é na passividade (os efeitos passivos), mas na atividade que residem o mal e o bem do animal social racional, assim como sua virtude e seu vício não residem na passividade, mas na atividade". O imperador Marco Aurélio era um moralista prático. Desde a juventude, ele seguiu uma disciplina laboriosa e, embora sua posição elevada o colocasse acima de qualquer necessidade ou medo dela, ele vivia de forma tão frugal e moderada quanto o mais pobre filósofo. Epiteto queria pouco, e parece que ele sempre teve o pouco que queria e estava satisfeito com isso, assim como estava com sua posição servil. Mas Marco Aurélio, após sua ascensão ao Império, sentou-se em um lugar desconfortável. Ele tinha a administração de um império que se estendia do Eufrates ao Atlântico, das montanhas frias da Escócia às areias quentes da África. Podemos imaginar, embora não possamos saber por experiência própria, quais devem ser as provações, os problemas, a ansiedade e as tristezas daquele que tem os negócios do mundo em suas mãos, com o desejo de fazer o melhor que pode e a certeza de que pode fazer muito pouco do bem que deseja.

Em meio a guerras, pestes, conspirações, corrupção generalizada e com o peso de um império tão pesado sobre ele, podemos facilmente compreender que Marco Aurélio muitas vezes precisou de toda a sua fortaleza para o apoiar. Os melhores e mais corajosos homens têm momentos de dúvida e fraqueza, mas se forem os melhores e mais corajosos, eles se reerguem de sua depressão voltando aos primeiros princípios, como fez Marco Aurélio. O imperador diz que a vida é fumaça, um vapor, e São Tiago, em sua *Epístola*, tem a mesma opinião de que o mundo está cheio de pessoas invejosas, ciumentas e malignas, e que uma pessoa pode se contentar em sair dele. Talvez, às vezes, ele tenha dúvidas até sobre aquilo a que se apega com mais firmeza. Há apenas algumas passagens desse tipo, mas elas são evidências das lutas que mesmo o mais nobre dos filhos dos homens teve de travar contra as duras realidades de sua vida diária. Vi em algum lugar uma observação ruim, feita de forma depreciativa, de que as reflexões do imperador mostram que ele precisava de consolo e conforto na vida, inclusive a fim de prepará-lo para enfrentar a morte. É verdade que ele precisava de conforto e apoio, e vemos como ele o encontrou. Ele recorre constantemente ao seu princípio fundamental de que o Universo é sabiamente ordenado, que todo ser humano é parte dele e deve se conformar a essa ordem que ele não pode mudar, que tudo o que a divindade fez é bom, que toda a humanidade é irmã do ser humano, que ele deve amá-la e valorizá-la e tentar torná-la melhor, mesmo aqueles que lhe causariam danos. Esta é sua conclusão: "O que, então, é capaz de conduzir um homem? Uma coisa e somente uma: a filosofia. Mas isso consiste em manter a divindade dentro de um homem livre de violência e ilesa, superior às dores e aos prazeres, não fazendo nada sem um propósito, muito menos falsamente e com hipocrisia, não sentindo a necessidade de que outro homem faça ou deixe de fazer alguma coisa. Além disso, aceitando tudo o que acontece e tudo o que lhe é atribuído, como vindo de lá, onde quer que seja, de onde ele mesmo veio; e, finalmente, esperando a morte com uma mente alegre, como sendo nada mais do que uma dissolução dos elementos dos quais todo ser vivo é composto. Se não houver nenhum dano aos elementos, pois cada um deles está continuamente se transformando em outro, por que um homem deveria ter qualquer apreensão sobre a mudança e a dissolução de todos os elementos? Isso está de acordo com a natureza, e nada que esteja de acordo com a natureza pode ser maléfico".

A física de Marco Aurélio é o conhecimento da natureza do universo, de seu governo e da relação da natureza do homem com ambos. Ele nomeia o Universo como "a substância universal" e acrescenta que "a razão governa o Universo". Ele também usa os termos "natureza universal" ou "natureza do Universo". Ele chama o Universo de "o único e todo, que chamamos de Cosmos ou ordem". Se ele sempre parece usar esses termos gerais como significantes do Todo, de tudo o que o ser humano pode de alguma forma conceber como existente, ele ainda, em outras ocasiões, distingue claramente entre matéria, coisas materiais, e causa, origem, razão[62]. Isso está de acordo com a doutrina de Zenão de que há dois prin-

---

62 Observo, a fim de antecipar qualquer equívoco, que todos esses termos gerais envolvem uma contradição. O "um e todos", e similares, e "o todo", significam limitação.

cípios originais de todas as coisas, aquilo que age e aquilo sobre o qual se age. Aquilo sobre o qual se age é a matéria sem forma, ao passo que aquilo que age é a razão, Deus, que é eterno e opera através de toda a matéria, e produz todas as coisas. Assim, Marco Aurélio fala da razão que permeia toda a substância e, durante todo o tempo, por meio de períodos fixos (revoluções), administra o Universo. Deus é eterno, e a matéria é eterna. É Deus quem dá forma à matéria, mas não se diz que ele a criou. De acordo com essa visão, que é tão antiga quanto Anaxágoras, Deus e a matéria existem independentemente, mas Deus governa a matéria. Essa doutrina é simplesmente a expressão do fato da existência tanto da matéria quanto de Deus. Os estoicos não se preocupavam com a questão insolúvel da origem e da natureza da matéria[63]. Marco Aurélio também

---

"Um" é limitado; "todos" é limitado; o "todo" é limitado. Não podemos evitar isso. Não conseguimos encontrar palavras para expressar aquilo que não podemos conceber totalmente. O acréscimo de "absoluto" ou qualquer outra palavra do gênero não resolve a questão. Até a palavra "Deus" é usada pela maioria das pessoas, muitas vezes inconscientemente, de forma que a limitação está implícita e, ao mesmo tempo, são acrescentadas palavras que têm a intenção de negar a limitação. Diz-se que um mártir cristão, quando lhe perguntaram o que era Deus, respondeu que Deus não tem um nome como o de um homem; e Justino diz o mesmo quando afirma que "os nomes 'Pai', 'Deus', 'Criador', 'Senhor' e 'Mestre' não são nomes, mas sim designações derivadas de benfeitorias e atos". Podemos conceber a existência de uma coisa, ou melhor, podemos ter a ideia de uma existência, sem uma noção adequada dela, "adequada" significando coextensiva e igual à coisa. Temos uma noção de espaço limitado derivada das dimensões do que chamamos de coisa material, embora não tenhamos noção alguma do espaço absoluto, se é que posso usar o termo; e do espaço infinito a noção é a mesma – nenhuma noção. No entanto, nós o concebemos em um sentido, embora eu não saiba como, e acreditamos que o espaço é infinito, e não podemos concebê-lo como finito.
63   As noções de matéria e de espaço são inseparáveis. Derivamos a noção de espaço da matéria e da forma. Mas não temos uma concepção adequada nem da matéria nem do espaço. A matéria, em sua resolução final, é tão ininteligível quanto o que as pessoas chamam de "mente", "espírito" ou qualquer outro nome que possam usar para expressar o poder que se torna conhecido por meio de atos. Anaxágoras estabeleceu a distinção entre inteligência e matéria, e disse que a inteligência imprimia movimento à matéria e, assim, separava os elementos da matéria e lhes dava ordem; mas ele provavelmente apenas supôs um começo, como diz Simplício, como fundamento de seu ensinamento filosófico. Empédocles disse: "O universo sempre existiu". Ele não tinha ideia do que é chamado de criação. Ocellus Lucanus sustentava que o Universo era imperecível e incriado. Consequentemente, eterno. Ele admitiu a existência de Deus, mas sua teologia exigiria alguma discussão. Pelo contrário, os brâmanes, de acordo com Estrabão, ensinavam que o Universo foi criado e é perecível; e o criador e administrador dele permeia o todo. O autor do livro *Sabedoria de Salomão* diz: "Tua mão todo-poderosa fez o mundo de matéria sem forma", o que pode significar que a matéria já existia.

supõe um início das coisas, como as conhecemos agora; mas sua linguagem é às vezes muito obscura. Eu me esforcei para explicar o significado de uma passagem bastante difícil.

A matéria consiste em partes elementares das quais todos os objetos materiais são feitos. Mas nada é permanente em sua forma. A natureza do Universo, de acordo com a expressão de Marco Aurélio, "não ama nada mais do que mudar as coisas que existem e fazer novas coisas como elas. Pois tudo o que existe é, de certa forma, a semente do que será. Mas você está pensando apenas nas sementes que são lançadas na terra ou em um útero, mas essa é uma noção muito vulgar". Todas as coisas, portanto, estão em constante fluxo e mudança, e algumas coisas são dissolvidas nos elementos, outras entram em seus lugares, e assim o "Universo inteiro continua sempre jovem e perfeito".

Marco Aurélio tem algumas expressões obscuras sobre o que ele chama de "princípios seminais". Ele os contrapõe aos átomos epicuristas e, consequentemente, seus "princípios seminais" não são átomos materiais que vagueiam ao acaso e se combinam, ninguém sabe como. Em uma passagem, ele fala de princípios vivos, almas que, após a dissolução de seus corpos, são recebidas no "princípio seminal do Universo". Schultz acha que, ao mencionar "princípios seminais, Marco Aurélio quer dizer as relações dos vários princípios elementares, cujas relações são determinadas pela Divindade e somente por meio das quais a produção de seres organizados é possível". Esse pode ser o significado, mas se for, nada de valor pode ser derivado dele[64]. O sentido etimológico simples dessa expressão é "produção", o nascimento do que chamamos de coisas. Os romanos usavam o termo "natura", que também significa "nascimento" originalmente. Mas nem os gregos nem os romanos se prenderam a esse significado simples, tampouco nós. Marco Aurélio diz: "Se o Universo é [um conjunto de] átomos ou a natureza [é um sistema], que isto seja estabelecido primeiro: que eu sou uma parte do todo que é governado

---

64 Justino usa determinadas palavras para falar sobre os estoicos, mas ele usa essa expressão em um sentido peculiar. Os primeiros escritores cristãos estavam familiarizados com os termos estoicos, e seus escritos mostram que a disputa foi iniciada entre os expositores cristãos e a filosofia grega. Na segunda Epístola de São Pedro (2 Pedro 1: 4) encontramos uma expressão estoica "natureza divina".

pela natureza". Aqui pode parecer que a natureza foi personificada e vista como um poder ativo e eficiente, como algo que, não sendo independente da Divindade, age por um poder que lhe é dado pela Divindade. Se eu entendi bem a expressão, essa é a maneira pela qual a palavra "natureza" é frequentemente usada atualmente, embora seja claro que muitos escritores usam essa palavra sem fixar qualquer significado exato a ela. O mesmo acontece com a expressão "leis da natureza", que alguns escritores podem usar em um sentido inteligível, mas outros claramente não usam em nenhum sentido definido. Não há nenhum significado nessa palavra "natureza", exceto aquele que o bispo Butler atribui a ela, quando diz: "O único significado distinto dessa palavra 'natural' é declarado, fixo ou estabelecido; uma vez que o que é natural requer e pressupõe um agente inteligente para torná-lo assim, ou seja, para realizá-lo continuamente ou em momentos determinados, como o que é sobrenatural ou milagroso faz para realizá-lo de uma só vez". Isso é o significado de Platão quando ele diz que Deus detém o começo, o fim e o meio de tudo o que existe, e prossegue em linha reta em seu curso, fazendo seu circuito de acordo com a natureza (isto é, por uma ordem fixa); e ele é continuamente acompanhado pela justiça, que pune aqueles que se desviam da lei divina, isto é, da ordem ou curso que Deus observa.

Quando observamos os movimentos dos planetas, a ação do que chamamos de gravitação, a combinação elementar de corpos desorganizados e sua resolução, a produção de plantas e de corpos vivos, sua geração, crescimento e dissolução, que chamamos de morte, observamos uma sequência regular de fenômenos que, dentro dos limites da experiência presente e passada, até onde conhecemos o passado, é fixa e invariável. Mas se não for assim, se a ordem e a sequência dos fenômenos, como conhecidas por nós, estiverem sujeitas a mudanças no curso de uma progressão infinita – e essa mudança é concebível –, não descobrimos e jamais descobriremos toda a ordem e a sequência dos fenômenos, em cuja sequência pode estar envolvida, de acordo com sua natureza, ou seja, de acordo com sua ordem fixa, alguma variação do que hoje chamamos de ordem ou natureza das coisas. Também é concebível que tais mudanças tenham ocorrido – mudanças na ordem das coisas, como somos obrigados pela imperfeição da linguagem a chamá-las, mas que não são mudanças. Além disso, é certo que nosso conhecimento da verdadeira sequência de todos os fenômenos reais, por exemplo, os fenômenos de geração, crescimento e dissolução, é e sempre será imperfeito.

Não nos saímos muito melhor quando falamos de causas e efeitos do que quando falamos da natureza. Para os propósitos práticos da vida podemos usar os termos "causa" e "efeito" de forma conveniente e podemos fixar um significado distinto a eles, distinto o suficiente para evitar qualquer mal-entendido. Mas o caso é diferente quando falamos de causas e efeitos como de coisas. Tudo o que conhecemos são fenômenos, como os gregos os chamavam, ou aparências que se seguem umas às outras em uma ordem regular, como a concebemos, de modo que se algum fenômeno falhar na série concebemos que deve haver uma interrupção da série ou que outra coisa aparecerá depois do fenômeno que falhou em aparecer e ocupará o lugar vago. Assim, a série em sua progressão pode ser modificada ou totalmente alterada. Causa e efeito, então, não significam nada na sequência de fenômenos naturais além do que eu disse, e a causa real, ou a causa transcendente, como alguns a chamariam, de cada fenômeno sucessivo está naquilo que é a causa de todas as coisas que são, que foram e que serão para sempre. Assim, a palavra "criação" pode ter um sentido real se a considerarmos como a primeira, se é que podemos conceber uma primeira, na ordem atual dos fenômenos naturais. Contudo, no sentido vulgar uma criação de todas as coisas em um determinado momento, seguida por uma quiescência da causa primeira e um abandono de todas as sequências de fenômenos às leis da natureza, ou a outras palavras que as pessoas possam usar, é absolutamente absurdo[65].

---

65 O tempo e o espaço são as condições de nosso pensamento; mas o tempo infinito e o espaço infinito não podem ser objetos de pensamento, exceto de uma forma muito imperfeita. O tempo e o espaço não devem ser pensados de forma alguma quando pensamos na Deidade. Swedenborg diz: "O homem natural pode acreditar que não teria nenhum pensamento, se as ideias de tempo, espaço e coisas materiais fossem retiradas, porque nelas se baseia todo o pensamento que o ser humano tem. Mas que ele saiba que os pensamentos são limitados e confinados na proporção em que participam do tempo, do espaço e do que é material, e que eles não são limitados e são estendidos, na proporção em que não participam dessas coisas, uma vez que a mente está tão elevada acima das coisas corpóreas e mundanas" (*Concerning Heaven and Hell*, p. 169).

Agora, embora haja grande dificuldade em entender todas as passagens de Marco Aurélio em que ele fala da natureza, das mudanças das coisas e da economia do Universo, estou convencido de que seu sentido de natureza e de natural é o mesmo que afirmei; e como ele era um homem que sabia como usar as palavras de forma clara e com estrita consistência, devemos presumir, mesmo que seu significado em algumas passagens seja duvidoso, que sua visão da natureza estava em harmonia com sua crença fixa na energia onipresente, sempre presente e sempre ativa de Deus.

Há muita coisa em Marco Aurélio que é difícil de entender, e pode-se dizer que ele não compreendeu totalmente tudo o que escreveu, o que, no entanto, não seria de modo algum notável, pois acontece atualmente que um homem pode escrever o que nem ele nem ninguém consegue entender. Marco Aurélio nos diz para olharmos para as coisas e vermos o que elas são, resolvendo-as no material, no casual e na relação ou propósito, com o que ele parece querer dizer algo na natureza do que chamamos de efeito ou fim. A palavra "causa" é a dificuldade. Existe a mesma palavra em sânscrito, e os filósofos sutis da Índia e da Grécia, e os filósofos menos sutis dos tempos modernos, todos usaram essa palavra, ou uma palavra equivalente, de forma vaga. No entanto, a confusão às vezes pode estar na inevitável ambiguidade da linguagem, e não na mente do escritor, pois não posso pensar que alguns dos homens mais sábios não sabiam o que pretendiam dizer. Quando Marco Aurélio diz "que tudo o que existe é, de certa forma, a semente do que será", pode-se supor que ele esteja dizendo o que alguns dos filósofos indianos disseram, e assim uma verdade profunda pode ser convertida em um absurdo grosseiro. Mas ele diz: "de certa forma", e de certa forma ele disse verdadeiro, ao passo que de outra forma, se você confundir seu significado, ele disse falso. Quando Platão disse: "Nada jamais é, mas está sempre se tornando", ele apresentou um texto do qual podemos extrair algo, pois ele destrói com isso não todas as noções práticas, mas todas as noções especulativas de causa e efeito.

Toda a série de coisas, conforme nos aparece, deve ser contemplada no tempo, ou seja, em sucessão, e concebemos ou supomos intervalos entre um estado de coisas e outro estado de coisas, de modo que há prioridade e sequência, e intervalo. Portanto, ser, e deixar de ser, e começo e fim. Mas não há nada desse tipo na natureza das coisas. Ela é uma continuidade eterna. Quando Marco Aurélio fala de geração, ele fala de uma causa agindo e, em seguida, outra causa assumindo o trabalho que a primeira deixou em um determinado estado, e assim por diante. Por isso, poderíamos talvez conceber que ele tinha alguma noção como o que tem sido chamado de "o poder autoevolutivo da natureza". Uma bela frase, de fato, cujo significado completo acredito que o autor não tenha percebido, e assim ele se expôs à imputação de ser um seguidor de uma das seitas hindus, que faz que todas as coisas venham por evolução da natureza ou da matéria, ou de algo que toma o lugar da divindade, mas não é a divindade. Eu gostaria que todos os seres humanos pensassem como quisessem, ou como pudessem, e apenas reivindico a mesma liberdade que dou. Quando uma pessoa escreve qualquer coisa, podemos tentar descobrir tudo o que suas palavras devem significar, mesmo que o resultado seja que elas significam o que ele não quis dizer. Se encontrarmos essa contradição a culpa não é nossa, mas do infortúnio dessa pessoa. Agora, Marco Aurélio talvez esteja um pouco nessa condição no que diz, embora fale, no final do parágrafo, do poder que age, invisível aos olhos, mas ainda assim não menos claramente. Mas ninguém sabe dizer se nessa passagem ele quer afirmar que o poder é concebido como estando nas diferentes causas sucessivas ou em outra coisa. De outras passagens, no entanto, deduzo que sua noção dos fenômenos do Universo é a que afirmei. A divindade trabalha sem ser vista, se é que podemos usar essa linguagem, e talvez eu possa, como fez Jó, ou aquele que escreveu o *Livro de Jó*. "Nele vivemos, nos movemos e existimos", disse São Paulo aos atenienses. E para mostrar aos seus ouvintes que essa não era uma doutrina nova, ele citou os poetas gregos. Um desses poetas foi o estoico Cleantes, cujo nobre hino a Zeus, ou Deus, é uma expressão elevada de devoção e filosofia. Ele priva a natureza de seu poder e a coloca sob o governo imediato da divindade.

A ti todo este céu, que gira em torno da terra,

Obedece, e de bom grado segue onde tu conduzes.

Sem ti, Deus, nada é feito na terra,

Nem nos reinos etéreos, nem no mar,

Exceto o que os ímpios, por sua insensatez, fazem.

A convicção de Marco Aurélio sobre a existência de um poder e governo divinos baseava-se em sua percepção da ordem do Universo. Como Sócrates, o imperador diz que, embora não possamos ver as formas dos poderes divinos, sabemos que eles existem porque vemos suas obras.

"Para aqueles que perguntam: 'Onde você viu os deuses, ou como você compreende que eles existem e assim os adora?', respondo, em primeiro lugar, que eles podem ser vistos até com os olhos; em segundo lugar, nem eu vi minha alma, e ainda assim eu a honro. Assim, portanto, com relação aos deuses, pelo que constantemente experimento de seu poder, compreendo que eles existem e os venero". Esse é um argumento muito antigo, que sempre teve grande peso para a maioria das pessoas e parecia suficiente. Ele não adquire a menor força adicional ao ser desenvolvido em um tratado erudito. Em sua simples enunciação, ele é tão inteligível quanto possível. Se for rejeitado, não há como argumentar com aquele que o rejeita, e se for desenvolvido em inúmeros detalhes, o valor da evidência corre o risco de ser enterrado sob uma massa de palavras.

Estando o ser humano consciente de que é um poder espiritual, ou de que possui tal poder, seja qual for a forma como ele o conceber – pois desejo simplesmente declarar um fato – com base nesse poder que ele tem em si mesmo, ele é levado, como diz Marco Aurélio, a acreditar que há um poder maior, que, como os antigos estoicos nos dizem, permeia todo o Universo como o intelecto[66] permeia o ser humano.

---

66 Sempre traduzi a palavra νοῦς como "inteligência" ou "intelecto". Parece ser a palavra usada pelos filósofos gregos mais antigos para expressar a noção de "inteligência" em oposição à noção de "matéria". Sempre traduzi a palavra λόγος por "razão", e λογικός pela palavra "racional", ou talvez às vezes "razoável", assim como traduzi νοερός pela palavra "intelectual". Todo homem que já pensou e leu qualquer escrito filosófico conhece a dificuldade de encontrar palavras para expressar certas

Então, Deus existe, mas o que sabemos sobre sua natureza? Marco Aurélio diz que a alma do ser humano é um eflúvio da divindade. Temos corpos como os animais, mas temos razão, inteligência, como os deuses. Os animais têm vida e o que chamamos de instintos ou princípios naturais de ação, mas somente o ser humano animal racional tem uma alma racional e inteligente. Marco Aurélio insiste neste fato continuamente: Deus está no ser humano[67] e, portanto, devemos estar constantemente atentos à divindade dentro de nós, pois é somente dessa forma que podemos ter algum conhecimento da natureza de Deus. A alma humana é, de certa forma, uma porção da divindade, e somente a alma tem qualquer comunicação com a divindade; pois, como ele diz: "Somente com sua parte intelectual Deus toca a inteligência que fluiu e foi derivada

---

noções, como as palavras expressam essas noções de forma imperfeita e como as palavras são usadas de forma descuidada. Os vários sentidos da palavra λόγος são suficientes para deixar qualquer pessoa perplexa. Nossos tradutores do Novo Testamento traduziram simplesmente ὁ λόγος por "a palavra", como os alemães traduziram por "das Wort"; mas em seus escritos teológicos eles às vezes mantêm o termo original *Logos*. Os alemães têm um termo *Vernunft*, que parece ser o mais próximo de nossa palavra "razão", ou as verdades necessárias e absolutas que não podemos conceber como sendo diferentes do que são. Essas são o que algumas pessoas chamam de leis do pensamento, as concepções de espaço e tempo, e axiomas ou primeiros princípios, que não precisam de provas e não podem ser provados ou negados. Assim, os alemães podem dizer: "Gott ist die höchste Vernunft", a razão suprema. Os alemães também têm uma palavra *Verstand*, que parece representar nossa palavra "entendimento", "inteligência", "intelecto", não como algo absoluto que existe por si só, mas como algo conectado a um ser individual, como um ser humano. Consequentemente, é a capacidade de receber impressões (*Vorstellungen*, φαντασίαι), e formar com base nelas ideias distintas (*Begriffe*), e perceber diferenças. Não creio que essas observações ajudem o leitor a entender Marco Aurélio ou seu uso das palavras νοῦς e λόγος. O significado do imperador deve ser obtido por suas palavras e, se não estiver totalmente de acordo com as noções modernas, não é nosso objetivo forçá-lo a concordar, mas simplesmente descobrir qual é o seu significado, se pudermos. Justino diz que o Deus onipotente, todo-criador e invisível fixou a verdade e o *Logos* santo e incompreensível no coração dos homens; e esse *Logos* é o arquiteto e criador do Universo. Na primeira *Apologia*, ele diz que a semente (σπέρμα) de Deus é o *Logos*, que habita naqueles que acreditam em Deus. Portanto, parece que, de acordo com Justino, o *Logos* está apenas em tais crentes. Na segunda *Apologia* ele fala da semente do *Logos* sendo implantada em toda a humanidade; mas aqueles que ordenam suas vidas de acordo com o *Logos*, tais como os estoicos, têm apenas uma porção do *Logos* (κατὰ σπερματικοῦ λόγου μέρος), e não têm o conhecimento e a contemplação do *Logos* inteiro, que é Cristo. Vale a pena comparar as observações de Swedenborg (*Angelic Wisdom*, 240) com as de Justino. O filósofo moderno concorda, em essência, com o antigo, mas é mais preciso.
67 "Aproximai-vos de Deus e ele se aproximará de vós" (Tiago, 4: 8).

de si mesmo para esses corpos". De fato, ele diz que o que está escondido dentro de uma pessoa é a vida, ou seja, o próprio ser humano. Todo o resto é vestimenta, cobertura, órgãos, instrumento, que o ser humano vivo, o ser humano real, usa para o propósito de sua existência atual.

O ar é universalmente difundido para aquele que é capaz de respirar. Assim, para aquele que está disposto a participar dele, o poder inteligente, que contém em si todas as coisas, é difundido tão ampla e livremente quanto o ar. É vivendo uma vida divina que o ser humano se aproxima do conhecimento da divindade. É seguindo a divindade interior, como Marco Aurélio a chama, que o ser humano se aproxima mais da divindade, o bem supremo, pois o ser humano nunca pode chegar a um acordo perfeito com seu guia interno. "Viver com os deuses. E vive de fato com os deuses aquele que constantemente mostra a eles que sua alma está satisfeita com o que lhe foi designado e que faz tudo o que o *daemon*[68] deseja, que Zeus deu a cada pessoa como seu guardião e guia, uma porção de si mesmo. E esse *daemon* é o entendimento e a razão de cada ser humano".

Há no ser humano, ou seja, na razão, na inteligência, uma faculdade superior que, se exercida, governa todas as outras. Essa é a faculdade governante, que Cícero traduz pela palavra latina *Principatus*, "à qual nada pode ou deve ser superior". Marco Aurélio usa com frequência esse termo e outros equivalentes. Ele a chama de "a inteligência governante". A faculdade governante é o mestre da alma. Um ser humano deve reverenciar apenas sua faculdade governante e a divindade dentro dele. Assim como devemos reverenciar o que é supremo no Universo, também devemos reverenciar o que é supremo em nós mesmos, e isso é o que é do mesmo tipo que aquilo que é supremo no Universo. Portanto, como diz Plotino, a alma do ser humano só pode conhecer o divino na medida em que conhece a si mesma. Em uma passagem, Marco Aurélio fala da condenação de uma pessoa si mesma quando a parte mais divina dentro dela foi dominada e cedeu à parte menos honrosa e perecível, o corpo, e seus prazeres grosseiros. Em suma, os pontos de vista de Marco Aurélio

---

68 Palavra do latim que significa determinadas entidades da natureza humana, como a loucura, a ira, a tristeza, entre outras.

sobre esse assunto, por mais que suas expressões possam variar, são exatamente o que o bispo Butler expressa quando fala da "supremacia natural da reflexão ou consciência", da faculdade "que examina, aprova ou desaprova as várias afeições de nossa mente e ações de nossas vidas".

Muito material poderia ser coletado de Marco Aurélio sobre a noção de que o Universo é um ser animado. Mas tudo o que ele diz não é mais do que isso, como Schultz observa: A alma do ser humano está intimamente unida ao seu corpo, e juntos formam um animal, que chamamos de humano; assim, a divindade está intimamente unida ao mundo, ou ao Universo material, e juntos formam um todo. Mas Marco Aurélio não via Deus e o Universo material como a mesma coisa, assim como não via o corpo e a alma do ser humano como um só. Ele fez 110 especulações sobre a natureza absoluta da divindade. Ele estava convencido de que Deus existe, que governa todas as coisas, que o ser humano só pode ter um conhecimento imperfeito de sua natureza e que ele deve alcançar esse conhecimento imperfeito reverenciando a divindade que está dentro dele e mantendo-a pura.

De tudo o que foi dito, conclui-se que o Universo é administrado pela Providência de Deus e que todas as coisas são sabiamente ordenadas. Há passagens em que Marco Aurélio expressa dúvidas ou afirma diferentes teorias possíveis sobre a constituição e o governo do Universo, mas ele sempre recorre ao seu princípio fundamental de que, se admitirmos a existência de uma divindade, também devemos admitir que ela ordena todas as coisas de forma sábia e correta. Epiteto diz que podemos discernir a providência que governa o mundo, se possuirmos duas coisas: o poder de ver tudo o que acontece com relação a cada coisa e uma disposição grata.

Mas se todas as coisas são sabiamente ordenadas, como o mundo está tão cheio do que chamamos de mal, físico e moral? Se, em vez de dizer que há maldade no mundo, usarmos a expressão que usei, "o que chamamos de maldade", estaremos antecipando parcialmente a resposta do imperador. Vemos, sentimos e conhecemos imperfeitamente pouquíssimas coisas nos poucos anos em que vivemos, e todo o conhecimento e toda a experiência de toda a raça humana é uma ignorância positiva do todo, que é infinito. Agora, como nossa razão nos ensina que tudo está, de alguma forma, relacionado e conectado a todas as outras coisas, toda noção de mal como estando no Universo das coisas é uma contradição, pois se o todo vem de um ser inteligente e é governado por ele, é impossível conceber qualquer coisa nele que tenda ao mal ou à destruição do todo. Tudo está em constante mutação e, ainda assim, o todo subsiste. Poderíamos imaginar o sistema solar dividido em suas partes elementares e, ainda assim, o todo subsistiria "sempre jovem e perfeito".

Todas as coisas, todas as formas, são dissolvidas, e novas formas aparecem. Todos os seres vivos passam pela mudança que chamamos de morte. Se chamarmos a morte de um mal, então toda mudança é um mal. Os seres vivos também sofrem dor, e o ser humano é o que mais sofre, pois sofre tanto em seu corpo quanto por sua parte inteligente. As pessoas também sofrem uns com as outras, e talvez a maior parte do sofrimento humano venha daqueles que ele chama de irmãos. Marco Aurélio diz: "Em geral, a maldade não causa dano algum ao Universo; e, particularmente, a maldade [de uma pessoa] não causa dano a outra. Ela só é prejudicial para aquele que tem o poder de se livrar dela assim que quiser". A primeira parte dessa afirmação é perfeitamente consistente com a doutrina de que o todo não pode suportar nenhum mal ou dano. A segunda parte deve ser explicada pelo princípio estoico de que não há mal em nada que não esteja em nosso poder. O mal que sofremos de outra pessoa é um mal dele, não nosso. Mas isso é uma admissão de que há maldade de certa forma, pois aquele que faz o mal faz o mal, e se os outros podem suportar o mal, ainda assim há maldade no malfeitor. Marco Aurélio dá muitos preceitos excelentes com relação a erros e injúrias, e seus preceitos são práticos. Ele nos ensina a suportar o que não podemos evitar, e suas lições podem ser tão úteis para aquele que nega a existência e o governo de Deus quanto para aquele que acredita em ambos. Não há resposta direta de Marco Aurélio às objeções que podem ser feitas à existência e à providência de Deus por causa da desordem moral e do sofrimento que há no mundo, exceto a resposta que ele dá à suposição de que até as melhores pessoas podem ser extintas pela morte. Ele diz que, se é assim, podemos ter certeza de que, se devesse ter sido de outra forma, os deuses teriam ordenado de outra forma. Sua convicção da sabedoria que podemos observar no governo do mundo é forte demais para ser perturbada por quaisquer irregularidades aparentes na ordem das coisas. Que essas desordens existem é um fato, e aqueles que concluem com base nelas contra a existência e o governo de Deus concluem precipitadamente. Todos nós admitimos que há uma ordem no mundo material, uma natureza, no sentido em que essa palavra foi explicada, uma constituição, o que chamamos de sistema, uma relação das partes entre si e uma adequação do todo a alguma coisa. Assim, na constituição das plantas e dos animais há uma ordem, uma adequação a algum fim. Às vezes, a ordem, como a concebemos, é interrompida, e o fim, como o concebemos, não é alcançado. A semente, a planta ou o animal, às vezes, perece antes de ter passado por todas as suas mudanças e cumprido todas as suas funções. É de acordo com a natureza, ou seja, uma ordem fixa, que alguns pereçam precocemente e que outros façam todos os seus usos e deixem sucessores para tomar seu lugar. Assim, o ser humano tem uma constituição corpórea, intelectual e moral adequada para certos usos e, no geral, realiza esses usos, morre e deixa outras pessoas em seu lugar. Assim, a sociedade existe, e um estado social é manifestamente o estado natural do ser humano – o estado para o qual sua natureza o capacita – e a sociedade, em meio a inúmeras irregularidades e desordens, ainda subsiste. Talvez possamos dizer que a história do passado e nosso conhecimento atual nos dão uma esperança razoável de que suas desordens diminuam e que a ordem, seu princípio governante, possa ser mais firmemente estabelecido. Como a ordem, então, uma ordem fixa, podemos dizer, sujeita a desvios reais ou aparentes, deve ser admitida como existente em toda a natureza das coisas, aquilo que chamamos de desordem ou mal, como nos parece, não altera de forma alguma o fato de a constituição geral das coisas ter uma natureza ou ordem fixa. Ninguém concluirá da existência da desordem que a ordem não é a regra, pois a existência da ordem, tanto física quanto moral, é comprovada pela experiência cotidiana e por todas as experiências passadas. Não podemos conceber como a ordem do Universo é mantida, bem como não podemos sequer conceber como nossa vida diária é mantida, tampouco como realizamos os movimentos mais simples do corpo ou como crescemos, pensamos e agimos, embora conheçamos muitas das condições necessárias para todas essas funções. Portanto, não sabemos nada sobre o poder invisível que age em nós mesmos, exceto pelo que é feito, não sabemos nada sobre o poder que age através do que chamamos de todo o tempo e todo o espaço, mas, vendo que há uma natureza ou ordem fixa em todas as coisas conhecidas por nós, é compatível com a natureza de nossas mentes acreditar que essa natureza universal tem uma causa que opera continuamente e que somos totalmente incapazes de especular sobre a razão de qualquer um desses distúrbios ou males que percebemos. Acredito que essa seja a resposta que pode ser obtida de tudo o que Marco Aurélio disse.

A origem do mal é uma questão antiga. Aquiles diz a Príamo (*Ilíada*, 24, 527) que Zeus tem dois barris, um cheio de coisas boas e o outro de coisas ruins, e que ele dá aos seres humanos de cada um deles de acordo com sua vontade; e assim devemos nos contentar, pois não podemos alterar a vontade de Zeus. Um dos comentaristas gregos pergunta como devemos conciliar essa doutrina com o que encontramos no primeiro livro da *Odisseia*, onde o rei dos deuses diz: "Os homens dizem que o mal lhes vem de nós, mas eles mesmos o provocam por sua própria insensatez". A resposta é bastante clara até para o comentarista grego. Os poetas fazem que Aquiles e Zeus falem de forma adequada a seus diversos personagens. De fato, Zeus diz claramente que os seres humanos atribuem seus sofrimentos aos deuses, mas o fazem falsamente, pois eles são a causa de suas tristezas.

Epiteto, em seu *Enchiridion*, trata rapidamente da questão do mal. Ele diz: "Assim como uma marca não é colocada com o propósito de ser perdida, a natureza do mal também não existe no universo". Ele diz: "Assim como uma marca não é colocada com o propósito de ser perdida, a natureza do mal também não existe no Universo". Isso parecerá bastante obscuro para aqueles que não estão familiarizados com Epiteto, mas ele sempre sabe do que está falando. Não estabelecemos uma marca para não a perceber, embora a possamos perceber. Deus, cuja existência Epiteto pressupõe, não ordenou todas as coisas de modo que seu propósito falhe. Seja o que for que possa haver no que chamamos de mal, a natureza do mal, como ele a expressa, não existe, isto é, o mal não faz parte da constituição ou da natureza das coisas. Se houvesse um princípio do mal na constituição das coisas, o mal não seria mais mal, como Simplicius argumenta, mas o mal seria bom. Simplicius tem um longo e curioso discurso sobre esse texto de Epiteto, que é divertido e, ao mesmo tempo, instrutivo, uma passagem concluirá o assunto. Ela contém tudo o que o imperador poderia dizer: "Sair do meio das pessoas, se houver deuses, não é algo que deva ser temido, pois os deuses não o envolverão no mal; mas se de fato eles não existem, ou se não se preocupam com os assuntos humanos, o que é para mim viver em um Universo desprovido de deuses ou desprovido de providência? Mas, na verdade, eles existem e se preocupam com as coisas humanas, e colocaram todos os meios ao alcance do ser humano para que ele não caia em males reais. E quanto ao resto, se houvesse algum mal, eles teriam providenciado isso também, para que o ser humano não pudesse cair nele. Mas aquilo que não piora o ser humano, como pode piorar a vida da humanidade? Nem por ignorância nem por ter o conhecimento, mas não o poder de se proteger ou corrigir essas coisas, é possível que a natureza do Universo as tenha negligenciado, tampouco é possível que tenha cometido um erro tão grande, seja por falta de poder ou de habilidade, que o bem e o mal devam acontecer indiscriminadamente aos bons e aos maus. Certamente, a morte e a vida, a honra e a desonra, a dor e o prazer, todas essas coisas acontecem igualmente às pessoas boas e ruins, sendo coisas que não nos tornam nem melhores nem piores. Portanto, elas não são nem boas nem más".

A parte ética da filosofia de Marco Aurélio decorre de seus princípios gerais. O objetivo de toda a sua filosofia é viver de acordo com a natureza, tanto a natureza do próprio ser humano quanto a natureza do Universo. O bispo Butler explicou o que os filósofos gregos queriam dizer quando falavam em viver de acordo com a natureza, e ele diz que quando isso é explicado, como ele explicou e como eles entenderam, é "uma maneira de falar não solta e indeterminada, mas clara e distinta, estritamente justa e verdadeira". Viver de acordo com a natureza é viver de acordo com toda a natureza de um ser humano, não de acordo com uma parte dela, e reverenciar a divindade dentro dele como a governadora de todas as suas ações. "Para o animal racional, o mesmo ato é de acordo com a natureza e de acordo com a razão". Aquilo que é feito de forma contrária à razão é também um ato contrário à natureza, a toda a natureza, embora seja certamente compatível com alguma parte da natureza do ser humano, ou não poderia ser feito. O ser humano foi feito para a ação, não para a ociosidade ou o prazer. Assim como as plantas e os animais fazem os usos de sua natureza, o ser humano deve fazer os seus.

As pessoas devem viver de acordo com a natureza universal, de acordo com a natureza de todas as coisas das quais elas fazem parte. Como cidadão de uma comunidade política, o ser humano deve direcionar sua vida e suas ações com relação àqueles entre os quais, entre outros propósitos, ele vive. Ele deve estar sempre ativo para fazer sua parte no grande todo. Todos os humanos são seus parentes, não apenas pelo sangue, mas ainda mais por participarem da mesma inteligência e por serem uma porção da mesma divindade. Uma pessoa não pode realmente ser prejudicada por seus irmãos, pois nenhum ato deles pode torná-la má, e ela não deve ficar com raiva deles nem os odiar. "Pois fomos feitos para cooperar, como os pés, como as mãos, como as pálpebras, como as fileiras de dentes superiores e inferiores. Agir uns contra os outros, portanto, é contrário à natureza; e é agir contra os outros para se irritar e se afastar".

Além disso, Marco Aurélio diz: "Tenha prazer em uma coisa e descanse nela ao passar de um ato social para outro ato social, pensando em Deus". Mais uma vez: "Amem a humanidade. Sigam a Deus". É a característica da alma racional do ser humano amar o próximo. Marco Aurélio ensina em várias passagens o perdão das ofensas, e sabemos que ele também praticava o que ensinava. O bispo Butler observa que "esse preceito divino de perdoar as injúrias e amar nossos inimigos, embora possa ser encontrado em moralistas gentios, ainda assim é, em um sentido peculiar, um preceito do cristianismo, pois nosso salvador insistiu mais nele do que em qualquer outra virtude". A prática desse preceito é a mais difícil de todas as virtudes. Marco Aurélio frequentemente o reforça e nos ajuda a segui-lo. Quando somos feridos, sentimos raiva e ressentimento, e esse sentimento é natural, justo e útil para a conservação da sociedade. É útil que os malfeitores sintam as consequências naturais de suas ações, entre as quais a desaprovação da sociedade e o ressentimento daquele que foi prejudicado. Mas a vingança, no sentido próprio da palavra, não deve ser praticada. "A melhor maneira de se vingar", diz o imperador, "é não se tornar como o malfeitor". Fica claro com isso que ele não quer dizer que devemos, de forma alguma, praticar a vingança, mas ele diz àqueles que falam em se vingar de erros: "Não seja como aquele que cometeu o erro". Sócrates, no *Crito*, diz o mesmo em outras palavras, e São Paulo (Epístola aos Romanos, 12: 17): "Não retribuam a ninguém mal por mal. Procurem fazer o que é correto aos olhos de todos". Marco Aurélio não negaria que o mal produz naturalmente o sentimento de raiva e ressentimento, pois isso está implícito na recomendação de refletir sobre a natureza da mente doa pessoa que cometeu o mal, e então você terá pena em vez de ressentimento, e assim chega-se ao mesmo que o conselho de São Paulo de se irar e não pecar; que, como Tom Butler-Bowdon bem explica, não é uma recomendação para se irar, o que ninguém precisa, pois a raiva é uma paixão natural, mas é uma advertência contra permitir que a raiva nos leve ao pecado. Em suma, a doutrina do imperador sobre atos ilícitos é a seguinte: os malfeitores não sabem o que é bom e o que é ruim: eles ofendem por ignorância e, no sentido dos estoicos, isso é verdade. Embora esse tipo de ignorância nunca seja admitido como uma desculpa legal, e não deva ser admitido como uma desculpa completa de forma alguma pela sociedade, pode haver injúrias graves, tais como as que uma pessoa pode perdoar sem prejudicar a sociedade; e se ele perdoa porque vê que seus inimigos não sabem o que fazem, ele está agindo no espírito da sublime oração: "Pai, perdoa-lhes, porque não sabem o que fazem".

 A filosofia moral do imperador não era um sistema fraco e estreito, que ensina uma pessoa a olhar diretamente para a própria felicidade, embora a felicidade ou a tranquilidade de um ser humano seja indiretamente promovida pelo fato de ele viver como deveria. Um indivíduo deve viver de acordo com a natureza universal, o que significa, como o imperador explica em muitas passagens, que as ações de uma pessoa devem ser compatíveis com suas verdadeiras relações com todos os outros seres humanos, tanto como cidadão de uma comunidade política quanto como membro de toda a família humana. Isso implica, e ele frequentemente expressa isso na linguagem mais forte, que as palavras e ações de uma pessoa, uma vez que afetam as outras pessoas, devem ser medidas por uma regra fixa, que é sua consistência com a conservação e os interesses da sociedade específica da qual o ser humano é membro e de toda a raça humana. Para viver em conformidade com essa regra, uma pessoa deve usar suas faculdades racionais a fim de discernir claramente as consequências e o efeito total de todas as suas ações e das ações dos outros, porque ela não deve viver uma vida de contemplação e reflexão apenas, embora deva frequentemente se recolher para acalmar e purificar sua alma pelo pensamento. Contudo, deve se misturar ao trabalho de outras pessoas e ser um companheiro de trabalho para o bem geral.

O ser humano deve ter um objeto ou propósito na vida, para que possa direcionar todas as suas energias a ele, é claro que um bom objeto. Aquele que não tem um objeto ou propósito na vida não pode ser o mesmo durante toda a sua vida. Bacon faz uma observação no mesmo sentido, sobre os melhores meios de "reduzir a mente à virtude e ao bom estado; ou seja, eleger e propor a si mesmo fins bons e virtuosos de sua vida, que possam ser razoavelmente alcançados". É uma pessoa feliz aquela que foi sábia o suficiente para fazer isso quando era jovem e teve as oportunidades, mas o imperador, vendo bem que uma pessoa nem sempre pode ser tão sábia em sua juventude, encoraja a fazer isso quando puder, e não deixar a vida escapar antes de começar. Aquele que consegue propor a si mesmo fins de vida bons e virtuosos, e ser fiel a eles, não pode deixar de viver de acordo com seu interesse e com o interesse universal, pois, na natureza das coisas, eles são um só. Segundo Marco Aurélio, se uma coisa não é boa para a colmeia, não é boa para a abelha. A seguinte passagem pode encerrar essa questão: "Se os deuses determinaram sobre mim e sobre as coisas que devem acontecer comigo, eles determinaram bem, pois não é fácil sequer imaginar uma divindade sem previsão; e quanto a me fazer mal, por que eles deveriam ter qualquer desejo nesse sentido? Que vantagem resultaria disso para eles ou para o todo, que é o objeto especial de sua providência? Mas se eles não determinaram sobre mim individualmente, eles certamente determinaram sobre o todo, pelo menos; e as coisas que acontecem por meio de sequência nesse arranjo geral eu deveria aceitar com prazer e me contentar com elas. Mas se eles não determinam nada – o que é perverso acreditar – ou se acreditamos nisso, não vamos sacrificar, tampouco rezar ou jurar por eles, sequer fazer qualquer outra coisa que fazemos como se os deuses estivessem presentes e vivessem conosco. No entanto, se os deuses não determinarem nada sobre as coisas que nos dizem respeito, sou capaz de determinar sobre mim mesmo e posso perguntar sobre o que é útil: e o que é útil para todo ser humano é o que está de acordo com sua constituição e natureza. Mas minha natureza é racional e social; e minha cidade e país, na medida em que sou Augusto, é Roma, mas na medida em que sou um humano, é o mundo. Portanto, as coisas que são úteis para essas cidades são úteis somente para mim".

Seria tedioso, e não é necessário, expor as opiniões do imperador sobre todas as maneiras pelas quais uma pessoa pode usar seu entendimento de forma proveitosa para se aperfeiçoar na virtude prática. As passagens para esse propósito estão em todas as partes de seu livro, mas como não estão em nenhuma ordem ou conexão, uma pessoa precisa usar o livro por muito tempo antes de descobrir tudo o que está nele. Algumas palavras podem ser acrescentadas aqui. Se analisarmos todas as outras coisas, veremos como elas são insuficientes para a vida humana e como muitas delas são realmente inúteis. Somente a virtude é indivisível, una e perfeitamente satisfatória. A noção de virtude não pode ser considerada vaga ou incerta, porque uma pessoa pode achar difícil explicar a noção completamente para si mesma ou expô-la a outras pessoas de modo a evitar a hesitação. A virtude é um todo, e não consiste mais em partes do que a inteligência do ser humano, e ainda assim falamos de várias faculdades intelectuais como uma maneira conveniente de expressar os vários poderes que o intelecto da humanidade demonstra por suas obras. Da mesma forma, podemos falar de várias virtudes ou partes da virtude, em um sentido prático, com o propósito de mostrar quais virtudes específicas devemos praticar para o exercício da virtude como um todo, ou seja, como a natureza do ser humano é capaz.

O princípio primordial na constituição do ser humano é o social. O próximo na ordem é não ceder às persuasões do corpo, quando elas não estiverem em conformidade com o princípio racional, que deve governar. O terceiro é a liberdade do erro e do engano. "Que o princípio governante, apegando-se a essas coisas, siga em frente, e ele terá o que é seu". O imperador escolhe a justiça como a virtude que é a base de todas as outras, e isso já havia sido dito muito antes de sua época.

É verdade que todas as pessoas têm alguma noção do que significa justiça como uma disposição da mente e alguma noção sobre como agir em conformidade com essa disposição, mas a experiência mostra que as noções das pessoas sobre justiça são tão confusas quanto suas ações são inconsistentes com a verdadeira noção de justiça. A noção de justiça do imperador é bastante clara, mas não é prática o suficiente para toda a humanidade. "Que haja liberdade de perturbações com relação às coisas que vêm da causa externa; e que haja justiça nas coisas feitas em virtude da causa interna, ou seja, que haja movimento e ação terminando nisso, em atos sociais, pois isso está de acordo com sua natureza". Em outro lugar, Marco Aurélio diz que "aquele que age injustamente age impiamente", o que decorre, é claro, de tudo o que ele diz em vários lugares. Ele insiste na prática da verdade como uma virtude e como um meio para a virtude, o que sem dúvida é, pois a mentira, mesmo em coisas indiferentes, enfraquece o entendimento, e mentir maliciosamente é uma ofensa moral tão grande quanto uma pessoa pode ser culpada, visto tanto como demonstração de uma disposição habitual quanto com relação às consequências. Ele associa a noção de justiça à ação. Um indivíduo não deve se orgulhar de ter uma boa noção de justiça em sua cabeça, mas deve exibir sua justiça em atos, como a noção de fé de São Tiago.

Os estoicos, e Marco Aurélio entre eles, chamam algumas coisas de belas e outras de feias, e como são belas, são boas, e como são feias, são más ou ruins. Todas essas coisas, o bem e o mal, estão em nosso poder, absolutamente, diriam alguns dos estoicos mais rigorosos. Apenas de certa forma, como diriam aqueles que não se afastam totalmente do senso comum. Praticamente elas estão em grande medida no poder de algumas pessoas e em algumas circunstâncias, mas em pequeno grau apenas em outras pessoas e em outras circunstâncias. Os estoicos sustentam o livre-arbítrio do ser humano no que diz respeito às coisas que estão em seu poder, pois, sobre as coisas que estão fora de seu poder, o livre-arbítrio que termina em ação é, naturalmente, excluído pelos próprios termos da expressão. Não sei se podemos descobrir exatamente a noção de Marco Aurélio sobre o livre-arbítrio do ser humano, tampouco vale a pena investigar essa questão. O que ele quer dizer e diz é inteligível. Todas as coisas que não estão em nosso poder são indiferentes, porque elas não são nem boas nem más, moralmente. Assim são a vida, a saúde, a riqueza, o poder, a doença, a pobreza e a morte. A vida e a morte são a parte de todas as pessoas. Saúde, riqueza, poder, doença e pobreza acontecem aos seres humanos, indiferentemente para os bons e para os maus, para aqueles que vivem de acordo com a natureza e para aqueles que não vivem. "A vida", diz o imperador, "é uma guerra e a permanência de um estranho, e depois da fama é o esquecimento".

    Depois de falar das pessoas que perturbaram o mundo e, depois, morreram, e da morte de filósofos como Heráclito e Demócrito, esse último destruído por piolhos, e de Sócrates, que outros piolhos (seus inimigos) destruíram, Marco Aurélio diz: "O que significa tudo isso? Você embarcou, fez a viagem, chegou à praia; saia. Se de fato for para outra vida, não há falta de deuses, nem mesmo lá. Mas, se for para um estado sem sensações, você deixará de ser preso por dores e prazeres, e de ser escravo do vaso que é tão inferior quanto o que o serve é superior: pois um é inteligência e Deidade; o outro é terra e corrupção". Não é a morte que o ser humano deve temer, mas ele deve temer nunca começar a viver de acordo com a natureza. Todas as pessoas devem viver de modo a cumprirem seu dever, e não se preocuparem com mais nada. O ser humano deve viver de tal maneira que esteja sempre pronto para a morte e parta satisfeito quando a convocação chegar. Pois o que é a morte? "Uma cessação das impressões através dos sentidos, e do puxar das cordas que movem os apetites, e dos movimentos discursivos dos pensamentos, e do serviço à carne". A morte é como a geração, um mistério da natureza. Em outra passagem, cujo significado exato talvez seja duvidoso, Marco Aurélio fala da criança que sai do útero, e assim ele diz que a alma, ao morrer, deixa seu invólucro. Assim como a criança nasce ou ganha vida ao deixar o útero, a alma pode, ao deixar o corpo, passar para outra existência que é perfeita. Não tenho certeza se esse é o significado do imperador. Butler compara com uma passagem em Estrabão sobre a noção dos brâmanes de que a morte é o nascimento para a vida real e uma vida feliz, para aqueles que filosofaram, e ele acha que Marco Aurélio pode aludir a essa opinião.

A opinião de Marco Aurélio sobre uma vida futura não está claramente expressa em nenhum lugar. Sua doutrina sobre a natureza da alma implica necessariamente que ela não perece absolutamente, pois uma porção da divindade não pode perecer. A opinião é pelo menos tão antiga quanto a época dos poetas gregos Epicarmo e Eurípides, segundo a qual o que vem da terra volta para a terra, e o que vem do céu, a divindade, volta para aquele que a deu. Mas não encontro nada claro em Marco Aurélio sobre a noção de que o ser humano existe após a morte de modo a estar consciente de sua semelhança com aquela alma que ocupou seu vaso de barro. Ele parece estar perplexo a respeito desse assunto e, por fim, descansou na seguinte afirmação: "Deus ou os deuses farão o que for melhor e consistente com a universidade das coisas".

Tampouco, penso eu, ele fala conclusivamente sobre outra doutrina estoica, que alguns estoicos praticavam – a antecipação do curso regular da natureza pelo ato do próprio ser humano. O leitor encontrará algumas passagens em que isso é abordado, e ele pode fazer delas o que quiser. Mas há passagens em que o imperador incentiva a si mesmo a esperar o fim com paciência e tranquilidade. Certamente, é consistente com todos os seus melhores ensinamentos que uma pessoa deva suportar tudo o que lhe couber e fazer atos úteis enquanto viver. Portanto, o ser humano não deve abreviar o tempo de sua utilidade pela própria ação. Se Marco Aurélio contempla quaisquer casos possíveis em que uma pessoa deveria morrer pelas próprias mãos, não sei dizer. Esse assunto não merece uma investigação curiosa, pois acredito que não levaria a nenhum resultado certo quanto à opinião do imperador sobre esse ponto. Não creio que Marco Aurélio, que nunca menciona Sêneca, embora devesse saber tudo sobre ele, teria concordado com Sêneca quando ele dá como razão para o suicídio que a lei eterna, seja o que for que ele queira dizer, não fez nada melhor para nós do que isso, que nos deu apenas uma maneira de entrar na vida e muitas maneiras de sair dela. De fato, as maneiras de sair são muitas, e essa é uma boa razão para uma pessoa cuidar de si mesma.

A felicidade não era o objetivo direto da vida de um estoico. Não há nenhuma regra de vida contida no preceito de que uma pessoa deve buscar a própria felicidade. Muitas pensam que estão buscando a felicidade quando estão apenas buscando a gratificação de alguma paixão em particular, a mais forte que possuem. O fim de um indivíduo é, como explicado, viver de acordo com a natureza, e assim ele obterá felicidade, tranquilidade de espírito e contentamento. Como meio de viver de acordo com a natureza, ele deve estudar as quatro principais virtudes, cada uma das quais tem a própria esfera: sabedoria, ou o conhecimento do bem e do mal; justiça, ou dar a cada pessoa o que lhe é devido; fortaleza, ou suportar o trabalho e a dor; e temperança, que é a moderação em todas as coisas. Ao viver assim, de acordo com a natureza, o estoico obtinha tudo o que desejava ou esperava. Sua recompensa estava em sua vida virtuosa, e ele estava satisfeito com isso. Há muito tempo, um poeta grego escreveu:

> Pois a virtude é a única de todas as coisas humanas
>
> Não recebe sua recompensa das mãos de outros.
>
> A própria virtude recompensa o trabalho da virtude.

Alguns dos estoicos, de fato, expressavam-se em termos muito arrogantes e absurdos sobre a autossuficiência do sábio; eles o elevavam à categoria de uma divindade. Mas esses eram apenas faladores e palestrantes, como aqueles que, em todas as épocas, proferem palavras bonitas, sabem pouco sobre assuntos humanos e se preocupam apenas com a notoriedade. Epiteto e Marco Aurélio, tanto por preceito quanto por exemplo, trabalharam para melhorar a si mesmos e aos outros. Se descobrirmos imperfeições em seus ensinamentos, ainda assim devemos honrar esses grandes homens que tentaram mostrar que há na natureza do ser humano e na constituição das coisas razões suficientes para viver uma vida virtuosa. É bastante difícil viver como deveríamos viver, difícil até para qualquer pessoa viver de modo a satisfazer a si mesma, se ela exerce apenas em um grau moderado o poder de refletir e revisar a própria conduta. Se todas as pessoas não podem ser levadas às mesmas opiniões em moral e religião, pelo menos vale a pena dar-lhes boas razões para tudo o que elas podem ser persuadidas a aceitar.

**ENCONTRE MAIS
LIVROS COMO ESTE**

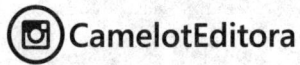

Camelot
EDITORA

CamelotEditora